TEATRO ESPAÑOL

Fermín Cabal y José Luis Alonso de Santos

TEATRO ESPAÑOL DE LOS 80

EDITORIAL FUNDAMENTOS

1000697807

©   Fermín Cabal y José Luis Alonso de Santos

©   en lengua castellana para todos los países
    Editorial Fundamentos, 1985
    Caracas 15. 28010 Madrid España

ISBN: 84-245-0413-5
Depósito Legal: M-3219-1985

Impreso en España. Printed in Spain
Impreso por Técnicas Gráficas. Las Matas 5. 28039 Madrid

Diseño cubierta: Cristina Vizcaino

INDICE

ADVERTENCIA PREVIA

El material que conforma este libro, amigo lector, no se escribió originalmente para este fin, sino que fue apareciendo en las páginas de la revista **Primer Acto**, *de Madrid, al hilo de la actualidad teatral. Sólo al cabo de los números, a medida que las cuartillas se amontonaban en el cajón, los autores empezamos a plantearnos la posibilidad de su aparición como libro aparte.*

¿Qué razones nos movieron a ello? Ante todo la ausencia casi total, en los últimos años, de estudios y referencias críticas acerca de la última hora de nuestro teatro. Salvo algunos artículos para revistas, generalmente de análisis de coyuntura, el género ha desaparecido de nuestra literatura. Hay que remontarse hasta 1977 para encontrar los libros que hoy resultan indispensables para los especialistas en teatro español contemporáneo, suponiendo que exista alguno todavía. Son la **Historia del teatro español. Siglo XX**, *de Ruiz Ramón, cuya tercera edición incluía un nuevo capítulo dedicado al teatro último; y* **Teatro indepediente, una alternativa social** *de Alberto Miralles. Meses más tarde se publicaba la primera edición del polémico libro de Wellwarth,* **Spanish underground theatre,** *con demasiados años de de retraso para que pudiera cumplir la función desestabilizadora con que es de suponer que fuera escrito. Desde entonces, nada. Es bien significativo del estado de postración en que vive nuestro teatro que en años tan agitados, tan llenos de ilusiones y expectativas de cambios más o menos realizados, no se haya generado entre nuestros estudiosos el menor interés por lo que se estaba cociendo en el teatro.*

Esta colección de entrevistas con algunos de los creadores más destacados de la última generación se propone, pues, paliar en alguna medida, a pesar de sus muchas limitaciones, ese agujero negro que los eruditos no han venido a cubrir y en el que se encuentra precisamente la memoria de un momento histórico imprescindible para comprender el teatro español actual: los años de evolución y transformación del teatro independiente. Todos los entrevistados proceden de este movimiento salvo José Luis Gómez y Manuel Collado, que a pesar de realizar un aprendizaje diferente, no han podido sustraerse a la influencia de su entorno generacional.

Naturalmente no pretendemos que esta pequeña relación de nombres tenga un carácter exhaustivo. Esperamos de nuestros lectores la suficiente madurez de criterio como para comprender las inevitables limitaciones de esta publicación, dada nuestra perspectiva madrileña, la influencia de nuestra condición de parte en el asunto, el capricho inevitable de nuestros gustos personales y sobre todo la falta de un plan global en la realización del libro. Con todo, pensamos que los interesados en conocer el estado actual del teatro español de última hora obtendrán aquí una información riquísima sobre la materia.

Queremos insistir, no obstante, en el carácter incompleto de esta muestra, en ciertos aspectos, deliberado. Nuestra atención se ha dirigido decididamente a los nuevos creadores que han desarrollado de una manera más constante y normalizada su labor durante los últimos años, tratando de recoger diferentes líneas y estilos, y los nombres que se nos antojaban más representativos de los mismos, con un criterio cronológico que excluye a los consagrados que han realizado la mayor parte de su obra con anterioridad a la fecha clave de 1975 y que son hoy suficientemente conocidos. Por otra parte, dado su carácter de libro complementario a los citados, resultaba ocioso ocuparse de algunos de los nombres allí recogidos y examinados, a pesar de que alguno de ellos, por razones generacionales y por haber evolucionado notablemente su obra desde entonces, podrían haber estado aquí, y sin duda este libro hubiera salido ganando con ello. Son los casos, por ejemplo de Martínez Mediero, Miras, Benet i Jornet, Matilla, Miralles, etc. El problema afecta especialmente a los autores, ya que los estudios citados se circunscriben casi exclusivamente a la literatura dramática. *Las omisiones en el caso de los directores, por tanto, creemos que serán menos graves, aunque no falten. La más imperdonable, a nuestro juicio, es la de Salvador Távora. En nuestro descargo sépase que le hemos perseguido sin éxito con ocasión de sus dos últimos estrenos en Madrid. Angel Ruggiero, por su parte, se ha salvado de ser el núm. 13 gracias a una prolongada ausencia de España, que esperamos no se alargue demasiado. Otros directores han quedado fuera por motivos de oportunidad; bien porque no hayan podido mostrar su trabajo en la capital, bien porque lo hayan hecho en las condiciones fugaces y mezquinas que habitualmente tienen que enfrentar los más jóvenes.*

Una tercera limitación afecta especialmente a estos últimos. Quizá los elegidos forman parte de la cabeza visible de ese movimiento de renovación que precisa desde hace años la escena española y que en su día se materializó en el teatro independiente. Todos ellos son, como comprobará el lector en sus respuestas, veteranos de esa aspiración generacional, con muchos espectáculos a sus espaldas, y cuyo aprendizaje se remonta, en todos los casos, a momentos anteriores a la desaparición de la dictadura. Desde entonces, y a pesar de la constante invocación a la crisis con que hemos vivido subjetivamente este proceso de adaptación de la sociedad española, y por tanto del teatro español, a nuevas circunstancias políticas y sociales, han ido apareciendo, lógicamente, nuevos creadores, algunos de ya probado talento, que constituyen hoy nuestra mejor reserva de esperanza. Cabría citar aquí, por más que sea siempre odioso y arbitrario, los nombres de autores y directores como Alfonso Vallejo, Guillermo Heras, Joan Ollé, Jesús Campos, Domingo Miras, Carlos Marquerie, Juan Carlos Sánchez, César Oliva, Rudolf Sirera, Libélula, Juan A. Hormigón, Josep M. Gual, Manuel Canseco, Sanchís Sinisterra, Domingo Le Giudice, Antonio Llopis, Gerardo Malla, Antonio Malonda, Marta Schinca, Mariano Anós, Pilar Laveaga, Eduardo Zamanillo, Alberto Alonso, Rodríguez Buzón, Etelvino Vázquez, José Ramón Barea, Julio Lago, Juli Leal, Santiago Paredes, Manuel Lourenzo, Julio Castronovo, Angel Gutiérrez, Fernando Herrero, Miguel Alarcón..., por citar algunos de los más talludos,

11

y tras ellos un tropel de novísimos, todavía demasiado recientes para ofrecer una perspectiva de sus posibilidades, pero entre los que nos atreveríamos a destacar nombres como Ignacio Amestoy, Jesús Morillo, José A. Ortega, Agustín Iglesias, Emilio Hernández, Juanjo Granda, Pedro Alvarez Osorio, Santiago Satorre, Jordi Mesalles, Miguel Murillo, Jorge Eines, Lourdes Ortiz, Juan Pedro Aguilar, Pedro Carvajal, Antonio Rus, Colectivo Teloncillo, Joaquín Vida, Francisco Taxes, Vidal Bolaño, Chatono Contreras, Antonio González, Manuel Gómez, José Luis Alegre, Alvaro del Amo, Ladrón de Guevara, Medina Vicario, Domínguez Tavira, Eduardo Alonso, Ramón Resino, Carlos Vides, Luis Araujo, José Luis Castro, Luis Alvarez, Ginés Sánchez, María Ruiz, S. A. Alonso, Alberto Urdiales, Paco Melgares, Marisa Ares, M.ª Manuela Reina, Paloma Díaz Mas, Carmen Romero..., y afortunadamente muchos otros a los que desde aquí pedimos disculpas por no haber citado. De todas formas tenemos el propósito de dar continuidad a este trabajo con un segundo volumen en el que trataremos de susbsanar las omisiones señaladas, actualizar el material presente y ofrecer una visión más global del teatro español de nuestro tiempo.

JOSE LUIS ALONSO DE SANTOS
FERMIN CABAL

TEATRE LLIURE

GRAELLES.— Incluso ahora, después de tres años de trabajo ininterrumpido y trece espectáculos realizados, me parece difícil analizar nuestros planteamientos estéticos sin hacer antes un poco de historia, sin explicar de donde partimos... Porque el tipo de teatro que pretendemos viene dado más por consideraciones de tipo... sociológico, que por una formulación estética previa. Por el mismo hecho de ser los primeros de los "estables". Por el mismo hecho de ser la primera cooperativa registrada en el Ministerio de Industria...

PUIGSERVER.—Esto de "estable", con todas las comillas del mundo. En realidad no hemos hecho más que resucitar una vieja fórmula que no tiene nada de original. Somos una compañía titular privada en régimen de cooperativa. Y no somos, contra la opinión de la prensa, y de la mayoría de la gente, un grupo independiente. Ni un grupazo, ni un grupito. Si acaso, lo somos en un sentido semántico elemental: un grupo como reunión de personas. Y esto no lo precisamos por desprecio, ojo, que si a algún mundo teatral estamos vinculados es al teatro independiente, de donde procedemos todos, pero nos parece que nuestra estructura y funcionamiento tienen características específicas que exigen otra denominación, otra "marca". Por otra parte, quizá iniciamos este nuevo tipo de trabajo, pero ya no estamos solos, y el movimiento empieza a ser lo suficientemente amplio como para hablar de una posible alternativa, parcial, no total, al teatro peninsular, o del Estado español.

FERMIN CABAL.—*Esa denominación, esa nueva "marca" que pedís, me parece que tiene poco que ver con esa referencia a las compañías tradicionales de repertorio, que pertenecen a un*

13

pasado ya fenecido. Esa tradición ya se ha roto y la gente es natural que no os reconozca en ella y trate de situaros en un espacio que le resulte familiar, de ahí que os vean como un grupo independiente, un grupo especial, pero… vosotros mismos recurrís a esta imagen para presentaros en Madrid, por ejemplo, la entradilla de Haro Tecglen en el programa del CDN…

G.— Sobre el texto de Haro, "no comment"…

F.C.— *¿Por qué no? ¿No pensáis que representa una cierta visión del Teatre Lliure desde fuera, que, sin coincidir seguramente con la imagen que de vosotros mismos tenéis, puede aclarar, digamos concretar, la imagen que de vosotros se hace el espectador, por lo menos en Madrid.*

G.— Más vale que no entremos en eso, porque va a ser un poco…

F.C.— *¿Es que creéis que esa imagen "de grupo independiente" os ha perjudicado en vuestra representación en Madrid? ¿Cómo se explica, entonces, vuestra presencia en la Sala Cadarso, que es el lugar por excelencia del teatro independiente aquí?*

P.— Es difícil matizar esto con exactitud. Por una parte esa imagen existe y está en la calle, y no creo que se haya modificado con nuestra presentación… Por otra parte, aunque esta imagen no es exactamente la nuestra, tampoco estamos muy lejos. Por ejemplo, lo de la Cadarso no es casual. Todo lo contrario, hemos presionado para que así fuera, porque sabemos que allí va un público que nos interesa. Además, de haber ido sólo al María Guerrero tampoco hubiéramos dado la imagen correcta.

F.C.— *Vuestra imagen está a caballo entre el "independiente" y… ¿y qué, el teatro comercial, el teatro estatal…?*

P.— … Y otra cosa… algo más artesanal, más familiar…

PLANELLA.— Pensamos que yendo a la Cadarso era una forma de conectar con nuestros orígenes…, con un público determinado, más similar… La Cadarso era un lugar adecuado.

F.C.—*¿El público de la Cadarso es similar al de vuestro local de Gracia?*

P.— En un principio fue así, pero al cabo de tres años se ha modificado el panorama. Por supuesto, contamos con ese público del "independiente", pero se acerca a nosotros otro tipo de gente... Desde gente mayor, el público del Paralelo, de la revista, que me parece muy respetable... hasta gente más joven, del Instituto del Teatro, sectores profesionales, intelectuales, pintores y cosas así..., hasta gente del barrio, trabajadores, vecinos de Gracia... un público más heterogéneo y que ha cambiado. Esto es significativo del producto que damos. No puedo establecer comparaciones con el de Madrid, porque aquí no hemos tenido un público normal y no podemos valorarlo en sólo tres semanas y con poca asistencia por diversas razones...

F.C.— *Entre esas razones me imagino que destacaréis el problema del idioma. Mucha gente se habrá preguntado por qué habéis mantenido el catalán en Madrid. Máxime cuando uno de los directores del Lliure, Lluis Pasqual, ha traído a Madrid, la pasada temporada, un espectáculo "doblado"...*

G.— No hemos venido a Madrid para hacer temporada. Hemos venido a presentar nuestro trabajo y nuestro trabajo es en catalán, y sólo podemos hacerlo en catalán, primero por ideología, después porque somos incapaces de hacerlo en castellano. No lo hemos hecho nunca, jamás, ninguno de los actores puede hacerlo... Esto limitaba de antemano la incidencia en el público, claro está, pero tampoco esperábamos tan escasa asistencia...

F.C.—*¿Ha habido otros factores, entonces, la prensa, tal vez?*

G.—Sí, sí... la imagen, la falta de promoción, el poco interés de la prensa... Cosa que no nos extraña, porque en la misma Barcelona nos ha costado sudores y paciencia el irnos haciendo amigos de los periodistas, de la gente que ocupa puestos clave en los periódicos, para que te dediquen un pequeño espacio y, aún hoy, un estreno del Lliure puede provocar una entrevista de media

15

página, pero, al día siguiente, a un estreno del Apolo, con Tania Doris, le dan una página, y esto en el periódico más progre de Barcelona, **Tele-Exprés** o **Mundo Diario**... Y no digamos cuando vienen los monstruos de la música pop, rock o lo que sea...

PL.— Hemos tenido que mandar notas para que la prensa de Barcelona se hiciera eco de nuestra estancia en Madrid, que reaccionaran...

P.— En Barcelona no leen los periódicos de Madrid, ni siquiera la sección de espectáculos... Ahora bien, nuestra imagen en Barcelona es más correcta, el periodista de teatro sabe perfectamente lo que somos, lo que representamos... Tampoco es extraño porque hay tan poca cosa... que puede situarnos enseguida, y saben que, de alguna forma, representamos una avanzadilla en la renovación de la vida teatral...

F.C.— *Me gustaría que os extendiérais más sobre este punto, es decir, ¿cuáles son los objetivos de esa renovación teatral?, ¿hasta qué punto estaban elaborados teóricamente al comienzo del proyecto?, ¿cómo se han ido modificando con vuestra práctica?, etc.,...*

G.— Desde el comienzo teníamos algunas cosas claras. Lo primero de todo era que disponíamos de un local, y a partir de aquí nos planteamos la idea del "estable", entrecomillado, una palabra que utilizábamos para uso interno, sin presumir la apropiación indebida del nombre que iba a hacerse en muchos casos. No pretendíamos poner en marcha un movimiento de teatros estables, ni mucho menos. Conocíamos, por supuesto, la existencia de los estables italianos o alemanes, las casas de cultura francesas, etc., pero, a nuestra modestísima escala, teniendo en cuenta que: a) el local es pequeño, b) no tenemos un duro de partida, c) provenimos del teatro independiente, ¿qué podemos hacer? De aquí nace la filosofía de funcionamiento estructural del Lliure, más de funcionamiento que de otra cosa, en la cual el primer punto de la "Constitución" sería: a) El Teatro Lliure es una sociedad cooperativa con todo lo que esto conlleva. b) De las múltiples opciones posibles nos decidimos por lo que nos parecía más lógico dentro de una situación cultural normalizada: que un grupo teatral catalán pueda hacer, sin avergonzarse y sin tener que dar explicaciones, lo que en todo el mundo se llama teatro de repertorio. Todos sabemos el tipo de programación, de textos, a los que acudía el teatro independiente: textos que tenían incidencia inmediata en la situación, textos que podían viabilizar una serie de críticas, incluso propuestas políticas. La mayoría de nosotros había trabajado en esa línea, incluso había hecho teatro militante, sin ser teatro político, por ejemplo: **La Semana Trágica**... Pero la situación estaba cambiando aceleradamente (hay que tener en cuenta que esto se produce a los seis meses de la muerte de Franco) y nos decidimos por hacer algo tan exótico, no ya en el contexto del Estado español, sino en el catalán y barcelonés, como es hacer un teatro de repertorio y permitirse el lujo de programar autores clásicos, así de repente. Nos parecía que era un salto cualitativo que tenía que dar el teatro catalán, que había demostrado, en los años de desarrollo del teatro independiente, que podía ir encontrando nuevos lenguajes, absorbiendo o dirigiendo una serie de teorías y técnicas, desde Brecht a Grotowsky, fiebres sucesivas de los grupos independientes... Y no se habían hecho los clásicos, que sólo se montaban si había una motivación, digamos, social.

F.C.—*Tal como lo planteas, de la impresión de que en el origen de vuestra compañía, y en su evolución posterior, han influido factores casuales... El mismo hecho de elegir un repertorio de clásicos aparece como un lugar que estaba por ocupar y que os provoca la voluntad de hacerlo...*

G.—No es tan casual, no es tan casual... Es una suma de componentes en la que intervienen elementos de azar completamente absurdos, como es poder disponer de un local, que es la madre del cordero en este asunto...

F.C.—*A eso me refiero. Cuesta creer que no hubiera detrás una visión teórica, por mínima que fuera...*

PL.—La idea estaba latente y la prueba es que, cuando hubo una oportunidad, la cosa se montó sin una peseta y a base de trabajo. O sea, que había un planteamiento teórico latente en diversas personas y el detonante fue que a Fabià le ofrecen la posibilidad de explotar una sala teatral y le dan carta blanca para

17

hacer lo que quiera. Esto es importante porque da una primera muestra de realismo, de posibilismo, que es un factor muy a tener en cuenta en toda nuestra trayectoria profesional. A partir del local nos lanzamos a construir un sueño que teníamos después de muchos años de teatro independiente.

P.—A partir del local se produjo la confluencia de unos individuos que, casi todos, habíamos trabajado antes juntos, por ejemplo en **La Semana Trágica**, en Joglars, en otros grupos...

SOLDEVILA.—En el Instituto del Teatro estamos como profesores cinco de la casa, y muchos del grupo son antiguos alumnos a los que hemos visto formarse. Yo misma hace ya veinticinco años que estoy con Fabià en aventuras...

F.C.—*Entonces, ¿la aparición del local hace cambiar la situación cualitativamente?*

P.—No. No creo que se haya producido un cambio tan radical, al menos desde mi punto de vista, con respecto a la situación anterior. El intento de estabilizar una compañía independiente se inició muchos años antes en la Alianza del Poble Nou con el GTI. Y no cuajó por miedo nuestro, porque no nos atrevimos. Pero estuvimos a punto. Y luego en el Escorpí la idea era la misma... Después, en el Capsa, en plan más profesional... Es decir, que las raíces del Lliure vienen de lejos, están en todas esas intentonas y si repasamos la programación del GTI o del Escorpí, tienen un poco este cariz. Las cosas que se hicieron eran **La bodas de Fígaro, Los bajos fondos, Tot amb patatas,** de Wesker, etc. Recoger los clásicos que tuvieran una incidencia social inmediata... ¡pero eran clásicos! Claro que también se montó una obra de Benet i Jornet, algo de Teixidor..., un poco de todo, pero, en general, la fórmula se parece a la del Lliure. Es decir, que tenemos de antiguo una cierta tendencia a los clásicos incidentes.

F.C.—*Sin embargo el primer espectáculo que monta el Lliure,* **Camí de nit,** *me parece que no encaja en ese esquema: ni es clásico, ni se aleja demasiado de las propuestas de otros grupos independientes de aquel momento. Sigue siendo una obra de debate social, de reconocimiento de la historia colectiva... ¿Quizá* *no estaba tan clara como ahora la cuestión del repertorio?*

P.—Bueno, lo cierto es que Lluís Pasqual había hecho **La Semana Trágica**, iniciando un tipo de trabajo que quisimos todos proseguir en el Lliure. Además queríamos abrir el local con un espectáculo que tuviera que ver con la realidad catalana. Se pensó inicialmente en dar una continuidad a **La Semana Trágica** con la narración de sus consecuencias: el juicio y la ejecución de Ferrer Guardá; pero la cosa no salió y cambiamos por Barceló y el bienio progresista. Y creemos que estuvo bien haber empezado así, desde el punto de vista ideológico, lo que pasa es que el espectáculo no funcionó, ni en público, ni en calidad, como para dar pie a seguir por ese camino. La crítica no fue favorable y cortamos, en parte porque la incidencia del director en nuestros montajes es muy importante y ese camino dejó de satisfacer a Lluís Pasqual... No se veía capaz, no le interesaba... Quedaba, entonces, estancado.

F.C.—*¿En la elección del repertorio no participa toda la cooperativa?*

P.—Las propuestas pueden venir, en principio, de cualquiera de la cooperativa. Lo que pasa es que si proviene de un actor y no la recoge ningún director, cae en el vacío. Si viene de un director tiene más posibilidades porque la voluntad de hacerla ya está dada y se trata de ver cómo reacciona el resto y si encaja con las ideas generales de la cooperativa.

G.—Este es, efectivamente, el punto de partida: que cada propuesta tenga un director que pueda asumirla. Luego hay factores que influyen en la elección, pues cada director hace varias propuestas... Cuentan las posibilidades de trabajo para los actores, el análisis del repertorio, que las obras se equilibren en la perspectiva de la temporada...

F.C.—*Ese equilibrio parece que ha ido variando. Quiero decir que, desde la perspectiva de hoy, cada temporada tiene unas características dominantes, una especie de denominador común, incluso a veces parece ponerse en cuestión la idea de los clásicos... Por ejemplo, en la primera temporada...*

19

G.—Hay que tener en cuenta que nosotros programamos por temporada, y entonces, junto al **Camí de nit**, ya estaban previstas otras obras…

F.C.—*Que, si nos paramos a pensarlo, tienen unas características comunes de "teatro social", por ejemplo, el segundo montaje es un Brecht, y el tercero* **La cacatúa verde**…

G.—**La cacatúa** no estaba prevista inicialmente. Era un Toller…

F.C.— *Bueno, eso no modifica mi planteamiento. Parece deducirse que en esos momentos iniciales buscabais o estabais más preocupados por la efectividad social de vuestro teatro. Tal vez porque el momento político, la transición, la reforma, potenciara eso…*

G.—Sí, había algo en común, un componente más incidente… Por eso estaba el **Camí de nit**. Además, queríamos empezar con un autor catalán y no contábamos con una propuesta de ninguno, clásico o vivo, que interesara… En efecto, en la primera temporada había un mayor énfasis en la incidencia social inmediata, quizá por lo que tú dices, quizá porque aún había un cierto miedo o respeto al clásico que no tuviera una lectura muy inmediata de tipo social. De todas formas, también desde el principio está ya la idea de montar **Leonci i Lena**, que enlaza con la segunda temporada. Y es que creemos que montar propuestas muy variadas es enriquecedor. Para la segunda temporada es cuando realmente nos planteamos un bloque de clásicos. Nos dijimos: vamos a hacer títulos más clásicos, con lecturas más sutiles, no necesariamente de mucha incidencia en el momento político inmediato… También cambiaba la situación política aceleradamente y de un modo terrible y devorador, y el teatro estaba empezando a perder aquel carácter de sustitutivo político que durante tantos años había soportado… Y me parece que, a ese nivel, sí que fuimos de los primeros del teatro independiente en darnos cuenta de que, habiendo mítines en cada esquina, ya no tenía sentido el mitin a través de la obra de teatro. Pero eso no quiere decir que hayamos dicho alegremente: ¡Vamos a montar cositas que nos gusten!… En la **Hedda Gabler**, de Ibsen, pongo por caso, vimos una serie de elementos de crítica de la descomposición de una sociedad burguesa que nos interesaba como punto de partida, y ahí empezaban a entrar otros factores específicamente teatrales, como era, en concreto, el trabajar el realismo, que se alejaba de la práctica habitual del teatro independiente y era un desafío, una prueba, para los actores.

F.C.—*Repasando el repertorio de esta segunda temporada me llama la atención que, con la excepción de* **Hedda Gabler,** *el conjunto tiene algo de primitivo, o mejor de inmaduro, un aire* **naif**... *De nuestra perspectiva del teatro isabelino, la obra de Marlowe tiene una consideración secundaria, aplastada por la obra de Shakespeare. El mismo* **Titus Andrónicus** *es una obra de juventud, lo mismo podría decirse del* **Leonci.** *En fin, forzando un poco las cosas, ¿podría decirse que esta aproximación a los clásicos, en la segunda temporada, se hace a través de textos "menores", "espontáneos", sin grandes complejidades? ¿Hay algo deliberado en todo esto o es una falsa impresión mía?*

P.—Nosotros hemos partido con unas ideas, con unos planteamientos... pero también con una compañía muy determinada con la que tenemos que contar a la hora del reparto... Tenemos muy claro, por razones económicas, que no vamos a poder hacer un teatro de masas. Por otra parte, los directores con que contamos, Lluis, Pere y yo mismo somos directores jóvenes, no maduros y todavía nos imponen respeto ciertos textos. Tenemos que ir midiendo nuestras fuerzas con arreglo a lo que podemos hacer. Por ejemplo, yo elegí el **Titus,** entre otras razones del tipo de las que ha explicado Jordi, porque me pareció una obra "posible" para el Lliure. Me gusta mucho el Lear, pero, si no tienes un viejo, no lo puedes hacer. Ese problema no se plantea en el **Titus,** donde no es demasiado importante que el protagonista lo haga Fermí Reixach, que tiene 36 años. Es creíble, es aceptable para el público... Por esa razón hemos tendido a hacer un repertorio en el que más que los grandes textos, hemos buscado las obras que se adaptaban mejor a nuestras medidas.

F.C.—*Esto nos da pie para entrar en el capítulo del reparto. Por un lado, es evidente que hay una voluntad de no caer en el divismo. Todos los actores combinan los primeros papeles con los secundarios. Por otro lado, me gustaría saber hasta qué punto compartís o rechazáis la idea del trabajo colectivo, tan cara a los grupos independientes. Algunos de vuestros actores han trabajado en grupos de creación colectiva...*

P.—Y otros en grupos "de director". La procedencia es heterogénea... Ante todo hay que aclarar que, aunque nosotros tememos un espíritu colectivo, no nos planteamos la creación colectiva. Por ejemplo, el tema del reparto se discute y se trata de equilibrar de unas obras a otras. Nuestro principio sería: iguales oportunidades para todos. No somos una compañía de estrellas, no las tenemos. Por ejemplo, en el montaje de **Titus Andrónicus**, Brook trabajó con Vivien Leigh y Lawrence Olivier en los primeros papeles. Nosotros hemos optado por una fórmula más colectiva. Pero esto no quiere decir que hubiera creación colectiva. Cuando hablamos de trabajo colectivo en el Lliure nos referimos a que el nuestro es, o pretende ser, un esfuerzo común, que precisa de todos con la mayor intensidad, y que es abierto y claro a la vez: todo el mundo opina, pero cuando tiene que opinar. Si un actor tiene una propuesta de espectáculo puede discutirla, cuando haga falta, sin ningún problema. Pero nosotros estamos por la especialización: hay unos oficios concretos y unas personas que se responsabilizan de ellos. Por ello, llegado el momento del montaje, el actor cede inmediatamente su puesto al director. Lo que priva es la lectura de éste. Lo que no quita para que aquél mantenga sus derechos sobre la gestión general de la cooperativa.

F.C.—*Decís estar por la especialización y, sin embargo, algo que llama inmediatamente la atención es la ausencia de un dramaturgo, con esa función específica, en el grupo.*

G.—Es que hay toda una serie de trabajos que no figuran, a veces, en la ficha técnica del espectáculo. No hacemos demasiado hincapié en ello... Este es el caso de ciertos trabajos de dramaturgia; por ejemplo, en el **Titus** se precisó retocar el texto, convertir de pronto una escena en un monólogo... y aquí Fabià hizo un trabajo constante, aunque parte de la dramaturgia la hizo Lluis, que no figura en el programa... Es que tenemos un espíritu un poco artesanal, de familia, a la hora de hacer este tipo de cosas.

F.C.—*Pero esto podría ser discutible desde vuestra propia concepción del trabajo... ¿No hay una contradicción con esa idea de la especialización?*

G.—No, no,... simplemente que no le damos más importancia. En definitiva hay una propuesta inicial del director, que se va concretando con la colaboración de todos en lo que hace falta. Hay un intercambio continuo de ideas y van haciéndose las cosas. Por ejemplo, en **Hedda Gabler** me tocó hacer una revisión de la traducción y algunos trabajos menores dramatúrgicos, pero considero que la dramaturgia la realizó el propio Pere Planella, como director. Y en **La bella Helena** igual..., o sea, que nos lo cocinamos dentro de la casa. Luego, en el aspecto plástico, tiene mucha incidencia Fabià... Se van haciendo las cosas sobre la marcha y, claro, está muy lejos de las normas al uso. De forma que no existe propiamente un departamento de dramaturgia, un dramaturgo que trabaje sistemáticamente con el director, sino que depende de la propuesta y de las necesidades concretas del trabajo y de la disponibilidad que tengamos cada uno en ese momento. Parece muy poco serio, muy a la pata la llana, pero nos resulta eficaz. Y si no hay un dramaturgo es porque no lo puede haber, seguramente, porque lo que priva es la visión del director, y como tenemos tres y cada uno tiene su visión personal del trabajo, resultaría difícil que un dramaturgo, por mucha personalidad, por mucho saber hacer, por mucha universalidad que tuviera, pudiera adaptarse a trabajar indistintamente con los tres...

F.C.—*Pero yo os lo planteaba como la función del dramaturgo en los teatros alemanes, que no es necesariamente un escritor.*

P.—Ocurre que, en definitiva, en el Teatre Lliure hay una voluntad casi general de recuperar un modo de trabajo artesanal, de no enfatizar nada. Esa es la filosofía del Lliure. En el momento en que se tenga que ampliar el equipo, y se tenga que incorporar un dramaturgo, gente de fuera, que no controla, que está desvinculada de una idea madre a nivel artístico, nos encontramos con que esto frena el proceso de creación artística, y nos da mucho miedo. Porque, además, en realidad estos cargos existen y en la práctica los repartimos como bloque de trabajo. Por ejemplo, en el montaje de **Titus Andrónicus**... A mí me resulta difícil decidir de antemano cómo va a ser un montaje. Tengo unas ideas madre, unas pautas generales, pero durante los ensayos, al profundizar el texto, se van modificando y el producto final no tiene nada que ver. A esto yo le llamo artesanía. Las ideas previas no me sujetan a nada, son un punto de partida, pero no me obligan. Por eso no me interesa hacer un trabajo profundo de dramaturgia, que después resultaría perturbador. La dramaturgia se va haciendo después, a medida que las necesidades lo imponen.

G.—En esto hay grados. Pere es más consecuente con las primeras ideas y tal vez Pasqual sea aún más dúctil que Fabià, trabaja más sobre la marcha.

F.C.—*¿La escenografía y los figurines se trabajan también de esta manera?*

P.—Sobre el papel uno puede equivocarse, pero con los materiales presentes, no. Me lo planteo como una escultura. El escultor hace un croquis y a partir de ahí va moldeando, y hasta que no está acabado no se sabe cómo va a ser.

F.C.—*En el caso del* **Titus** *me ha llamado la atención el tratamiento de los figurines de la familia Adrónicus. Sobre todo esa deliberada uniformidad de los hermanos, los hijos de Titus. Porque, y esto es un opinión subjetivísima, en el texto el drama nacía del enfrentamiento padre-hijos, de la rebelión de éstos a aceptar los imperativos de una moral de fidelidad al Estado por encima de todo, por encima de la familia, por encima del individuo... Y me imagino que en la época que se escribe, con el país dividido en católicos y anglicanos, la trasposición godos-romanos sería inevitable para el público... En cambio en vuestro montaje esto queda relegado a un segundo plano, gracias al tratamiento plástico del espectáculo... Los figurines de los hijos tienen menos color, están aplastados en el conjunto... La disposición de los actores en el espacio escénico, ocupando siempre los laterales, muy próximos a las salidas, sin recibir generalmente el foco de atención... Todo hace que el conflicto principal se desplace a Tamora-Titus, al abuso del poder, etc., tal como lo planteas en el* *programa del espectáculo. ¿Se debe esto a que encontrabas en esa línea argumental una mayor proximidad a los problemas del espectador de hoy, una mayor incidencia, como soléis decir? Incluso me ha parecido entender que hay una reflexión, casi una moraleja de advertencia ''golpista'', que culminaría en la escena final de toma del poder por Luci...*

P.—Es todo tan complejo... Como decimos los catalanes: "en cada boda se pierde una sábana"... La nuestra es una versión muy particular de **Titus Andrónicus,** podría decirse que una versión muy limitada. Desde luego, si hoy la volviera a montar, tendría que plantearla de nuevo y cambiaría muchas cosas. Pero, cuando haces un trabajo, tienes que optar por una cosa o por otra, y yo he elegido lo que me parecía más importante, lo que me decía más cosas. Esto unas veces es deliberado y otras te sale intuitivamente. Y a veces te sale como no querías... Por ejemplo, el personaje de Aarón creo que no está logrado. Queda como secundario, menospreciado... Me hubiera gustado darle mayor relevancia por su imagen, por lo que representa como clase social... Pero en el montaje pasaron delante otras cosas que me absorbieron más tiempo... Soy consciente de que no he hecho **el Titus Andrónicus,** sino **un Titus Andrónicus,** que tiene algo de limitado y parcial.

F.C.—*Mi intención no era descalificar el montaje, que sería una estupidez imperdonable, sino ofrecer como término comparativo otra posible lectura del texto. Porque éste es el caballo de batalla de todos los montajes clásicos: ¿cómo aproximar el texto al espectador actual y qué actitud adoptar frente a la intención originaria del autor? En este caso habéis elegido un determinado tratamiento, que se objetiva en unas imágenes que recibe el público y que a mí me interesa saber, en la medida que esto sea posible, que es otro cantar, cómo se producen.*

P.—Antes de empezar un montaje, me planteo un dejar fluir las imágenes que en mí provoca el texto, y estas imágenes las voy moldeando al relacionarlas con otros elementos... Por ejemplo, el tratamiento de los godos en el **Titus,** un tanto bizantino, corresponde en potencia con la actuación, que es muy expresionista, sobre todo gestualmente. En cambio la Familia Andrónicus, que

25

yo la veo como una familia romana decadente, sobre la que cae el peso de la historia, está tratada como de **Pasión de Olesa**: unas túnicas muy "clásicas", un tipo de vestuario "romano" reconocible por un público popular. Porque en Cataluña tenemos muchas fiestas de romanos. Por el contrario, los hijos de Titus, que para mí no son tanto secundarios como grises, reciben un tratamiento más despersonalizado, son militares, guerreros... Es un mundo degradado, en el que tiene que percibirse la decadencia. Entre ellos destaca Titus, que es un personaje excepcional, de otra generación, de otra época...

F.C.—*En algunos figurines, y en elementos de atrezzo, utilizas anacronismos, rupturas visuales de la convención de "época"...*

P.—La propuesta es más evidente en los hijos de Tamora. Su imagen es mucho más cercana y te lleva al mundo de la violencia juvenil, con ese aire "punk". Esta visión está en todos los trajes, porque ese acercamiento que decías lo he tratado desde una perspectiva visual. Para un público mayoritario, la idea "punk" está clara y tiene una connotación familiar, como la tiene por otro lado "el romano de la Pasión" del que hablaba antes. Es un intento de dar, a través del vestuario, elementos visuales que sean fácilmente legibles.

F.C.—*¿Legibles por analogía?*

P.—Exactamente. Que inconscientemente se acerquen al personaje a través de una imagen, a la que inmediatamente se asocian determinados caracteres. Esto está también en los hijos: van de caqui, como en el ejército actual, las calidades de las telas son más toscas... La referencia es inevitable...

F.C.—*Tal vez esa preocupación por la lectura "actual" que pueda hacer el público esté en la base, seguramente envuelta en otras consideraciones, del cambio que se produce en vuestro repertorio al comienzo de la tercera temporada. Cambio que afecta, además, al tipo de producción y de distribución, con la recuperación de una itinerancia que habíais abandonado al asentaros en el local del Lliure.*

G.—No, no, es algo, una vez más, completamente casual, accidental, lo que desencadena todo esto: las características de la compañía, que tiene diez actores fijos, originan que, al aceptarse la propuesta de Fabià de hacer **La nit de las tribades**, que tiene un reparto escaso, nos veamos empujados a encontrar algo complementario... Pere y Pasqual proponen otras obras y vemos la posibilidad de aprovechar para hacer un trabajo de actores más intenso.

F.C.—*Entonces, la itinerancia no influye en esto.*

G.—Aparece después, como un posibilidad, el llevar estos montajes a otros sitios. Ten en cuenta que nosotros partimos de un concepto del espacio escénico que no es el habitual, a la italiana. Por tanto, el mover los espectáculos resulta difícil. ¿Dónde vamos a encontrar locales apropiados? Pero se vio que estas obras eran trasladables, por más que tuvieran dificultades; **La nit**, por ejemplo, no la hacíamos en el Lliure como ahora se ha visto en la Cadarso. Por otra parte, nuestra filosofía, al contrario que la de la mayoría del teatro independiente, no valora positivamente el "bolo". No nos interesa ir a un sitio, representar una obra y ya está. Dado que nos planteamos caminos artísticos muy diversos al mismo tiempo, dar una sola obra es ofrecer una visión muy parcial de nuestro trabajo. Nuestra línea teatral se manifiesta más por acumulación que por definición. En definitiva, si hemos hecho itinerancia ha sido más por una cuestión de supervivencia económica que por otra cosa.

P.—También por mostrar, como aquí en Madrid, nuestro trabajo. Pero es cierto que la itinerancia no nos interesa demasiado. El mayor reproche que puede hacérsele, y esto es fácil de comprobar en los montajes del teatro independiente, es cómo se degradan los espectáculos en las giras. En el caso del Lliure esto se agrava por la imposibilidad de representar el espectáculo en el espacio escénico para el que está concebido.

PL.—Yo también comparto esa opinión, pero creo que no puede decirse que la itinerancia no influyera en el cambio de programación. Es cierto que había una necesidad de salir del Lliure, de llevar nuestro trabajo a otros sitios, de contrastarlo con otro público...

G.—Pero más que voluntad de itinerancia, había claustrofobia. Después de dos años de internamiento casi monacal, con una jornada laboral de doce a catorce horas...

S.—Sin contar los días que hay "safari", que es como llamamos al cambio de estructura de la sala. Estamos hasta la 4 de la mañana cambiando tarimas y lo que se tercie.

G.—Cuando empezamos, aquello era un convento. Y, después de llevar dos años enclaustrados, cuando se plantea la programación de la tercera temporada, la gente siente la necesidad de salir. Que ahora por primera vez era posible: la compañía estaba más o menos consolidada, y teníamos tres montajes que se podían sacar del local: el **Leonci**, la **Hedda**, y el **Titus**. O sea, que entonces ya nos lo podíamos plantear, y al aparecer la claustrofobia, se acelera la cosa y tomamos esa decisión.

S.— Y la presión exterior, las constantes peticiones para que fuéramos a uno u otro sitio. Decían que despreciábamos las ofertas...

G.—Un problema de imagen, cierto...

PL.—Un poco esto y también ganas de confrontar el trabajo con otros públicos. Esto para nosotros, por lo menos para algunos, era importante...

P.—Pero no puede decirse que provocara un problema interno. Había cansancio, ganas de salir... pero no llegó a producirse una verdadera crisis, ni mucho menos.

F.C.—*Volviendo al repertorio de la tercera temporada, me parece que, junto al replanteamiento de las fórmulas de producción, hay también una repercusión sobre la temática, el estilo. Es un teatro más cercano, que entronca, por otro lado, con la tradición de farsa del teatro independiente...*

G.—De hecho hubo una reflexión al final de la temporada anterior, cuando se planteó qué se iba a hacer y se presentaron una serie de propuestas... para hacer con *La nit*... y resultó que

28

todas estaban dentro de un abanico de dramaturgia contemporánea.

F.C.—*Entonces, ¿estamos de nuevo ante el azar, ante lo casual?*

P.—No, no... Decimos que esto ocurrió porque estaba **La nit de les tribades** como punto de partida... Pero, ¿por qué era éste el punto de partida? Mi propuesta de **Tribades** después del **Titus,** para mí era muy clara. Después de un montaje donde me absorbió excesivamente la puesta en escena, y pude dedicar poco tiempo, a mi parecer, al trabajo de actores, necesitaba encontrar una propuesta donde lo principal, lo elemental, casi lo único, fuera el actor. Donde no tuviera que preocuparme del vestuario, ni del decorado, donde hubiera un ejercicio de lectura contemporánea sobre un texto que se aproximara a un problema actual. Y *Las tribades* me pareció que reunía esas condiciones. Y no sólo por mí, sino también por la compañía. Lo que dice Jordi se hizo, y no sólo en un día, en muchos días de reuniones, en que se replanteó todo el sistema del Lliure y donde, finalmente, se vio que había una común voluntad de hacer un trabajo menos espectacular, con menos fuegos de artificio, y más intenso en cuanto al trabajo de formación y de interpretación del actor.

PL.—Yo insistiría en el intento de conectar con una problemática más actual. Por ejemplo, en el caso de **Las tribades** estaba el problema del feminismo...

P.—Y más cosas. Casi que lo del feminismo era lo de menos.

PL.—Y en **Abraham i Samuel**, otro tipo de reflexión más política, sobre todo en nuestro país. Me refiero a Cataluña...

F.C.—*¿Os plateábais ampliar la base de vuestro público? Porque, de pronto, y sobre todo en tus dos montajes, aparece la veta del humor, de la farsa, que hasta ahora era algo no precisamente característico del Lliure... Quizá para mucha gente vuestro trabajo tuviera una aureola de Alta Cultura... que es algo que, de entrada, huele un poco a rancio a un sector importante del público, la juventud sobre todo...*

PL.—Bueno, ...sí, no sé... Lo que sí es cierto es que yo recogí, un poco, las necesidades de la gente del grupo, sobre todo de los actores, que apetecían hacer un musical... La experiencia de *Mahagonhy*, en la primera temporada, había quedado un poco en el aire... Y nos pareció que era necesario y que podía llegar a un público más amplio... Hay una interrelación entre los dos aspectos.

G.—Tal vez en **La bella Helena** haya un planteamiento de este tipo. Pero creo que no puede decirse lo mismo de **La nit de les tríbades** o de **Abraham i Samuel**. Aunque tambien es verdad que en esta última había una intención de incidencia política por la posible lectura de la situación actual catalana. La trampa del nacionalismo burgués, por decirlo en pocas palabras. En todos nuestros espectáculos hay un intento de encontrar una línea de lectura actual y, desde ese ángulo, claro está, somo muy receptivos del público. Y al estructurar la tercera temporada tal vez esto pesara más y diera una imagen de repertorio más actual, más preocupado por la comunicación inmediata con el público que en la anterior. Pero tampoco queríamos que esto se interpretara como un cambio de rumbo, y acabamos incluyendo **Las tres hermanas**, de Chejov, para no abandonar la línea de trabajos de clásicos... Y es que, en el momento actual, tenemos abiertas varias líneas divergentes, que no necesariamente son las que representan cada director, porque somos todos muy versátiles. Por ejemplo, Pere Planella ha dirigido **La bella Helena** y **Hedda Gabler**, Fabià, **Titus Andrónicus** y **Mahagonhy**...

PL.—Somos jóvenes y nos hemos planteado que, al mismo tiempo que hacer espectáculos, debíamos trabajar diferentes estilos, tanto actores como directores, como forma de aprendizaje.

P.—Quiero realtar que en el Lliure, este planteamiento de formación a través de un trabajo profesional a largo plazo, está previsto desde el principio y, a la hora de escoger el repertorio, es uno de los factores de peso. Si el actor del Lliure no hubiera pasado por esta experiencia de trece montajes tan distintos, no hubiera llegado a madurar tan rápidamente. Sinceramente, noto la diferencia entre los montajes iniciales y los de ahora, y estoy más satisfecho. Hay una evolución innegable, aunque haya sido precipitada. Pero es que pocos actores, no solo de aquí, sino de Europa, pueden decir que en tres años han hecho trece montajes.

PL.—Y tan distintos.

P.—Ese es un cambio para la formación, no solo del actor, sino del director, del figurinista,... de todo el equipo.

F.C.—*Sin embargo, al concebir la formación profesional como acumulación de experiencias, haciendo gala de ese eclecticismo que parece daros tan buenos resultados, ¿no estáis acercándoos peligrosamente a ese tipo de formación "en tablas", que ha caracterizado el aprendizaje teatral tradicionalmente, y que hoy es cuestionado hasta por las escasas compañías de repertorio que quedan en el mundo? Digo esto porque tengo entendido que en el Lliure no existe, digamos, un taller de formación, sino que cada uno de los miembros de la compañía resuelve, a su manera, ese problema.*

PL.—Yo discrepo en lo de las tablas. Es una acumulación de experiencias distintas, que provienen de propuestas distintas.

P.C.—*Experiencias que el actor o el director extraen de su práctica inmediata, de su práctica profesional. Serán unas tablas inteligentes, ricas y no conservadoras, pero es el sistema que llamamos tablas. Quiero decir que, frente a otros grupos que tratan de investigar un "método", que más o menos tienen estructurado, vosotros partís de la propia experiencia de cada montaje, tratando de encontrar soluciones a las dificultades que éste os plantee. También eso puede ser un método, un método empírico, y que, en principio, no tiene por qué ser mejor o peor que otro.*

P.—Sí, entre nosotros todo el trabajo de formación se supedita al de montaje... Si la gente va a cantar, toma clases de canto... a la hora que pueda... Nos parecía imposible admitir un tipo de método válido de entrada, por ejemplo, como Layton, en el TEC, un método de trabajo puramente stanislawskiano... ¿Cómo haríamos, entonces, **La bella Helena**, de qué nos serviría para el **Titus Andrónicus**? Realmente, adoptar un método concreto nos cierra muchas puertas.

31

F.C.— *El problema está en adoptar un método ajeno, porque, desde el momento en que es ajeno, claro que se cierra muchas puertas, actúa como corsé, evita una expresión expontánea... pero sí cabe investigar, es además inevitable, dentro de unas líneas generales, un estilo propio. En ese terreno es donde puede hablarse de un método más o menos teórico, o mejor, más o menos teorizado... En la práctica estoy seguro de que el Lliure lo está haciendo, y a la larga habrá un método Lliure, que si no se explicita teóricamente, aparecerá nada más que como un estilo... Si es que no ha aparecido ya.*

P.—El secreto de que no se siga un método y no mantengamos un taller, está en que no lo llamamos de esa forma, pero el tipo de trabajo en los ensayos es bastante cercano a lo que se podría entender como un taller de formación.

F.C.—*¿No llegará un momento en que tengáis que plantearlo de una manera más... formal?*

P.—Llegará con el tiempo, como tú dices, pero plantearlo desde el principio hubiera sido una pretenciosidad increíble.

PL.—En algún montaje he utilizado un sistema prácticamente stanislawskiano con los actores, pero a la hora de la verdad, no me servía en absoluto. Por eso cada espectáculo nos va permitiendo un tipo de aprendizaje, para mí enriquecedor, que estoy de acuerdo en que es empirista, pero que funciona.

S.—El actor instintivamente va conociendo sus limitaciones, sus puntos débiles, y reacciona buscando lo que necesita. El uno está tenso, el otro tiene problemas de dicción... y busca las clases que le pueden ayudar.

G.—Al principio intentamos tomar clases juntos, y vimos que había intereses contrapuestos, que resultaba inútil.

P.—Otro problema fundamental: las horas. No tenemos tiempo.

G.—Se ensaya por la mañana; por la tarde, si el director se pone de acuerdo con los actores, puede haber ensayos parciales; por la noche se dan representaciones de continuo. Y se dispone sólo de dos meses de ensayos, máximo dos y medio, para cada montaje.

F.C.—*Un trabajo extenuante, desde luego. ¿No corréis el peligro de que los actores se sientan agotados y que esto repercuta en la cohesión interna del grupo? Porque los directores, el escenógrafo, pueden hacer otras cosas fuera de Lliure, y de hecho lo venís haciendo. ¿No sería conveniente para los actores poder alternar el trabajo en el Lliure con ocasionales colaboraciones en otras compañías?*

G.—Has tocado un tema que nos ha preocupado mucho últimamente, y que parece que está solucionado. Después de las tres primeras temporadas se ha hecho una nueva reflexión y hemos reconsiderado este asunto. El problema del Lliure ya no es la consolidación de la compañía. Somos una realidad, contestada o no, pero irreversible. Aquella claustrofobia que nos atormentaba en el pasado no se ha solucionado, a pesar de las salidas. El problema es el estar amarrado al carro las veinticuatro horas del día. Hemos establecido un sistema de excedencias, por una parte, y una división entre la dedicación plena y la dedicación parcial, por otra, para solucionar esto. Y la cosa ya está en marcha. Por ejemplo, Domenech Reixach ha sido el primero en pedir la excedencia, por un año, y se encuentra actualmente trabajando con Joglars. Kim Lecina la cogerá en abril, cuando termine el segundo espectáculo de esta temporada, y así sucesivamente. Es de suponer que el que lo necesite, se aireará.

F.C.—*En comparación con otras compañías independientes, aunque no os guste esa calificación, para entendernos, no cabe duda de que el Lliure ha mantenido una extraordinaria y envidiable cohesión durante estos tres años. Quizá haya sido la posibilidad de disponer de un local y hacer un trabajo más asentado, por más que agotador, como decís. La itinerancia pesa mucho y crea unas condiciones de convivencia que son el mejor caldo de cultivo para las broncas, las peleas, las escisiones... En todo caso esa envidiable continuidad ¿os plantea problemas cara a la entrada de gente nueva? ¿Dais por cerrado el cupo de cooperativas? ¿no llegará a ser empobrecedor un trabajo demasiado cerrado?*

33

G.—Es que no vamos a cerrarnos. Este problema lo abordamos multiplicando las actividades. Vamos incluso a producir espectáculos del Lliure, que no necesariamente serán con gente del Lliure. Por ejemplo, el que hacemos ahora mismo en Barcelona, con Rosa María Sardá, y que ha dirigido Lluís Pasqual.

PL.—El único requisito es que se acepten las condiciones económicas de la cooperativa.

P.—Este año vamos también a hacer un espectáculo infantil, una especie de **Historia de Cataluña**, para las escuelas de EGB, producido por el Lliure y realizado con gente de la cooperativa y de fuera.

G.—Pero nos resistimos, de momento, a incorporar nueva gente con carácter fijo. Tenemos miedo de que esta dinámica nos supere, que nos obligue a hacer constantemente nuevos espectáculos para poder mantener una maquinaria cada vez mayor. Queremos seguir siendo una compañía artesanal y familiar.

F.C.—*Entonces, el Liure, contra lo que he oído comentar a menudo en Barcelona, ¿no se plantea la posibilidad de llegar a ser algún día una especie de Teatro Nacional de Cataluña? Una posibilidad latente, que cualquier día puede ocurrírsele a alguien, si no se le ha ocurrido ya...*

G.—Nos hemos visto obligados a precisar todo esto a raíz de la polémica dichosa que sufrimos últimamente por la cuestión de los autores y los textos catalanes y que desembocó, al mezclarse muchas cosas, en una serie de críticas y cuestionamientos que afectan a la definición propia del Lliure. Recordamos entonces lo que ya dijimos desde el primer día, desde aquel manifiesto del 76. Nosotros lo que no queremos, a lo que no aspiramos y lo que no vamos a aceptar, es una propuesta de oficialización. No vamos a convertirnos en teatro oficial de nadie: ni de la Generalitat, ni del Ayuntamiento, ni del Ministerio de Cultura, ni de la Caixa, ni de ninguna otra cosa. Por una simple razón de criterio, y porque nos parece que el Lliure es el grupo de 18 personas que lo compone y que nuestra propia estructura autogestionaria es total y absolutamente incompatible con una posible estructura oficial o funcionarial. Otra cosa muy distinta es que, como entidad autónoma que hace teatro, que produce un bien social, un servicio público, los distintos órganos de la administración se responsabilicen de facilitar la ayuda económica que precisamos para mantener nuestra actividad. Nuestro desiderátum estaría en el modelo famoso de los tres tercios, que parece corriente en otros países, en el que la compañía, por sus propios medios, obtiene un tercio de su presupuesto, el Estado aporta un segundo tercio, y el resto lo completan entidades de tipo privado, fundaciones, etc. Hoy estamos muy lejos de eso y nos vemos obligados a desarrollar una dinámica acelerada de trabajo, simultaneando itinerancia y estabilidad, a medida que la estructura se hace más compleja.

F.C.—*Este problema de la financiación no cabe duda de que es importante. Pero es que la valoración que la Administración hace del hecho teatral es muy pobre. Y vosotros podéis ser los primeros perjudicados, pero los primeros, al fin y al cabo. Después vienen otras compañías que están aún más desasistidas.*

G.—Es verdad que, comparados con la mayoría, tenemos un *status* privilegiado, no podemos negarlo... Pero la realidad en este país es muy grotesca. Como tú sabes perfectamente, aquí las ayudas, las subvenciones económicas son siempre una incógnita que no se despeja hasta el último momento, y que se reciben cuando ya te has gastado lo que te dan y mucho más... Siempre, siempre, siempre con retraso. A la hora de programar, de hacer los presupuestos, tienes que actuar en el vacío, en el misterio. Tienes que empezar la temporada del 80 sin tener la más remota idea de qué va a pasar con las subvenciones futuras. ¡Ni siquiera hemos cobrado aún las del 79! Y puede llegar un momento en que nos encontremos con que hay que dar marcha atrás, porque nos falta el factor finanzas. ¿Por qué este país es absolutamente implanificable? Queremos que la gente sepa esto, porque hay una idea general de que somos un teatro muy rico, un teatro mimado, que ganamos mucho dinero... y es verdad con relación a los que vienen detrás, pero... De acuerdo, es una situación de privilegio, pero hay que denunciar que es un privilegio dentro de la miseria más vergonzosa. Nos preocupa también la posible repercusión en nuestra economía de la cuestión de la transferencia de competencias al régimen autonómico... Me temo... en fin, es un tema que no está todavía claro. Pero sin un cambio de política cultural, que sólo se puede producir si hay un cambio de poder, porque no creo que la UCD vaya a cambiar su política, que es muy clara y todos la conocemos... No es un problema de nombres, es más profundo... Si no cambia esto, digo, si la Generalitat no tiene un duro, si el Ayuntamiento está endeudado, etc., tendremos que recurrir a otras fuentes de financiación, fuentes que a lo mejor no funcionan. Vamos a tener que recurrir a la financiación privada y lo cierto es que la que había hasta ahora, de una Caja de Ahorros, se ha terminado este verano y no la han renovado. El panorama es oscuro y nuestro problema inmediato es cómo encontrar diez millones que nos hacen falta...

F.C.—*Hablemos un poco de esa polémica a la que has hecho antes referencia. Parece que se os reprocha que no montéis textos de autores catalanes, y la verdad es que lo que habéis hecho hasta ahora, salvo alguna excepción, viene del extranjero...: ¿No os interesa, no encontráis textos, no existe un teatro catalán que satisfaga vuestras exigencias?*

G.—No hay obras que seduzcan a nuestros directores, y que estos propongan a la cooperativa. La producción de textos en Cataluña no voy a decir que no exista, que sería exagerar, pero sí afirmo rotundamente que es muy limitada. Y ahí está el caso de los premios literarios en lengua catalana: la mayoría se han declarado desiertos en los últimos años. ¡Por algo será!... Y a mí me parece, como profesor que soy de historia del teatro catalán en la Universidad de Tarragona, que ésta es una consecuencia lógica de la transición a la democracia. Y no sólo en Cataluña, sino general a todo el Estado español. Los escritores teatrales del franquismo se encuentran de repente con una situación distinta que les requiere lenguajes, problemática, tratamientos distintos, un cambio de óptica... y esto no se improvisa. Tal vez ahora, al cabo de tres años, empiece a aflorar una producción teatral distinta. Por desgracia, el nacimiento del Lliure ha coincidido con este fenómeno. Lo cierto es que, al margen de su mayor o menor calidad, tema en el que no entramos, entre la escasa producción actual no se dan obras que nos atraigan.

36

F.C.—*Honestamente, ¿os habéis planteado buscar esos textos?*

P.—¡Hasta el punto de que el orden del día de cada reunión del Lliure empieza por textos catalanes!

G.—¡Nos traen locos! ¡Nos traen locos!

PL.—Todos leemos lo que nos va llegando...

S.—Nos duele como al que más esta situación, pero hay que decir la verdad...

G.—Y no decimos que lo que hay sea malo... ¡Cuidado!

F.C.—*No dudo de que tengáis vuestras razones, pero reconoceréis que resulta extraño que esta temporada se haya podido ver en Madrid un montaje de Lluís Pasqual con un texto catalán, y que el mismo Pasqual, como director del Lliure, no encuentre...*

P.—Es que era una propuesta privada, un texto de Espriú que al Lliure no le hubiera interesado en ningún momento, pero que Lluís, como un trabajo de encargo, aceptó.

G.—Como posible montaje nuestro, creo que aquella **Fedra** no nos hubiese interesado.

F.C.—*Entonces, en vuestros planes inmediatos, ¿no incluís ningún texto catalán?*

G.—Para esta nueva temporada, no. La programación ya está decidida: intentamos, seguimos intentando, hacer un equilibrio entre clásicos y contemporáneos. Además del espectáculo de la Sardá y del infantil, de los que ya hemos hablado, tenemos **Las tres hermanas**, de Chejov, que se estrenó la pasada temporada, pero que se va a explotar en ésta; un **Macbeth**, que prepara Pasqual; y **Concilio de amor**, de Panizza, un autor del siglo XIX, pero que, en la propuesta dramatúrgica de Pere Planella, contiene elementos muy vanguardistas. Esto es lo que hay y nosotros creemos que es coherente con nuestro planteamiento de siempre. El asunto de los autores, y esto es lo que nos ha molestado en la polémica dichosa, se ha utilizado para derivarlo hacia otras cosas. Nos hemos visto obligados a reaccionar con un comunicado de cinco folios para salir al paso de una serie de acusaciones, claramente calumniosas, de plagio, de reticencias personales, de alusiones de malversación de fondos... Ahora bien, las críticas por la cuestión de los autores catalanes, las aceptamos plenamente. Esto es verdad y somos los primeros en lamentarlo. No hemos encontrado la fórmula satisfactoria todavía..., pero pienso que vamos acercándonos, a pesar de todo, a aquello que, quizá un poco retóricamente, prometíamos en nuestro primer manifiesto: hacer un *"teatro de arte para todos."*

ELS COMEDIANTS

Non Plus Plis: descubrimiento de un nuevo camino

JOSE LUIS ALONSO.—*Si os parece empezamos hablando del origen del grupo, su historia hasta llegar al momento actual. ¿Cuándo nace Comediants, cómo y por qué?*

COMEDIANTS.—Comediants nace entre los años 70 y 71. En aquel tiempo, en Barcelona, el Instituto de Teatro era el principal ente teatral: estaba también el Centro de Estudios Teatrales de Horta, que lo llevaba Pep Montanyes y la escuela de Estudios de Aribau, que se creó entonces. Esta escuela pretendía en cierta forma dar una alternativa, una nueva visión diferente a la del Instituto de Teatro. A esta escuela fueron a parar Albert Boadella, los miembros del inicio de Comediants, Joan Baixa de Claca..., y todo el mogollón de aquel tiempo.

La mayoría de la gente de Comediants estaba en el Instituto de Teatro, pero ya empezaban a salir de allí incorporándose a la escuela de Aribau. Al principio, cuando se formó el grupo, no había un planteamiento del hecho teatral en sí mismo, sino que se empezó a hacer un trabajo como reacción a lo que entonces se llamaba el teatro de "cuello duro". Era como una demostración de fuerza, muy vital, de un grupo de jóvenes que estaban dentro del Instituto de Teatro y que querían probar que existía algo más que la forma académica de enseñar teatro del Instituto. El planteamiento del trabajo era introducir todo tipo de técnicas nuevas, desde la expresión corporal y la música como elementos esenciales del montaje, hasta el uso de cabezudos y gigantes, es decir elementos de fiestas rituales o parateatrales. Con todo eso y con los elementos que más o menos pudiésemos tener de fuerza, de ruptura o de revolucionario, se hizo un espectáculo que posteriormente se

39

llamó **Non Plus Plis** y que, repito, no era propiamente un espectáculo, era el montaje de un grupo, de una serie de gente, que intentaba hacer algo nuevo. Al presentarlo al público, el montaje funcionó muy bien y casi, casi, fue la misma gente la que nos convenció de que aquello era un camino a seguir: el camino que descubrimos entonces y donde todavía estamos ahora.

J.L.A.—*A partir de aquel montaje ¿qué hizo Comediants?*

C.—**Non Plus Plis** se había planteado, como ha dicho Jaumet, como un trabajo simple a nivel de exposición, lo que pasa es que el resultado que dio fue ambivalente: gente que se sorprendió muchísimo y gente que dijo que aquello era la coña, que estaba muy bien. Entonces Comediants se planteó empezar a explotarlo de una manera comercial y aquí "comercial" quiere decir para ganarse la vida. En aquel tiempo existía la Asociación de Grupos de Teatro Independiente que nos organizó una gira por el Norte de España, creo que en las Segundas Jornadas de Vigo. Luego ya siguió representándose por pueblos de Cataluña, etc...

J.L.A.—*Yo lo vi en el Colegio Mayor San Juan Evangelista.*

C.—Eso fue cuando estuvimos aquí, en Madrid, hace cinco o seis años, participando en un festival en el teatro Alfil.

J.L.A.—*¿Cuántas representaciones disteis aproximadamente de este espectáculo?*

C.—Puede que llegaran a 160...

J.L.A.—*Después de esto ¿qué hicisteis?*

C.—En las Jornadas teatrales de Vigo, de que hablaba Quimet, nos pidieron que a ser posible llevásemos también un espectáculo para público infantil. No teníamos ninguno pero en las tres semanas anteriores a ir a Vigo, día y noche, preparamos un espectáculo infantil que llamamos **Catacroc** y que era un embrión de lo que posteriormente fue, es decir, lo presentamos en Vigo y posteriormente evolucionó llegando a ser un espectáculo para todos los públicos.

J.L.A.—*En el puente que va desde vuestros inicios hasta*

ahora, ¿qué ha sido más significativo?

C.—No ha habido puente en el sentido de ruptura. Ha sido una continua evolución de gente, de espectáculo... El hecho de que el **Catacroc** del año 72 no sea el mismo del 75 y que dure tres años evolucionando da una idea. Al principio nos pusimos en un camino. Lo único que sabíamos era lo que no queríamos, pero no dónde nos iba a llevar ese camino. Tampoco sabíamos qué armas utilizar, porque si por ejemplo se hace teatro clásico hay unas técnicas de declamación, de movimiento escénico, etc., y tienes unos cauces por donde ir, pero al meterte en este berenjenal de la música, la expresión corporal, el movimiento como forma exclusiva de comunicación, suprimiendo el texto, etc., lo único que queda firme es el espectáculo como móvil de investigación, evolucionando cada día. En un esquema general podríamos decir que lo que hoy hacemos aquí, en Lavapiés, es una culminación de ocho años de investigar en un camino desconocido.

La evolución que lleva "a la calle"

J.L.A.—*En esa investigación, ¿consideráis dos trabajos paralelos los espectáculos que hacéis en los locales cerrados y los espectáculos de calle?*

C.—No son dos trabajos paralelos sino el resultado de una evolución. En el montaje de **Catacroc** no había implicaciones ideológicas concretas; allí se planteaba simplemente el juego como tal, como móvil y forma de comunicación con el público, el hecho lúdico por encima de todo lo demás y como planteamiento político incluso, en el fondo. Llegó un momento en que se pensó hacer del **Catacroc** un espectáculo para adultos y para esto dimos a los temas un tratamiento ingenuo pero con un poquitín de mala leche, e introdujimos unos elementos más intelectuales. El resultado funcionó en el espectador adulto porque había unos ingredientes básicos que en esa época no se encontraban usualmente en el teatro: las sombras chinescas, el mimo, toda una exposición del payaso circense, historia de máscaras y el final con un baile y cientos de kilos de papel de periódico invadiendo el patio de butacas. Sólo nos faltaba salir a la calle, y un día después de una representación lo hicimos. Fue como descubrir un espacio nuevo, un espacio donde dices: "Anda, pues si aquí hay mucha gente y quizá lo que la gente necesita es coger confianza para volverse a encerrar luego dentro de los teatros." Es lo que pasa un poco aquí, en la plaza de Lavapiés, que la gente viene porque sabe que acabas la obra fuera, en la calle, y que empiezas en la calle también, aparte de lo que das dentro...

J.L.A.—*Mi punto de vista es que lo que menos importa de vuestro espectáculo del teatro Olimpia es lo que hacéis fuera. La gente, cuando os ve en la calle, os ha visto ya hacer "teatro de calle" dentro, sobre el escenario. Vuestro trabajo tanto tiempo en la calle ha dado al que hacéis sobre un escenario un aire libre de muros y convenciones, sorprendente, fresco, directo, vital.*

C.—Evidentemente cuando estás acostumbrado a actuar fuera, donde el espacio límite es infinito, en el momento en que cierras este infinito y actúas en un local cerrado, superas esos espacios, sigues de alguna forma trabajando para espacios abiertos que eliminan esas paredes que te limitan.

J.L.A.—*Y es una de las causas que dan a vuestro trabajo una dimensión que envuelve al espectador, y le sorprende, acostumbrado como está a esa lejanía que se suele dar en la mayoría de espectáculos teatrales, que estando físicamente a pocos metros desde tu butaca tienes la impresión de que lo del escenario está a kilómetros de uno, allá, a lo lejos...*

C.—Sí, es que para una persona acostumbrada a actuar al aire libre, el trabajar en local cerrado no le impide actuar más allá."

J.L.A.—*Es decir, que el actuar en la calle os ha enseñado ante todo a comunicar, a poneros en contacto con el público, a volcaros sobre él, a meterle totalmente en vuestro juego...*

C.—Sí. Es lo que hablábamos antes, como el espacio es infinito, tienes necesariamente que dotarte de una serie de técnicas para abarcarlo; como la dispersión en la calle es muy grande, para concentrar la atención en un punto tienes que vestirte de música, movimiento, colorido, declamación... Si tú tienes estas armas en la mano y consigues captar la atención de multitud de personas que pasan por una calle, cuando te encierras en un teatro, la fuerza de la calle la tienes y entonces lo que haces dentro es pasártelo bien tú, porque vas matizando.

J.L.A.—*¿Y es más cómodo el trabajo dentro del escenario que en la calle?*

C.—No, a nivel físico no es importante para nosotros, incluso se queda corto cuando actuamos dentro, por eso salimos al final a la calle precisamente, porque nos quedamos cortos dentro, y hay algo que surge en nuestro trabajo y que tenemos que sacar fuera de nosotros.

J.L.A.—*Pero cuando actuáis dentro, sabéis que la gente os escucha mejor. La voz tiene muchas limitaciones en un espacio abierto.*

C.—Sí, claro, ésa es la ventaja de un local cerrado, que el matiz se puede dar mejor. En la calle pierdes estos matices, pero en cambio ganas en espectacularidad, y en un escenario es al revés.

El actor del "todo es posible", y la Commedia Dell'Arte.

J.L.A.—*Otro de los factores sorprendentes de vuestro trabajo es que el actor puede hacer de todo. Está rota la frontera de las limitaciones, la comodidad y la ñoñería, y todo es posible. Si alguien se tiene que descolgar de un techo, se descuelga. Si alguien tiene que hacer música, la hace. Y se actúa y se canta y se anda en zancos y se llevan encima muñecotes que pesan un montón de kilos, etc. Algunas cosas con más maestría, otras con menos, pero todas se hacen.*

C.—Sí, eso viene en parte del trabajo en la calle, que te da siempre la oportunidad de abrirte como actor y como persona, y en la calle es donde debes hacer las cosas más honestamente, pues nuestro principio básico es trabajar en y para ella. Por otro lado podemos realizar nuestro trabajo gracias a unas preparaciones anteriores a él. La cosa viene desde el inicio, cuando uno estaba en el Instituto del Teatro y te faltaba algo; por ser joven, por la vitalidad que llevas, o por lo que sea, un día descubres que hay una cosa que se llama "expresión corporal" o se ha dado en llamar así y que no es más que con tu cuerpo traducir lo que podrías decir declamando. Esto entronca directamente con la Commedia Dell'Arte. Nosotros nos enamoramos desde el primer momento de lo que para nosotros era la concepción de la Commedia Dell'Arte, de poder a partir de casi nada dibujar todo un espectáculo; esto era precisamente lo que nosotros pretendíamos. Pero para llegar a ello tienes que estar muy bien preparado físicamente, y a los demás niveles.

J.L.A.—*Acabáis de citar la "expresión corporal" y la Commedia Dell'Arte, como dos puntos de partida en vuestro trabajo. Sin embargo las concepciones usuales de ambas no tienen nada que ver con los resultados que vosotros alcanzáis. La expresión corporal se suele entender como algo ritualista, místico y de salón, mientras que los trabajos basados en la Commedia Dell'Arte son triviales, con un código estereotipado, y que pertenecen a la última época de la misma, la palaciega.*

C.—Nosotros te hablamos de la Commedia Dell'Arte original, del inicio, de la calle, no de la de la Corte.

J.L.A.—*Y de preparar algo para ir a actuar a palacio, o a la calle...*

C.—Claro, es completamente diferente el camino a seguir según persigas uno u otro fin.

Canet de mar y la borrachera de estar juntos

J.L.A.—*Según hablamos hay una constante que se repite, la del poder del cuerpo, el ser joven, la vitalidad, la energía... ¿de dónde viene toda esta energía?*

C.—Pues de la borrachera de estar juntos. Desde el año 75 vivimos juntos en Canet de Mar y trabajamos juntos desde por la mañana en la sala que tenemos allí: es un teatro más grande que la sala Olimpia; una antigua cooperativa que existía en el pueblo tenía este teatro, que desde la guerra estaba cerrado. Un día

44

fuimos y nos lo dejaron, entonces buscamos una casa y nos marchamos a vivir allí.

J.L.A.—*Este tema de Canet de Mar es muy importante porque marca como una segunda etapa en la evolución de Comediants. Vamos a extendernos más en él. ¿Cómo fue que llegasteis allí? Por lo que habéis dicho parece que fue el teatro de Canet lo que os llevó a vivir al pueblo, es decir, el tener un local en buenas condiciones y a vuestra disposición para trabajar libremente fue el motivo de salir de Barcelona y emprender otro tipo de vida.*

C.—Sí. Fuimos a Canet porque era la posibilidad de desarrollar nuestro trabajo.

J.L.A.—*¿Cómo vivís allí? ¿Cómo fue vuestra incorporación a un nuevo lugar y a unas formas de vida diferentes a las que habíais tenido hasta entonces?*

C.—Llegamos a Canet de Mar por el teatro. La casa era poco importante. Al principio teníamos sólo cinco habitaciones; como somos quince tocábamos a tres o cuatro por habitación, sin respetar intimidades ni parejas ni nada porque lo importante era hacer teatro. Era un poco idealista el planteamiento. Así pasamos un año. A partir de entonces nos liamos todavía más, pues ya perseguíamos el espectáculo total en el que la música estuviese plenamente integrada. Hicimos **El Casorio** con la Compañía Eléctrica Dharma, que es un grupo que después ha triunfado en los ambientes rockeros, rock catalán, digamos; llegamos a estar veintidós personas en esa casa minúscula, con unas condiciones muy malas y moviéndonos el único ideal de hacer teatro. El problema fue que la intención de hacer música y teatro no cuajó porque el grupo de música iba únicamente por hacer música. Hubo una separación. Después encontramos otra casa más grande y a partir de entonces fuimos conscientes de que si queríamos asimilar plenamente la música en los espectáculos, y al revés, los actores tenían que aprender a tocar y los músicos aprender a moverse.

J.L.A.—*¿Cómo hicisteis ese aprendizaje? ¿Unos enseñaban a otros? ¿Contratasteis gente de fuera para que os enseñara?*

45

C.—No hizo falta contratar a nadie. Actores se quedaron unos cuantos, los que vivían esta ideología, porque el resto de Comediants, me refiero al núcleo del principio, de **Non Plus Plis** y **Catacroc**, prefirieron un teatro más estable y se fueron a Teatro Lliure. El resto, que decidió vivir en Canet, siguió adelante con la idea. Hubo una apertura y entró gente nueva. Entonces en Comediants había dos músicos que, por suerte o por lo que fuera, habían hecho seis años de Conservatorio y sabían música, pero al mismo tiempo veían más posibilidades de acción que las que proporciona el Conservatorio. Estos fueron quienes nos brindaron la oportunidad de que nosotros toquemos ahora. Y aquí estamos: Comediants es un grupo de teatro que vive y trabaja junto, una serie de gente que no ha formado una comuna, ha formado una familia.

Sol, Solet

J.L.A.—*Ya estamos en Canet: el grupo vive y trabaja junto buscando el espectáculo total donde música y teatro estén plenamente integrados. ¿Cuál es el resultado de todo este proceso?*

C.—**Sol, Solet**

J.L.A.—*¿Cómo surgió este espectáculo? ¿A partir de una idea base o de una serie de improvisaciones que al aglutinarse obligaron a buscar una estructura?*

C.—La idea del sol estaba ya antes. Todo es una mezcla de lo que dejas, lo que haces, dónde quieres ir... y de esto coges lo que más te interesa, y aquello que te parece que sirve lo pones en otro espectáculo y de ello haces una cosa nueva, le das un nuevo argumento, lo utilizas. En el fondo, si tú analizas todos los espectáculos de Comediants, te darás cuenta de que el trasfondo es siempre el mismo. Hay una idea básica que perdura en todos los argumentos. De alguna manera la misma ideología de que estemos viviendo juntos para hacer una cosa, conlleva el hecho de que tienes que ser muy honesto con este principio aglutinador. Si a ti lo que te alucina es hacer teatro y música y salir a la calle con ello, lo más cómodo es irte a vivir junto con los que les pasa lo mismo. Esto ahorra tiempo, energía, trabajo, etc.

J.L.A.—*Y de esa unión, de esa relación directa y constante de todos vosotros, y de vuestro trabajo diario en el teatro de Canet, surge vuestro espectáculo...*

C.—Sí, sí. Con **Sol Solet** pretendíamos que todas las gentes que estábamos juntas participásemos en algo común. Los músicos actúan, los actores hacen música, y todos tienen un lugar en el espectáculo. Eso quiere decir que el planteamiento es aún más amplio, porque 15 personas hacen difícil una integración, y no todos quieren ser actores y músicos. Aquí todo el mundo hace lo que quiere y puede hacer. Esto era un principio básico y con él ha surgido el espectáculo.

J.L.A.—*Dentro de ese trabajo colectivo, me decís que no ha habido un autor del guión o la idea, sino que surgió encadenado a espectáculos anteriores. ¿Tampoco ha habido dirección? ¿Cómo está organizada esta parte del trabajo teatral en vosotros?*

C.—Es difícil de explicar. Al vivir y trabajar juntos, desde que te levantas hasta que te vas a dormir, tienes los mismos problemas, y esta relación interpersonal se traduce a la hora de montar un espectáculo. El montaje surge de unos conceptos totalmente diferentes a lo que sería un montaje normal de teatro.

J.L.A.—*Es evidente que hay algo más allá del teatro en vuestro teatro. Hay una forma de vida sobre el escenario. Pero yo me refiero ya a una cuestión puramente técnica. Detrás de todo lo que estamos hablando se adivina una (o varias) manos; alguien que ha coordinado, limpiado, estructurado, dado una orientación final a vuestro trabajo, y da la impresión además de que es alguien que no está en el escenario, alguien que ha asumido, aunque de diferente forma a la tradicional, el rol de director.*

C.—Siempre que trabajamos en ejercicios, o ensayos, hay alguien que se queda fuera para que sea útil lo que haces. Este alguien no es siempre el mismo. Es un trabajo que también nos planteamos dentro de nuestra preparación, el que cada uno sepa escoger material estando fuera. Naturalmente hay gente que lleva muchos más años dando el callo en el teatro y que tiene mucha más visión que otra. Podríamos decir que en Comediants hay tres

47

o cuatro personas que tienen más idea que las demás a nivel de dirección. Lo mismo pasa en la música. Hay así tres o cuatro personas fuera, y no una, que coordinan el espectáculo. De todas formas hay enormes discusiones sobre si tú dices o no dices esto en el texto, o de si esta música va o no va, o de poner un elemento escenográfico en lugar de otro. Una persona dice que sí, otra que no, pero nadie impone.

J.L.A.—*Y musicalmente, ¿quién marca el ritmo de la representación? Porque a mí me ha parecido cuando he visto vuestro espectáculo que la música es la que está marcando los ritmos y los tiempos, y hay grandes diferencias entre representaciones de uno y otro día según tiraban más o menos hacia arriba las dos o tres personas que llevaban la parte musical.*

C.—Hay unos personajes clave y unos puntos más clave que otros. Hay una compenetración a partir de una célula básica, que podríamos llamar, y si esto va conjuntado a la perfección, va todo el espectáculo, y si aquí hay algo que no funciona por el día, porque te encuentras mal o por lo que sea, esto influye en todo el trabajo.

El actor-músico-artesano-escenógrafo-acróbata, etc.

J.L.A.—*Hemos hablado de vuestro intento de unificar músicos y actores, pero hay algo más dentro de la formación básica de Comediants, que se traduce en sus resultados.*

C.—Sí. Desde hace tres años, más que enseñados directamente, motivados por el hecho de que en Comediants una de las ideas básicas que existen es que el teatro se concibe no solamente a nivel de actor, en el sentido de la interpretación, sino como personalidad completa de donde se pueden sacar todas las actividades artísticas referentes al teatro, como música, escenografía, acrobacia, iluminación, construcción de materiales, etc., hemos tratado de cubrir toda esta serie de parcelas en nuestra preparación.

J.L.A.—*¿Y el texto o guión?*

48

C.—El texto sirve para acabar, redondear o decorar aquello que tú das. Donde no se llega exactamente con la imagen lo acabas de comunicar con la palabra. Algunas veces hemos partido de un texto para hacer un trabajo, pero simplemente como trabajo, no como espectáculo.

J.L.A.—*¿Y qué tipo de ejercicios hacéis en vuestra preparación dentro del terreno físico, por ejemplo?*

C.—Trabajamos la acrobacia, la resistencia física, el fondo de voz, aunque la voz es lo que más justo nos viene; hay unas técnicas de impostación de voz, etc., que no tenemos asimiladas.

J.L. A.—*Para mí, vuestras voces no son ni las voces de los actores de teatro tradicional, ni habéis encontrado unos nuevos moldes en donde os sintáis cómodos. El esfuerzo con la voz se os nota mientras que con el cuerpo no. Con el cuerpo habéis encontrado una clave en la cual hacéis cosas muy difíciles con facilidad.*

C.—Porque estamos acostumbrados a trabajar con él, a improvisar. Improvisamos a lo mejor tres horas sobre una idea, un esquema, y como hemos prescindido casi siempre de la voz, entonces hay que expresarlo con el cuerpo, con el movimiento, con la acción, con personajes, con máscaras. Cuando uno se pone una máscara y hace Commedia Dell'Arte, el cuerpo lo hace todo.

J.L.A.—*Y vuestro dominio del campo musical os habrá ayudado también en este terreno. Se ve en todo momento una relación directa entre la musicalidad y la expresión de los cuerpos.*

C.—Es el ritmo interno que asimilar. Para desarrollar cualquier acción interiormente hay un ritmo tuyo, biológico, y es este ritmo tuyo el que o lo traduces con una máscara o lo pasas por un pito, un saxofón o lo que sea.

Problemas económicos

J.L.A.—*¿Cómo vivís económicamente? El cierto "boom" internacional que ha habido con este espectáculo, ¿os ha facilitado económicamente las cosas?*

C.—Sobrevivimos

J.L.A.—*Es que visto desde fuera se hace una falsa asociación entre resultados y nivel económico.*

C.—Quizá ahora podríamos aprovechar esto para ganar un poco más de lo que ganamos, pero hasta ahora...

J.L.A.—*¿Cuál es el punto de vista dentro del grupo sobre si intentar dar un salto económicamente a costa de ciertas concesiones en vuestros planteamientos generales o mantenerse en la brecha como hasta ahora, con la situación económica que ello conlleva?*

C.—Nuestro punto de vista es la cruda realidad. Para que podamos estar dos meses sin actuar y trabajando un espectáculo tenemos que tener dos millones en el bolsillo. Este año, que hemos trabajado sin parar, los hemos conseguido, después de diez años de existir. A partir de ahora y con las propuestas que hay para el futuro, hemos de escoger lo que vaya mejor para conseguir esto, porque lo que nos interesa no es actuar y ser mundialmente famosos ni nada de eso, sino poder parar dos meses de vez en cuando para ensayar un nuevo montaje. Nuestra única ayuda o subvención es el trabajo que hacemos, y en unas condiciones precarias económicas tenemos que ahorrar para poder hacer ese nuevo trabajo. La gente puede pensar que en el Teatro Olimpia en Madrid, por ejemplo, las cosas han ido de primera, pero de tres semanas que estás, la primera a cien personas diarias, la segunda semana que se corre la voz y se llena pagas los déficits, y la tercera sacas algo, y este algo hay que repartirlo entre quince personas, o sea...

J.L.A.—*¿Y cuando trabajáis fuera de España? ¿Las condiciones son mejores?*

C.—Tampoco ganamos bastante dinero. Por supuesto que la cantidad global que se cobra es mayor, pero también hay muchos más gastos, por ejemplo, para ir a Dinamarca, el dinero que se nos fue en los viajes... te puedes suponer. En los únicos sitios que hemos sacado algo de dinero limpio, son aquellos en los que la gente te quiere, no ya por el espectáculo en sí. Es el caso último de

50

Islandia. Irte a Islandia es irte al otro lado del mundo, pero hay una persona allí en concreto que te ha visto, que cree en ti y en tu trabajo, que quiere llevarte allí y hace lo imposible por conseguir del gobierno islandés un dinero para que te sea posible ir, y aparte te pagan los viajes, etc. Son casos aislados.

J.L.A.—¿Y en el festival de Venecia?

C.—Sí, allí estaba la madre "Bienal" que cuenta con grandes posibilidades, y tenían un gran interés en llevarnos para dar una imagen del Carnaval en la calle.

J.L.A.—¿Y qué ayudas recibe el grupo del Ministerio de Cultura para realizar estas campañas fuera de España, o subvenciones para el montaje de sus espectáculos?

C.—Ninguna. Pero la anécdota va más allá. Este año decidimos pedir una pequeña subvención al Ministerio porque la Delegación de Barcelona dijo que lo hiciéramos ya que habíamos hecho algunas giras. La pedimos y nunca más se supo.

J.L.A.—Que Comediants, con el trabajo que está haciendo, con los resultados alcanzados, figurando en los festivales internacionales más importantes del mundo, etc., no tenga ayuda económica de ningún tipo por parte del Ministerio de Cultura y de su Dirección General de Teatro, es algo que explica muchas cosas de las inexplicables dentro de nuestra política teatral.

De una ideología a una forma de ser

J.L.A.—Repasando toda la evolución de Comediants se nota una diferencia muy clara entre vuestro primer espectáculo **Non, Plus, Plis** y el último **Sol, Solet**. Aquel trataba de ser... ácido, un espectáculo crítico, una lucha donde se intentaba convencer al espectador de determinados principios, mientra que **Sol, Solet** es única y esencialmente una actitud vital. Veo como un paso de una ideología a una forma de ser. ¿Es así?

C.—Sí, estoy de acuerdo.

J.L.A.—Pero el problema de hacer espectáculos basados en una actitud vital es que esa actitud es algo que se va como el agua

51

entre las manos. Como responde a un momento vuestro, si cambia ese momento puede irse todo a pique, porque no está basado en la búsqueda de unas metas concretas.

C.—Sí, quizás hay excesiva idealización.

J.L.A.—*Este "teatro-fiesta", este "teatro-juego", ¿no ha recibido juicios negativos a veces al faltar un elemento digamos crítico, pero sí de cierto punto de vista sobre el entorno concreto en que el trabajo se da?*

C.—No, yo creo que quien sabe mirar ve que el punto crítico-político, o como quieras llamarle, es el mismo hecho de comprometerse a hacer un trabajo así, en lugar de utilizar otros esquemas que serían mucho más fáciles.

J.L.A.—*Hablo de esto porque precisamente una de las características de vuestro estreno en Madrid es que todo el mundo está de acuerdo en decir que está muy bien: niños y viejos, pequeños y grandes, críticos de izquierdas, críticos de derechas, y críticos de en medio. A mí me parece positivo, no tienen por qué estar en desacuerdo los críticos de derechas para que sea válido un espectáculo, pero, indiscutiblemente, puede despertar cierta inquietud el que no haya nadie que no esté de acuerdo, el que tanta gente se sienta encantada de verlo. Me imagino que esto debe crear cierta desazón...*

C.—Por nuestra parte lo que hemos pretendido al crear este espectáculo es que el "mensaje" fuese algo que llegase a la sensibilidad, a toda persona sensible, a toda persona que no estuviese lo suficientemente contaminada de ideas políticas como para que pudiese bajarse del pedestal político, en que vivimos en el siglo XX, para apreciar la apología del sol.

J.L.A.—*¿Un espectáculo antiagresivo?*

C.—Hemos pretendido eludir la agresión y quizás el próximo espectáculo sea superagresivo, porque mala leche en las venas nos corre también...

J.L.A.—*A eso me refería; después de cierto tiempo haciendo un montaje lúdico, festivo, dentro de los grupos suele haber una inquietud de que algo falta. Siempre uno va buscando lo que no tiene y esa inquietud suele ser un elemento incordiante, y positivo a la vez, mientras se representa el espectáculo.*

C.—No, no ha ocurrido esto. En el anterior espectáculo, **Catacroc**, había cosas muy agrias, a nosotros mismos nos parecía fuerte, pero llega un momento, **Sol, Solet** en este caso, donde la propuesta es desechar todo lo que no sea positivo. Si hablamos del sol y hemos incorporado lo circense es porque para nosotros el circo es también algo positivo, al menos el circo que nosotros queremos, no el que se hace. Así hemos dejado de lado, en este momento, cualquier tema crítico: sexual, político, etc.

J.L.A.— *Evidentemente la transmisión de esta forma de vida en el espectáculo es ya un "mensaje". Es la búsqueda del sol, también.*

El resultado, un camino trazado

J.L.A.—*¿Qué pensáis que se nos puede haber escapado en la conversación que sea significativo?*

C.—A mí me parece que lo que se nos ha escapado es precisamente todo lo que hemos hecho en la calle. A parte de **Sol, Solet**, hemos representado en la calle otro tipo de historias totalmente diferentes, desde organizar un Carnaval durante siete días con lo que esto conlleva de hacer cosas diferentes cada día, hasta los talleres que ahora mismo no hacemos y que quizá volvamos a hacer: talleres de construcción donde se proponía un tema cualquiera de discusión, una historia, la que fuese, y mientras uno la explicaba, la gente construía con material de desecho los elementos y se representaba después en la plaza del pueblo. El taller lo hacía el mismo pueblo a donde ibas. Eso fue durante dos veranos por Cataluña.

J.L.A.—*Ese tipo de cosas no las hemos podido ver aquí.*

C.—Lo que pasa es que nosotros nos movemos mucho por Cataluña y allí, a través de los años, hemos conseguido unos resultados. Hace cinco años se daba el caso aislado, de que en determinado pueblo un señor no estaba de acuerdo en montar las fiestas como se hacía siempre, porque parecía el "desfile de modelos del Corte Inglés" el tipo de espectáculo infantil que se llevaba entonces, y ese señor, un caso cualquiera, se arriesgaba metiéndonos a nosotros en lugar de los clásicos payasos. Y allí llegábamos nosotros a meternos en las fiestas, en la Plaza Mayor, en un "entoldao". Casos aislados sin mayor trascendencia, pero la gente empezó a ver que había otro tipo de cosas. Ahora, cinco años después, se da la circunstancia de que un Ayuntamiento te contrata los tres días de la fiesta del pueblo, para que hagas lo que tú quieras. Y haces cosas increíbles, como un pasacalle a las cinco de la madrugada, pagado por el ayuntamiento y con todos los concejales allí, sigues con otro pasacalle a las doce, un espectáculo por la tarde, una verbena, porque vamos en plan musical de orquesta de "varietés", y acabamos con un baile por la noche. Ahora tenemos la oportunidad de hacer esto que es el resultado de una concienciación durante años y años allí, en Cataluña, y según creo aquí es todavía más difícil.

J.L.A.—*Estos espectáculos de calle que vosotros hacéis son teatro, porque lo vuestro es otra forma de teatro, hay que reivindicarlo en contra de la concepción tópica de lo que es o no es teatro.*

C.—Todo puede ser teatro. No existen limitaciones. Hacer teatro es un oficio como otro cualquiera. Nosotros respetamos las otras formas de música y de teatro que existen, con más simpatías o antipatías según el tipo de cosa que se haga. La cuestión es ser honesto en este aspecto. Yo no digo que nuestra forma sea la mejor pero desgraciadamente, por el camino que nosotros hemos escogido, quizá porque es un poco difícil, te encuentras con pocos grupos. Nuestro problema actualmente es que en fechas y meses determinados tendríamos que triplicarnos para dar abasto... O la generación que sube viene con un impulso, una preocupación ideológica para hacer este tipo de cosas, o acabará por desaparecer en forma... artesanal. Nuestra época que era de reacción contra el capitalismo, que podía venir de un mayo del 68, resulta que no ha cuajado en una fuerza capaz de impulsar a la generación que viene detrás de nosotros. De todas formas en Cataluña y en toda España hay ya un movimiento de grupos en este sentido, como pudo haber un teatro independiente en otra época porque había un móvil político detrás. Ahora también hay grupos que se mueven por este camino.

JOSE LUIS GOMEZ

JOSE LUIS GOMEZ.—Cuando volví de Alemania en el año
70 mi propósito era incluirme en mi país, pero desgraciadamente
me encontré con que este propósito no era fácilmente realizable.
Yo no era asimilable por ningún teatro, ni por el independiente ni
por el comercial, y durante años me vi obligado a hacer obras sólo
alemanas. Esto es terrible y he padecido mucho; no tenía la fama
ni el prestigio ni el dinero suficientes para hacer obras españolas,
como yo quería hacer.

FERMIN CABAL.—Entonces **El pupilo quiere ser tutor** de
Peter Handke e **Informe para una Academia** de Kafka, que,
según creo, fueron tus primeros montajes, ¿obedecían más a un
problema económico que a una cuestión de elección estética?

J.L.G.—No exactamente. Estos dos montajes representa-
ban, de algún modo, los dos polos de mi formación. En el caso del
Informe la tradición alemana verbal, y en el caso del **Pupilo** los 7
años de acrobacia, mimo, etc., que había hecho en Alemania. pero
a partir de ese espectáculo, el que tuviera que hacer **Arturo Ui,
Gaspar** y **Lisístrata** y ésta en 23 días, es decir que no puedo contar-
la como un proceso de elaboración artística, responde a que tuve
que estar más ocupado con la supervivencia que con los problemas
realmente estéticos. Ahora bien, durante todo este tiempo me
preocupó, y de algún modo me ocupó, en la medida de mis posibilidades, el difundir una actitud diferente a la tradicional entre los
actores españoles en relación con su formación; una actitud de
mayor exigencia. Y creo que esta actitud ha contribuido, junto
con la de otros compañeros, a cambiar el panorama actoral español. La actitud se agudizó a partir de un momento en que, gracias

al cine, empecé a descubrir insuficiencias en mi trabajo como actor; porque el cine en el trabajo tiene que ser lo más real posible, y es difícil construir esa realidad sin partir del actor, por la contundencia de la imagen cinematográfica que casi no soporta, en el plano en que se narran las historias hoy, el menor grado de convención. Hasta ese momento yo dirigía teniendo una idea muy clara de la puesta en escena, muy apriorística, muy diseccionada, muy analizada, y luego llevada al actor a hacer eso, pero más bien por repetición que por impregnación.

F.C.—*¿En qué momento de tu trabajo sitúas esa especie de crisis?*

J.L.G.—A partir del rodaje de la película **Pascual Duarte**. Creo que mi trabajo de interpretación era digno, y me gusta todavía, porque yo no era campesino, no he vivido nunca en el campo, soy un hijo del asfalto, y lo único que tengo es el recuerdo de que mi padre y mi abuelo sí lo fueron. Lo que me ocurrió en **Pascual Duarte** fue como intuir el meollo de un modo puramente sensible y agarrable. Después de esta experiencia me empezó a fascinar el fenómeno actoral. Hice entonces un intento de acercamiento a otras gentes, como la gente del TEI y otros profesionales, que estaban en una línea parecida, y con este grupo de personas monté el **Woycek** de Büchner, aunque la verdad la fusión no dio demasiado resultado. Probablemente, porque las circunstancias no eran las más favorables. Después de esto empiezo a ir a Estados Unidos y continúo en España haciendo cine. En América encuentro una parte del trabajo actoral que yo aún no había tocado, y cuando digo tocar, digo tocar profundamente, no es tomar un mes de clases, sino estar intensamente sobre el tema.

F.C.—*¿Entonces tu formación en Alemania había sido completamente externa?*

J.L.G.—Era la teoría de Brecht, la técnica teatral externa, el trabajo del actor por fuera. Por supuesto que se hablaba siempre de trabajar por dentro, pero el problema es cómo se hace eso, los pasos que hay que dar en concreto, el estado en que hay que tener el aparato, eso es lo que nadie le dice a uno y, por tanto, la mayoría de la gente no aprende a usarlo.

F.C.—*Esto parece increíble si tenemos en cuenta que en aquel momento, a partir de la interpretación de* **Arturo Ui** *y el premio que te concedieron en Cannes por tu trabajo en* **Pascual Duarte,** *estabas considerado como uno de los actores teatrales de tu generación más preparados. ¿Hasta qué punto tu contacto con Strassberg, con el Método, con los americanos, puso en cuestión esa madurez que se te presumía? ¿Hubo, quizás, otros factores que influyeron en ese replanteamiento profundo de tu trabajo?*

J.L.G.—También tiene mucho que ver con el modo de relacionarse con los demás, el modo de contactar con las personas. Hay un momento en la vida en que uno cambia, por lo menos a mí me ha pasado, y he necesitado buscar una relación más cordial con las cosas y con las personas, tener menos tensión existencial de llegar, de hacer... A partir de ahí he comprendido que el trabajo del actor tiene que tener la misma riqueza que el trabajo del escritor: tiene que estar lleno de vida, es preciso que sea un trabajo humanizado, sensible, complejo; cuando el trabajo no tiene esos ingredientes, uno se siente disminuido. En el caso de **Arturo Ui,** estimo ahora que había una idea crispada de actuación brechtiana, muy técnica. Por otra parte había un problema en **Arturo Ui,** grave, que es el **gap** existente entre la actuación de Arturo Ui y el resto de los actores y esto no quiero que vuelva a ocurrir... Y no ha vuelto a ocurrir. En cuanto a los métodos, a las escuelas, yo soy algo escéptico. Creo que un actor es actor siempre y es un actor si tiene talento. Hay que tener un 10% de talento, que se hincha con un 80% de trabajo, pero se hincha no de un modo aritmético sino geométrico, es una especie de explosión enzimática. Mi interpretación de **Pascual Duarte** creo que es técnicamente débil y tuve que salir del paso con ese porcentaje de talento; pero cuando eso se plantea en unos términos estéticos más elaborados, la cosa se complica. Habrá quien piense que hago un planteamiento del trabajo del actor excesivamente complejo. Creo que hay que acabar con la teoría de que cómico puede ser cualquiera, que cualquiera puede subir a un escenario. Esta mentalidad contrasta con el trabajo de un actor como Laurence Olivier, que demuestra en la práctica cómo la interpretación puede ser un arte complicadísimo, noble, de estatura. No nos engañemos: es necesario descubrir los propios límites, llegar a conocer a fondo los elementos que uno utiliza realmente, hasta dónde puede llegar con la voz, los problemas de la gestualidad, etc.

F.C.—*El montaje de* **Bodas que fueron famosas del Pingajo y la Fandanga**, *de Rodríguez Méndez, marca a mi juicio el punto de inflexión de todo esto: hay un rompimiento estilístico con respecto a tu producción anterior y unos elementos que se continúan en tu actual trabajo en* **La velada en Benicarló**.

J.L.G.—Efectivamente, en el espectáculo de Rodríguez Méndez intento partir de posiciones no asumidas o no enseñadas, en tanto que **Arturo Ui**, la parte que me corresponde del montaje, **Gaspar** y otros espectáculos anteriores, eran trabajos donde el bagaje de lo aprendido era muy pesado. Por el contrario, en el **Pingajo** parto de cero, y de una investigación que, guste o no guste, para mí en ese momento era importante. Rodríguez Méndez hablaba de una realidad, la de los marginados del 98, un poco hermoseada, y yo encontré la única descripción fehaciente de los marginados del 98 en Baroja. Por eso fui a hacer un mundo, en algún modo, barojiano, por huir de algo que yo llamo el tenebrismo del realismo español en la escena, que es el tratamiento habitual de este tipo de materiales: lo cochambroso, lo tenebroso, lo oscuro y todo eso. No sé de qué corriente estética viene, pero al buscar la pintura del 98 me di cuenta de que los realistas de ese momento no eran así, que la misma realidad española es más luminosa, había mucha luz, la vida de esa gente no era simplemente tenebrosa. Y quizá ahí se deslizó en el montaje un cierto error estilístico, es decir, que por querer romper con una especie de hábito español, hábito representacional del tenebrismo, vine a caer sin darme cuenta un poco en el extremo contrario, un excesivo afán estético. La crítica me llamó la atención, a veces duramente, y terminé por aceptarlo. Aquello, desde el lado pictórico, estaba excesivamente cuidado. La búsqueda de ese lado fue hecha con cierta organicidad; estudié, por ejemplo, mucho a Nonell, pero no le dije a ningún actor que se caracterizara como de Nonell. Les fui empujando, sin hablar nunca de este pintor, a esa plasticidad. Pero en lo fundamental fue muy gratificante para mí porque esa experiencia del "pingajo", aunque no figure en ningún anal, creo que era uno de los alardes de realidad más grandes en un elenco numeroso de actores que se ha visto sobre un escenario en muchos años. La gente se movía, estaba relajada, hablaba...

F.C.—*Hablas de realidad. En el* **Pingajo**, *en relación con tus montajes precedentes, hay una enfatización del realismo que supone una ruptura con tu estilo anterior. En su momento esto sorprendió mucho a la gente que seguía tu trabajo y que te consideraba como uno de los actores más caracterizados de un planteamiento antinaturalista del trabajo teatral, que tiene sus raíces en la teoría de Brecht.*

J.L.G.—A menudo se habla del naturalismo en tono peyorativo porque se le atribuye una menor elaboración. Si en una película los diálogos son naturalistas se les atribuye una menor síntesis, una menor condensación poética. Es fácil contradecir esto: basta con ver las dificultades para encontrar un guionista, y esto lo saben bien los americanos, capaz de escribir tal como la gente habla. Muy difícil; cómo en el diálogo de una secuencia de pronto surge la vida sin relación aparente con la finalidad de la secuencia, con espontaneidad, frescura, etc... Aunque no lo parezca, ahí hay bastante elaboración. Por otra parte, habría que ver qué se considera naturalismo, porque muchas veces se critica así a intentos que son más bien de tipo realista. Porque el naturalismo hoy en día ya casi no existe, históricamente considerado desde un punto de vista estético. En esta pequeña polémica que flota en algunas críticas, y en la mente de algún tipo de profesional, hay una cosa que yo he pasado a defender: una cierta actitud realista de partida, que es precisamente lo que ha faltado aquí. El teatro español se mueve todavía, tanto en la actuación como en la dramaturgia, por resabios románticos muy claros. Cuando uno oye a Morano o a Calvo, que son del año 30, es un recitado típicamente romántico, es decir cantando, sin contenido, casi rengloneado. Si uno recuerda que en el siglo XIX ya existía Garrick en Inglaterra, que es el que hace una revolución en la actuación, imponiendo un tratamiento más realista, que constituye una escuela de la interpretación inglesa que llega prácticamente hasta nuestros días, comprende entonces lo diferente de nuestra situación. Por el contrario, entre nosotros, ha habido una influencia francesa muy fuerte, aunque no hemos llegado al artificio de los franceses; no llega a ser lo suficientemente artificiosa como para que adquiera un alto grado de convención, y que, precisamente debido a ese grado de convención, llegue a subyugar. Y, al mismo tiempo, precisamente por esta misma tradición, no es real, no es natural, lo que hace que para el espectador que está muy acostumbrado a la actuación naturalista y realista en el cine y cada vez más distanciado de la tradición interpretativa del teatro, esta interpretación teatral resulte nueva. Por eso yo, en un momento dado, he pasado a defender una actitud de punto de partida de un realismo básico, porque estoy convencido de que sin este realismo básico entre nosotros no puede progresar la actuación.

F.C.—*Es interesante que matices esta cuestión del realismo básico, porque podría interpretarse apresuradamente como un rechazo de todo lo que sea convención estilística, estilización en el teatro, y una defensa a ultranza del naturalismo.*

J.L.G.—No, no, desde luego, y éste es un punto interesantísimo. Hablemos, por ejemplo, de una actuación donde el hombre tiene pasiones más grandes, tiene una dimensión mayor, grita con más potencia que un señor común en las cuatro paredes de su casa. Por ejemplo la interpretación de Olivier en **Otelo.** Hay dos posibilidades: que el actor intente hacer esto y no lo sepa hacer, y entonces nos encontramos en la situación de muchos montajes que quieren alcanzar el nivel de "estilo", porque la obra es clásica, porque la obra es... etc., y para alcanzar ese "nivel de estilo" los únicos medios de que dispone es alzar la voz o utilizar una determinada gestualidad que ha aprendido casi por ósmosis de otros actores; los mismos gestos repetidos para la misma actuación. Esta es una posibilidad. Y aunque esto se reduce con la implacabilidad de la cabra, se vuelve insoportable. Veamos, por el contrario, el ejemplo del **Otelo** de Olivier. ¿Por qué nos subyuga? Porque la convención, el aumento de la dimensión estilística, está perfectamente sostenido por la inteligencia, y la emoción y la artesanía del actor; ahora bien, lo ideal no es bajar a Shakespeare a un naturalismo, cosa que sería un grave error, o bajar a Calderón, o decir el verso como si fuera prosa; el actor debe arrastrar al espectador por la convicción de lo que hace a un mundo que no es real pero que es coherente de sentido.

F.C.—*Recordarás que en* **Primer Acto** *hemos discutido si se podía hablar de un estilo de interpretación a la española, una cierta escuela, que diferenciara a nuestro actor del inglés, alemán, etc. Las opiniones son diversas, pero parece que la mayoría se inclina a pensar que sí, que existe esta escuela con sus grandezas y sus miserias, ¿cuál es tu opinión?*

J.L.G.—Creo que no. Una de las cosas graves del teatro español es que no existe tal escuela, tal interpretación a la española. Estoy haciendo un trabajo sobre el tema y, a pesar de que alguna vez he dicho lo contrario, he llegado a esa conclusión. Cada país, Inglaterra, Francia, Alemania, tiene su teatro y presenta una variante singular de lo humano, que se expresa curiosamente también en la interpretación con características muy definidas. Basta ver a Bruno Ganz haciendo el **Torcuato Tasso**, que es algo muy diferente al Olivier que hace **Otelo** o a Tino Carraro que hace el **Rey Lear**. En España existe más bien una carencia de eso, es decir, la variante singular de lo humano que pudiera ser lo español, no se expresa específicamente en términos de interpretación.

F.C.—*Te he oído achacar esto, en ocasiones, a la existencia de una fractura entre la tradición española actoral y la generación actual. Has dicho que había que reencontrar esa tradición...*

J.L.G.—Claro, yo decía eso, pero oyendo a nuestros actores de antes veo que no nos sirve. Entre Morano, Calvo, etc., y nosotros debería haber habido un grupo intermedio que hubiera facilitado esa transición, pero no lo hay, aunque sí algunas excepciones, como Fernán Gómez y otros, pero me refiero en un grado total, osmótico. Por el contrario, entre los señores que precedieron a Olivier y a Scofield, que es el más joven, hay una continuidad. Muy grave sería si los ingleses de hoy tuvieran que remitirse a Garrick, sin todos los eslabones intermedios. He dicho en otro momento que había que encontrar la tradición clásica, efectivamente, pero oyendo ahora con asiduidad a aquellos actores, veo que lo que había de específico o no nos vale o habría

63

que encontrar una nueva especificidad, casi partiendo de cero, porque los eslabones nos faltan.

F.C.—*Calificabas antes ese tipo de interpretación de romántica.*

J.L.G.—La interpretación de Calvo es romántica en el sentido del romántico español: muy declamatorio, bastante huero, vacío. Por ejemplo el **Ay, mísero de mí**, recitado por Calvo que, por supuesto, era un gran actor, maravilloso hombre de teatro, imprescindible, pero que visto sin los eslabones que nos faltan y comparado con ejemplos del extranjero, resulta que era como si no se enterara de lo que decía, como si no asumiera la textualidad, la literalidad y los contenidos, incluso subterráneos, de las palabras.

F.C.—*Volvamos ahora a tu itinerario artístico. ¿Cómo se refleja en tu actual montaje* **La velada en Benicarló** *la experiencia acumulada en* **El Pingajo** *en orden a esta indagación en el realismo que te propones?*

J.L.G.—Hecha la experiencia del **Pingajo** y viendo cómo llegaron los actores a esa creación de realidad, de simplicidad, al acercarme al texto de **La velada** me encontré con que, a pesar de mi propósito de utilizar el realismo como punto de partida clarísimo, la lectura del texto me sugirió otra cosa. Yo soy muy permeable a las opiniones ajenas, no me gusta ser demasiado subjetivista, y pregunto a muchas personas con el fin de recoger una opinión más general. Y recuerdo que Marichal me dijo que para él **La velada en Benicarló** era una memoria de ultratumba. Yo sentía que era eso y, a partir de ahí, se me planteó el montaje. Las primeras asociaciones de imágenes las encontré sobre ese punto de partida. Y todo eso se fue afirmando y configurando en un espectáculo que es, más bien, una memoria de ultratumba y un relato onírico, que una velada en un café tal como lo describió Azaña; cosa que se me ha reprochado por lo que tiene de infidelidad al texto original. Nosotros empezamos a ensayar la obra en el parador de la estación, con mesas, veladores, etc. y, curiosamente, la realidad escénica que daba lo cotidiano del comportamiento del café, el puro, el sueño, todo esto, no encajaba con el alto grado de elaboración del texto, muy decimonónico en la manera de escribir de Azaña. Entonces llegué a la decisión de adentrarme en un mundo más poético, más elaborado. Pero esta traslación no es gratuita, es el resultado de muchas reflexiones y discusiones con mis colaboradores: María Ruiz, Emilio Hernández, etc., con mucha gente. ¿Qué pasa, nos decíamos, cuando diez personas están durante toda la noche en un mismo sitio? Había gente que había pasado por esta situación en otro tiempo, en aquellos momentos de la guerra civil, y nos contaban anécdotas —multitud de anécdotas— de lo que suponía el hacinamiento de la gente en las estaciones, la confusión, el caos de aquellos momentos de gran tensión y que se manifestaba en cosas muy cotidianas, por ejemplo los wáteres estaban llenos, pasaba un tren de soldados, se bajaban de pronto 50 soldados a cargar en el andén... De ahí ha surgido esa acumulación de objetos al final y nuestra intención era que esto viniera envuelto en una narrativa poética. Es evidente que esto no es realista en un sentido estricto, porque estos viajeros que están en el andén de la estación es imposible que hayan recibido ese equipaje de pronto, pero creo que trasluce lo que yo quería dar en imágenes poéticas y no realistas.

F.C.—*Azaña escribió el texto de* **La velada** *en mayo de 1937, cuando los sucesos de Barcelona. Vosotros, sin embargo, habéis situado la acción un año después, en 1938, cuando la batalla por Teruel. ¿Por qué ese pequeño alejamiento cronológico con respecto al original?*

J.L.G.—Efectivamente, Azaña escribe la obra en mayo del 37 y, sin embargo, actúa premonitoriamente sobre los sucesos que ocurren en el 39. En aquel momento, en el momento de la escritura, el grueso de los republicanos no participaba de esa opinión de Azaña, podríamos decir un tanto derrotista; sin embargo, en esas palabras hay un elemento premonitorio. Quizás por su condición de Presidente de la República que le permitía un conocimiento muy exacto del estado interno de los asuntos del Estado, los abastecimientos, el personal que había, de la situación militar, etc. Quizá por otra parte había, efectivamente, un derrotismo en el carácter de Azaña, de pesimismo profundo, y esto también tiene un peso en su actitud en cuanto al carácter de la obra. Me ha parecido importante subrayar esa actitud premonitoria y el retrasar la acción unos meses permite darle un mayor peso en la expresión de sus opiniones en cuanto que están más apoyadas por la situación real de los acontecimientos. Creo que la obra, por otra parte, tiene unos contenidos latentes que enlazan con la dirección histórica y me parecía tonto obviarlos. Es como ignorar la polisemia de una obra, la multiplicidad de contenidos o de imágenes que puede dar, y simplemente ilustrar lo que uno entiende desde las palabras, semánticamente, que dice el texto. Yo quería en **La velada** dar un poco lo que ha ocurrido después, y también mis encuentros con el exilio, lo que yo he sentido a partir de ahí. Esto lo digo claramente en el programa del Bellas Artes. Es como si yo me sintiera amputado de unos padres que me han hecho falta durante estos 40 años y que lamento no haber podido tener, y que no basta con recobrarlos a los 20 años, sino que hacen falta desde niño. Ahí está la clave del tratamiento de mis personajes. Por ejemplo, Garcés, que es una especie de trasunto de Azaña, cuya actitud y opiniones no comparto en absoluto; sin embargo, cuando dice: "yo pienso en la zona templada del espíritu, donde la razón y la experiencia influyen en la sabiduría, yo ya no tengo nada que hacer, porque los hombres como yo hemos venido demasiado pronto o demasiado tarde", siento una especial ternura por él, aunque no comparta su ideología. Lo mismo ocurre con la visión del personaje del doctor Lluch, que en la obra está muy condensado y que, cuando fuimos trabajando la adaptación, sentí que en sus parlamentos estaba muy presente el sentimiento de la muerte, porque Azaña era un hombre muy poco vital en el sentido más sensual de la palabra. También la visión del conservador, en la que he puesto énfasis en que no resulte antipático, no por simpatía con los conservadores sino por no caer en el maniqueísmo; y, por supuesto, también en el personaje del socialista, de Pastrana, que he tratado de hacer un personaje complejo...

F.C.—*Este personaje de Pastrana, por el tratamiento que le has dado, es uno de los puntos en que la crítica se ha mostrado más unánimemente contraria. Se te ha reprochado que al unificar los personajes de Pastrana y de Barcala, el socialista moderado y el socialista radical que planteaba Azaña en el texto original, ha surgido de ahí un nuevo personaje exaltado, crispado, una especie de portavoz del error republicano que sirve como antagonista de Garcés y que resulta un tanto esquemático.*

J.L.G.—Y, sin embargo, al fundir Pastrana y Barcala, lo que queríamos hacer es precisamente todo lo contrario; darle una mayor trascendencia humana al socialista y hacer un personaje contradictorio y rico. Este personaje tiene una contradicción interna, tiene la suficiente sensibilidad como para saber que la guerra es inútil y comprender todos y cada uno de los argumentos, tanto de Garcés como de Morales, a lo largo de esta discusión. Sin embargo, él entiende que debe permanecer fiel a sus ideas: la continuidad de la guerra y de la revolución, pese a quien pese. Pero, en el fondo, sabe lo que dice..., lo que termina por decir al final: "La guerra es inútil". Esto lo sabe desde el principio, y sólo debe colorearse en su comportamiento para aparecer al final de una manera más expresa. Sin embargo debo decir que, efectivamente, aunque yo no he buscado ese tipo de interpretación que dices, exaltado, crispado, puede haberse deslizado.

F.C.—*Es que este punto del antagonismo entre Pastrana y Garcés me parece muy importante, porque afecta a la totalidad del discurso de Azaña, que en gran parte es un discurso oratorio que trata de exponer una serie de razones que le han llevado a tener una determinada actitud y, a través de La velada, hace llegar este mensaje, esta explicación, al público, a los oyentes. Entonces, me parece que Azaña articula ese discurso en una oposición entre una actitud racional, reflexiva, moderada también, que encarna Garcés y quizás Morales, y un oponente que viene a recoger un poco todas las opiniones contrarias a las suyas dentro del campo republicano (los demás personajes son meros comparsas en este debate principal) y que se concreta en el doblete Pastrana-Barcala. Al fundir este personaje creo que vosotros reforzáis aún más la actitud exculpatoria de Azaña, y favorecéis —intensificáis, digamos— este discurso.*

J.L.G.—Aquí hay dos elementos: primero, que de por sí el discurso que está cargado de razón de entrada es el de Garcés, es decir, Azaña a través de Garcés se carga a sí mismo de razón; en segundo lugar, hay otro punto, que el único conflicto en términos dramáticos que hay en el texto es el que existe entre Garcés y Pastrana; el resto, como dices, son conflictos menores, a pesar de que en la puesta en escena hemos tratado de potenciar, por ejemplo, todo lo de Rivera y Paquita, etc. Toda la primera parte está llevada por el enfrentamiento entre estos dos hombres. Puede ser que tanto al director como a los actores se les haya ido la mano a la hora de resolver los problemas técnicos que tiene el texto y, en lugar de buscar una dramaticidad interna, contenida pero intensa, se haya ido a un reforzamiento externo de la interpretación, un poco ingénuo, meramente a través de la crispación de la voz, llevándola arriba, etc. Esto puede ser perjudicial, pero la idea no era ésta. La idea es que el actor tiene que ir enfrentando este discurso, pero dentro del tono que, yo creo, hombres de buena fe, del mismo lado, que comparten la misma ilusión, con matices, pero de acuerdo en lo fundamental, tienen entre sí.

F.C.—*Supongo que el lenguaje de Azaña, a la hora de incorporarlo los actores, te habrá supuesto un ejercicio de estilo importante, dado que es un lenguaje un poco retórico, decías tú antes decimonónico. ¿Cómo has trabajado en este sentido?*

J.L.G.—El tratamiento del texto de **La velada** viene de mi formación alemana, de lo que ellos llaman "dirección de diálogos". El análisis, los acentos lógicos, todo eso. ¿Cómo unirlo en un todo? Porque son piezas de un puzzle que uno muchas veces parece que no puede juntar. Esta experiencia me ha supuesto un trabajo de experimentación en la dramaturgia española que me resulta muy valioso, porque mi trabajo en este sentido está en proceso, en evolución y me ha planteado objetivos que tengo que resolver ahora en el montaje de **La vida es sueño,** que es en lo que trabajo actualmente, y que probablemente no podría haberme planteado sin esta experiencia. Es el problema de los clásicos. Cómo abordar un texto, como por ejemplo el de Azaña, con un alto nivel estilístico, y dotarlo de un cierto grado de credibilidad, es decir, a pesar de que el texto de Azaña peca de declamatorio, hacer todo un trabajo para que los actores lo incorporen orgánicamente de forma que salga de ellos. Si el texto tiene un carácter, una realidad literaria, hay que traducirla a la actuación. Cuando esto se logra, el resultado es una especial pastosidad del espectáculo en general —hablo siempre desde el punto de vista de la actuación, claro—.

F.C.—*¿Pastosidad quiere decir densidad?*

J.L.G.—Sí, lo que se palpa. Se convierte en una materia más y no simplemente porque uno pronuncie determinada palabra, sino por lo que esa palabra provoca en el actor, el mundo asociativo que para él tiene; el problema está en cómo incorporar eso, es un proceso de sensibilización del actor... Para mí fue decisivo eso en **La velada,** lo que como propósito concreto he conseguido más, es decir, que los giros literarios puedan impregnar la actuación. Como comprenderás, en mi trabajo actual sobre **La vida es sueño** esto puede ser decisivo. Esta es la gran problemática de la puesta en escena de **La vida es sueño.**

F.C.—*Esa actitud realista básica como punto de partida, que supongo que mantendrás en el montaje de* **La vida es sueño,** *habrá encontrado numerosas dificultades al enfrentarse con el lenguaje barroco de Calderón. ¿Qué tratamiento has dado a ese problema?*

J.L.G.—El actor, a través del proceso de ensayos, tiene que encontrar un estado en el que la textualidad exaltada de las imágenes del texto de Calderón se encuentre totalmente justificada. Por ejemplo, si Rosaura viene y dice: "Cómo es que entre flores, entre estrellas, piedras, signos, planetas, las más bellas prefieres, tú has servido a la de menos beldad, habiendo sido por más bella y hermosa, sol, lucero, estrella, no sé qué, rosa". Para decir eso sin que resulte ridículo el problema es de índole técnica; el actor tiene que encontrar el estado óptimo sin preocuparse de decirlo de antemano, tiene que encontrar un estado en que ese texto cobre una realidad igual a la realidad literaria de Calderón. Hacer la imagen posible, ése es el problema central del texto de Calderón. Es un problema que se presenta en el teatro barroco con mucha más violencia que en el teatro de Shakespeare, por ejemplo. Porque los elementos del barroco provienen de la moda, es decir, del culteranismo y del conceptismo, es un tratamiento literario mucho menos orgánico que el de

Shakespeare. Pero el problema no se agota ahí, el problema, como en todos los clásicos, es hasta qué punto el conflicto es lo suficientemente arquetípico para ser planteado en imágenes y en comportamiento lo bastante evidentes para que el público de hoy reconozca la visión y lo pueda asumir como todavía vigente. Y yo creo que eso, en cierto sentido, está siempre solucionado si el mundo de relaciones entre personajes, el mundo de intereses, los intereses sociales y emocionales y la veracidad de los encuentros está suficientemente explícita en la obra de teatro. La problemática de esta obra, la que yo veo como fundamental, que es una visión trascendente del hombre y una de las posibles imágenes del hombre: la de vencerse totalmente a sí mismo, es decir, un ascetismo a ultranza. Yo lo considero útil para el tiempo de hoy solamente en la medida en que creo que un ser humano para vivir en sociedad y ser una persona justa, razonable con los demás, buena en el sentido menos ñoño de la palabra, tiene que ejercer una gran dosis de violencia sobre sí.

F.C.—*¿Tiene que reprimirse?*

J.L.G.—Tiene que reprimirse, sí, eso es un hecho cultural. Estoy convencido. Entonces el problema es el enfoque, ¿en función de qué? Naturalmente en función de todo esto, poesía del teatro, espacios irracionales que antes no se han contactado, etc., de todas estas cosas que nuestra generación quiere llevar al teatro ahora, más allá del politicismo de los 60 o de los 70, que quiere descubrir nuevas zonas, que quiere uno... A mí todo esto me interesa bastante, pero yo me siento siempre, en el fondo, a mi modo, porvenirista, utopista. Es decir, creo que hay que expresarse ligado a algo y comunicar al espectador, concretamente en **La vida es sueño,** que esa visión del hombre puede ser útil. Yo mantengo que el final de Segismundo no puede ser hoy una glorificación del poder absoluto, sino precisamente devolver la imagen que el poder no nos da. Porque el poder siempre que lo usa abusa, y Segismundo lo que hace es no abusar del poder. Esto para mí está claro y lo quiero resaltar. Y luego está la idea de la muerte que yo asocio mucho con la idea del sueño. Hay personas que me dicen que la vida es muy larga, demasiado larga, y ya sabemos que la vida es muy corta. Yo siento que la vida es pérdida, está ligada a la pérdida de la juventud, de las ilusiones, de las neuronas, de la potencia física, etc. La idea de la muerte, como el sentir último del período de Calderón, para mí en **La vida es sueño** es una idea muy positiva, en cierto modo muy española de la época. Que yo creo que no debe verse tan sólo negra. También tiene su parte positiva, es decir, "Tate, no te encumbres demasiado que nos caemos todos, y tú también te vas a caer", es como una llamada a la solidaridad en la muerte: "sé solidario, sé bueno, sé justo, sé ponderado, porque te vas a morir". Naturalmente hay siempre como una especie de oportunismo "por si alguna vez soñamos", no vaya a ser que nos despierten. Es un lado cómico que tiene el asunto ¿no? Pero creo que todo esto, debidamente trasladado, sin énfasis, y si uno cree en ello, puede llegar al espectador de hoy, si la comunicación que se consigue es lo suficientemente cordial.

F.C.—*Parece que predomina en ti una cierta valoración moral del arte...*

J.L.G.—Creo todavía en un cierto valor moral. En el teatro, como lugar de ocio, sí, pero de tal modo elevado que es un ocio escolar. La idea, un poco, del teatro como institución moral de Schiller. Yo no lo plantearía exactamente en esos términos, pero es evidente que todo aquel teatro al que se recurre cuando se quiere hacer "gran teatro", el que va desde Hauptmann a Shakespeare, a Esquilo, a Calderón, es "ese" teatro: un teatro que ha apostado por una cierta moral. Creo también en el valor sensual de la comunicación, en el valor sensual del teatro, pero esa comunicación sensual no es escenográfica, sino que está en esa pastosidad de la que hablábamos antes, que es de índole, digamos, espiritual. Ese es el objetivo estético que persigo, la creación continua de un clima. Esta pastosidad no es el clima, es esa especie de embrujamiento que se da por la cadencia de los pasos, por los desplazamientos en el espacio, las calidades de las luces o el diseño. Es otra cosa. El grado de trabajo con el texto, cómo ese texto está insuflado por algo que es realmente cordial, auténtico, y cómo eso colorea todo lo demás. Naturalmente, una meta sería producir un espectáculo en el que esto estuviera presente de principio a fin, pero eso sólo sería posible con un elenco estable, fijo, con el que uno trabajara durante un tiempo, donde la comunicación no fuera eventual sino personal, humana, más fuerte, para, con todo respeto, poder indagar en la personalidad del actor. No estoy aquí hablando de método, simplemente saber cómo se mueve esa persona, para que lo que él produzca esté más conjuntado. Es muy difícil hacer esto en dos meses, que es lo que habitualmente tenemos.

F.C.—*¿La creación del Estudio de Actores y Directores tiene que ver con eso? ¿Es una especie de etapa preparatoria mientras llega el momento soñado?*

J.L.G.— Aunque la creación del Estudio de Actores y Directores es anterior a mi entrada en el Centro Dramático, he querido continuar después con el proyecto. La idea es desmitificar un poco el Método. Por eso hemos traído un profesor, John Strassberg, que es un poco heterodoxo. Después ayudar un poco a concienciarnos a nosotros mismos, a un cierto sector de actores, de gente de teatro, que son ahora no la generación madura sino la anterior, la generación en ciernes, a la que yo considero que pertenezco darnos cuenta de lo mucho que nos falta todavía. Desgraciadamente las dificultades para la continuidad del Estudio de Actores y Directores son muchas. Hay una absoluta falta de apoyo. Un desinterés del Estado por la cultura, que impide que aquí pueda haber alguna vez un gran director de escena de nivel europeo, del estilo de Stein, Brook, Strehler, porque difícilmente puede llegarse a montar una obra al año, y los que pueden montar esa obra al año no viven de ella, como es mi caso, aunque ahora sea director del Centro Dramático Nacional. Esto me plantea un grave problema, digamos, de supervivencia. La estructura que la sociedad española ha creado para la cultura no permite que el artista pueda reflexionar sobre su propia obra y le obliga simple y llanamente a sobrevivir. En algún momento he pensado que las cosas podrían cambiar. Hoy dudo mucho que sea así con el panorama político que tenemos. Y creo que hay que denunciarlo constantemente. Lo que pasa es que uno quiere engañarse. Y ahí está el caso reciente de mis declaraciones sobre la problemática del acceso de los nuevos autores, como recordarás, con ocasión de la entrega de los premios Aguilar. Nacidas, evidentemente, de una lectura superficial, infantil, de las disposiciones legales que acaba de publicar la Dirección General de Teatro. Que luego te das cuenta de que no sirven absolutamente para nada, como se está demostrando y que no sirven para ayudar, a lo que mejor o peor, ésa es otra cuestión, podría ser el embrión del nuevo teatro que vamos a tener dentro de unos años. Por todo esto, precisamente empiezo este año que viene a dirigir de nuevo en Alemania. Hasta ahora lo había venido rechazando siempre porque, después de volver, no tenía ganas de convertirme en un director a caballo entre dos países.

F.C.—*Entonces, ¿eres pesimista en cuanto al aspecto institucional del teatro en España?*

J.L.C.—Y cómo no. Basta comparar la Ley de Teatro que le propone Max Aub a Azaña el doce de mayo de 1936. Le propone la creación de un teatro nacional, cosa que para realizarse ha tenido que esperar más de cuarenta años. Y ese teatro nacional, que es hoy el Centro Dramático, es sólo un remedo de lo que podría ser... El teatro en España no tiene protección en absoluto.

F.C.—*Sin embargo, tampoco se protegía antes y en comparación parece que ahora disponemos de una nómina de actores y directores jóvenes que permite hacerse ciertas ilusiones.*

J.L.G.—Sí, pero fíjate: el TEC, un equipo que está no ya en la angustia, en la agonía, en el traumatismo **ante mortem** de la desaparición. Comediants es un grupo que tiene que trabajar constantemente en el extranjero para sobrevivir, porque no tiene subvención. Joglars y el Teatre Lliure tampoco están boyantes. Y dándonos cuenta de que es lo mejor que tenemos... El que se dé esta situación, que la validez de estos grupos no esté reconocida y claramente apoyada como algo normal, como parte de nuestro patrimonio cultural, demuestra que la situación sigue siendo bastante inestable. Pero quizá minusvalore la fuerza de una generación y mi juicio sea bastante subjetivo.

F.C.—*Hace dos años, además de potenciar el Estudio de Actores y Directores, parecía como si quisierais aprovechar esa oportunidad de ocupar un centro institucional importante, para rodearte de una serie de gente que estuviera en esa línea de reno-*

vación teatral. Llamaste a Margallo, a Facio, trajiste a Gandolfo, a John Strassberg. También, a nivel de actores, en el reparto de **Veraneantes** *se prefirió, y no creo que esto sea casual, que trabajara un determinado grupo de actores, encuadrables casi todos en ese grupo generacional al que te referías, antes que recurrir a unos tipos más característicos. Sin embargo, hoy, en* **La velada de Benicarló**, *parece que has retrocedido. Quizás estés menos exaltado en ese tema y más reposadamente has hecho una elección contraria...*

J.L.G.—Es que el paisaje humano de **La velada** no me lo permitía. Sin embargo, en el reparto de **La vida es sueño**, vuelvo a retomar aquella línea: buscar aquellas personas que sean más permeables. Y es un reparto sin estrellas, sin apoyos **a priori**. No es que esté más o menos exaltado. Es que después de dos años en el Centro, y con vistas a las perspectivas de futuro, siento como una ligera zozobra. Porque, por una parte, era mi labor y la he hecho con gusto. Aunque, por otra parte, hubiera necesitado más tiempo para fructificar debidamente. Creo que me he equivocado este año al producirse el retraso con el montaje de Nieva. Sólo ha habido un espectáculo, porque también se ha dado un retraso, que no me es imputable, en la producción de Brossa, que está concertada con la Generalitat, y que dirigirá Albert Vidal, un director joven, buen conocedor del mundo de Brossa. En todo caso, hemos hecho **La velada en Benicarló**, una obra de gran relevancia crítica y social que, incluso ahora desde el Ministerio, hay mucho interés en que salga de gira y se vea por todas partes. Pero después de este año siento que me he quemado, porque no he tenido en cuenta el hacer una producción estruendosa. Y cuando uno termina en el Centro Dramático, vuelve al mercado. Esta es la realidad. En general, creo que las equivocaciones no han sido graves y que he sido honesto, pero quizá lo que me reprocho es que, en el tiempo que he estado, y en el que me quede, no haya tenido tiempo de ver aparecer los frutos de un relativo crecimiento actoral. Siento como si no hubiera tenido suficiente fuerza para producir unos cambios que todos necesitábamos. Aunque pienso que el esfuerzo y el interés que he puesto en la preparación de actores, a largo plazo será positivo. Creo que la labor de John Strassberg se valorará con el tiempo, y creo que en algunos actores ya se puede apreciar. El tiempo tendrá la última palabra.

DAGOLL DAGOM

JOSE LUIS ALONSO.—*Vamos a hablar del pasado, presente y futuro de Dagoll Dagom, pero sobre todo vamos a referirnos a vuestro último espectáculo:* La noche de San Juan. *Me gustaría preguntaros, lo primero, sobre la sensación que tenéis desde dentro de lo que estáis haciendo, si pensáis que cumple las metas que os habíais propuesto o, por el contrario, si el resultado actual no responde a lo que pensabais hacer al iniciar el espectáculo.*

JOAN LLUIS BOZZO.—Yo creo que sí se están cumpliendo las metas previstas. Lo que nos habíamos propuesto era hacer un espectáculo estéticamente arrevistado, sacando partido de esta línea estética, tanto en la parte referente a decorados y espacio escénico, como a la música, bailes, e incluso el tipo de lenguaje de la revista. Y hablo de la revista concretamente del Paralelo de Barcelona, y sobre todo de la de antes de la guerra. Esta revista catalana tenía un mordiente importante. Este fue el punto de partida y, a la vez, la excusa para hacer un espectáculo de **sketches** y con Sisa, con el que habíamos trabajado ya en **Antaviana**, nuestro anterior montaje, con un buen resultado. Cuando ahora miramos los resultados alcanzados, todos pensamos que, evidentemente, podrían mejorarse, pero que, en principio, se cumple con el ochenta por ciento de las finalidades que perseguíamos al comenzar.

J.L.A.—*¿Qué pensáis que, en vuestro espectáculo, es lo que consigue llenar día tras día el teatro Bellas Artes de Madrid donde estáis en este momento?*

J.L.B.—Al público le gusta porque es algo muy asequible, vistoso, con ritmo ágil, y que pone sobre el escenario un tipo de personajes que normalmente no salen en el teatro: los personajes "de la calle". En el teatro se suele hablar de personajes muy importantes, tipo Semíramis, por referirnos a un ejemplo calderoniano actual. Son símbolos y personajes muy graves, muy poco callejeros. En cambio, nosotros sacamos a gente muy normal, gente con la que todo el mundo puede identificarse.

J.L.A.—*Tratemos este tema que me parece en efecto muy definitorio de vuestro trabajo. Tú, Sisa, como hombre del mundo de la canción tal vez notes aún más la diferencia entre los intentos que se dan dentro del campo teatral de producir algo muy importante, y la aparente superficialidad en que se mueve la canción.*

SISA.—Es verdad eso que dices. Yo, por ejemplo, no soy un espectador de teatro. La verdad es que voy muy poco y creo que una de las razones es por eso. Casi siempre te venden grandes mitos, grandes personajes, grandes autores, grandes cosas. Yo no suelo ir, y cuando voy me siento muy inculto además, porque no conozco a los autores, ni sé muy bien de qué van esas obras "clásicas". No sé quién es Medea ni su padre. Aparte de que esto sea un problema mío personal, creo que sí que es un handicap para el teatro ese intento de hacerle trascendente. Se hace muy poco teatro asequible y, como decía antes Bozzo, con personajes con quienes uno se puede identificar y reconocer fácilmente, cosa que en el cine o en las canciones ocurre más frecuentemente. Yo creo que ésta es una de las grandes virtudes de este montaje, el que aproxima el público al teatro. De alguna manera, recupera público para el teatro. Yo lo digo incluso desde mi campo profesional específico que es el de la canción. Noto que hay un tipo de público del que iría a ver un recital de canción, que viene por eso y queda cogido después por la gracia o el interés que pueda tener la obra.

J.L.A.—*Tal vez eso sea algo que no han entendido algunos críticos, que han visto el espectáculo como algo divertido, inmediato, y que arrastra al público, pero que no está dentro de las líneas culturales de lo que "debe ser" un teatro "importante".*

BERTI TOVIAS.—Yo añadiría más. Hoy en día, en el siglo XX, estamos utilizando o se utilizan en teatro muchos textos de

Shakespeare, Calderón, etc..., y estos señores escribían en su época y en su época eran actuales. En este momento, hacer a Shakespeare puede ser interesante, pero lo que conviene, y donde nosotros estamos luchando, es en ser no digo Shakespeares o Molières, pero sí en trabajar sobre nuestra época y con nuestra época, a partir de nosotros mismos y de nuestros conocimientos de la realidad. Nosotros nos planteamos hacer un espectáculo actual, para el público de hoy y a partir de personajes cotidianos. Estos fueron puntos de partida en los que había un consenso total en el grupo a la hora de decidir el trabajo.

J.L.B.—Hay otra cosa que comentamos nosotros siempre que sale este tema y es una comparación del teatro con el cine. En el cine siempre se sacan guiones actuales, creados en el momento actual. No se suelen repetir guiones sobre Macbeth para que 80 directores hagan 80 Macbeths distintos, sino que cualquier director o productor busca una idea en la calle y la lleva al cine. Sólo un director muy importante, y en un momento muy especial de su carrera, se permite el lujo de hacer un **Nosferatu** o de repetir un **Hamlet,** pero esto es sólo el 0,05 por ciento de la producción cinematográfica, mientras que en la producción teatral es al revés. El 90 por ciento son remakes de Chéjov, de Ibsen, de Strindberg... y producción propia no se hace. Nosotros estamos por una producción nueva.

S.—Yo creo que en teatro se da un exceso de culturalismo, que no de cultura.

A.R. CISQUELLA.—Es que, además, el espíritu de esos autores queda traicionado, ya que éstos al escribir, lo hacían para su compañía; Shakespeare, Molière, etc., pensaban en los actores que harían los papeles y dentro del momento histórico concreto en que estaban escribiendo la obra. Ahora se debería hacer lo mismo con nuestra época, y no reproducir lo anterior. Estos señores se lo montaban como pretendemos montárnoslo nosotros. Somos siete señores, tenemos estas posibilidades económicas, estas posibilidades artísticas, y vamos a montar un espectáculo en base a nosotros mismos. Si uno tiene posibilidades cómicas, otro trágicas, otro canta, etc.. pues vamos a intentar aprovechar las cualidades de la compañía. Es partir del análisis de la compañía y de su capacidad humana y teatral, lo cual es completamente diferente a lo que se suele hacer, que es pensar en superproyectos majestuosos, y formar luego una compañía para pedir 27 millones de subvenciones.

B.T.—Reforzando esta idea, es importante recordar lo que era la Commedia Dell'Arte, por ejemplo, y cómo surgía el personaje de Arlequín, etc. Los que han creado y dado vida al teatro estaban mucho más próximos a nuestra ideología. Nosotros estamos intentando crear nuestro propio lenguaje de grupo al igual que lo han hecho Joglars, dentro de su línea, o Comediants, por hablar de grupos catalanes. Una línea nuestra partiendo de nuestra realidad.

De Antaviana a La noche de San Juan

J.L.A.—*Eso que estáis diciendo es importante a la hora de entender vuestro trabajo. Quisiera ahora que nos refieriéramos a las relaciones que pueda haber entre* **Antaviana** *y vuestro actual espectáculo, y no me refiero tanto al nivel del éxito o a la expectativa que despertó sobre vuestro grupo, sino a la continuidad y evolución que se nota entre ambos trabajos. Por ejemplo, la diferencia que supone el haber trabajado con textos de Pere Calders o con textos propios.*

A.R.C.—Es importante señalar que cuando nosotros encontramos a Pere Calders, cuando cogimos sus textos, no había ningún libro suyo en las librerías. Ahora todo el mundo dice que el éxito de **Antaviana** y su diferencia con **La noche de San Juan** se debe a Calders, que es un poeta muy importante, etc. Sin entrar en valoraciones, sólo quiero apuntar este dato.

B.T.—Sí. Ahora, de repente, tanto Pere Calders como **Antaviana** son clásicos. Yo espero que de aquí a 60 años nosotros seamos los clásicos con nuestros textos. Puestos así, la cultura lo que hace para integrar una cosa es convertirla en un clásico. ¿Por qué ha de ser un mito ahora **Antaviana**? Es un hecho cultural, como el que hacemos ahora. Nada más.

J.L.A.—*Pienso que* **Antaviana** *se convirtió en algo especial, tal vez por circunstancias ajenas a vosotros. El chispazo surgió ante una necesidad, una relación con el teatro que se estaba haciendo en ese momento, cuando el teatro más combativo se estaba agotando y todo el mundo adivinaba la posibilidad del resurgimiento de un teatro poético, de un teatro de la belleza, el juego y la canción.*

J.L.B.—**Antaviana** tuvo una oportunidad enorme. Fue un montaje yo diría que casi irrepetible, pues además de cumplir todos los requisitos que nosotros le pedíamos de asequibilidad, plasticidad, etc., tenía una coartada intelectual muy potente, la del descubrimiento y lanzamiento de un autor completamente ignorado. Claro, no hay más que un Calders. Tampoco podemos estar toda la vida buscando en las bibliotecas más oportunidades así.

J.L.A.—*Indudablemente se produce un desajuste al pensar en los textos y su relación con el espectáculo entre* **Antaviana** *y* **La noche de San Juan***. La poética que se desprende ahora es mucho menos unitaria, más tópica, si no os molesta la palabra.*

A.R.C.—Con respecto a esto que dices y sin ánimo de justificación, sabíamos de antemano que no íbamos a hacer un espectáculo de texto. La sencillez era algo buscado, en cuanto que la revista trata así el texto, aun con el riesgo de cierta frivolidad. Los problemas de la señorita González de la obra, por ejemplo, podían haberse tratado de forma más profunda, con otro sentido poético, pero nosotros esquivamos esto, y buscamos a través de la frivolidad la poesía de este personaje, que se recibía no sólo por sus palabras sino, precisamente, por este comportamiento y este lenguaje un tanto vulgares.

J.L.A.—*Pagáis así el precio de hacer un espectáculo que tiene como objetivo principal gustar... un teatro en vida...*

B.T.—Es el público principalmente el que está dando esa vida al espectáculo. En nuestro grupo, el 50 por ciento de la dirección la hace directamente el público al vernos. Ellos nos marcan,

79

nos llevan hacia lo que debe ser. Nosotros no hemos visto ninguno la obra entera desde fuera. Trabajamos en el escenario todo el colectivo. Para nosotros el teatro, como el cine o la canción, se basa en una sala llena de público. Esto es lo que le da al espectáculo su razón de ser, su espontaneidad, su actualidad y su coherencia.

J.L.A.—*El público nota eso perfectamente, y eso se ve en sus caras durante la representación, en su calor que vosotros recibís desde el escenario.*

S.—Estoy completamente de acuerdo contigo. Yo noto desde el escenario esa vibración. El público está desde que entra como con un caramelito en la boca: fascinado por lo que ocurre.

J.L.A.—*Le dais un caramelo muy agradable y no una aspirina como tantas veces, y eso lo agradece...*

S.—Es verdad. El público está escamado y atormentado como lo estamos todos. Estamos en igualdad de condiciones, y como nosotros no nos consideramos tontos, tampoco podemos considerar tonto al público.

J.L.A.—*Os alejáis así de un teatro más combativo, más político en el buen sentido del término, uniéndoos también al público que va a veros en su desencanto, en su impotencia frente a unos acontecimientos que nota que le desbordan...*

A.R.C.—Durante determinada época, la situación política del país ha marcado al teatro, y, de forma consciente, sí existe hoy una postura de querer tratar los temas de forma humana, irónica, divertida, al margen de cualquier tipo de militancia. Esto no quiere decir que dentro de cinco o seis, ¡o un año!, tengamos que dar un viraje en redondo y ponernos todos a militar otra vez por narices. Nosotros reflejamos de alguna forma la situación del país, y yo creo que el desencanto es un poco cierto, existe, y se refleja en el clima general. Lo que gusta ahora en cine, por ejemplo, son las películas de aventuras, divertidas, las superproducciones intrascendentes, etc., sin duda el reflejo de una crisis de valores. De aquí la necesidad de preguntarse cada día ¿dónde estamos?

Dagoll Dagom y su teatro de la nostalgia

J.L.A.—*A ese ¿dónde estamos? de nuestro trabajo diario, vosotros parece que le encontráis respuesta en vuestro contacto con el mundo del pasado. Tanto en el trabajo de Dagoll Dagom, como en tus canciones, Sisa, suele haber mucho de añoranza y de nostalgia. Habláis siempre del tiempo pasado, de la juventud perdida, de la vuelta atrás...*

J.L.B.—Con este montaje ponemos un punto final al retro, **Nit de san Joan**, es la despedida. Ya no hay más ganas entre nosotros de volver a hablar del pasado.

J.L.A.—*¿Ya no hay más escuela?, ¿más guateque?, ¿más abuelos?, ¿más niños jugando en otra época?...*

B.T.—Quiero puntualizarte algo. Cuando se hizo la dramaturgia, nosotros íbamos mucho más por el retro; entonces nos dimos cuenta y nos dijimos: "¡Cuidado con hablar de Rita Pavone y demás!" Cortamos esto, y el espectáculo es ahora retrospectivo sólo relativamente, porque hay cierta mofa de la misma nostalgia y una autocrítica a la vez. El sentido del ridículo que utilizamos no es el sentido nostálgico de "¡Oh los 60! ¡Qué maravilla!" Está hecho de forma entrañable, pero no es la nostalgia de los jóvenes carrozas.

J.L.A.—*Sí, sí pero entre el: "¡Mi juventud... para el que la quiera!" de Groucho Marx, y vuestro tratamiento de la juventud creo que hay grandes diferencias. Hay añoranza y ternura en este juego con la nostalgia, aunque luego ironicéis sobre él...*

B.T.—Es que, volviendo a lo que se ha dicho al principio sobre trabajar con "nuestra" realidad, eso es lo que nosotros conocemos. Tratamos de trabajar sobre lo que conocemos, sobre nuestra época y nuestro funcionamiento en ella: todo eso de las relaciones con los profesores que tuvimos, los ligues, nuestro mundo de progres como los que salen a escena, etc.

A.R.C.—Es que hasta aquí hemos dependido de nuestro pasado; si ahora vamos a dejar de creer en todo aquello y a hacer

81

una historia nueva, cambiaremos el lenguaje. Ahora, por influjo de la americanización, está llegando el gusto por lo moderno, la futurología, el espacio, las nuevas formas, y el intento de olvidarse del pasado. Estas nuevas formas filosóficas se están generalizando ahora. Con todo esto se va a acabar el gusto por el revival.

J.L.A.—*¿Vosotros erais plenamente conscientes en vuestros tres últimos espectáculos de que estábais trabajando en esta línea retro?*

B.T.— Sí, sí. Hemos tomado ese punto como base para nuestro trabajo.

J.L.A.—*Y me decís que habéis decidido dejar esta línea y meteros en otro tipo de trabajo. ¿Hacia dónde va entonces ahora Dagoll Dagom? ¿Qué otras cosas de vuestro trabajo actual no os dejan satisfechos y qué insatisfacciones están cimentando el nacimiento de vuestra línea futura?*

MONTSE GUALLAR.—Esto debe ser muy personal. Cada uno tiene su punto de insatisfacción. Metas personales que el grupo no cubre...

J.L.B.—Yo como actor siento la necesidad de trabajar en un personaje en profundidad, con argumento único. Hacer 6 ó 7 personajes en cada espectáculo está muy bien, pero... me gustaría profundizar en uno más.

A.R.C.—Para mí la insatisfacción está en el hecho de que del 100 por ciento que perseguíamos se ha quedado el espectáculo en el 70 por ciento porque no dominamos el musical lo suficiente. Nos falta oficio. Nos ha faltado saber cantar, bailar, y también saber escribir mejor, porque pienso que se han perdido muchas ideas a la hora de plasmarlas... Es una cuestión de tiempo, de preparación, de seguir...

J.L.A.—*Uno de los méritos de vuestro espectáculo es conseguir un resultado tan positivo en esos terrenos: cantar, bailar, escribir un texto..., sin ser propiamente cantantes, bailarines, autores...*

S.—Ahí está el secreto.

82

J.L.B.—Nosotros no tenemos pretensión de hacer técnicamente el mejor teatro, desde luego. Esto no nos preocupa. Lo único es que, lógicamente, para el próximo espectáculo nos gustaría hacerlo mejor.

A.R.C.—Progresar en nuestro trabajo y profundizar en el sentido de la realización de nuestras propias ideas.

B.T.—Con respecto a mi insatisfacción, yo la llevaría más al terreno de la dramaturgia, al texto, al guión del espectáculo. Al meternos a hacer el guión teníamos bastante despiste, padecíamos el mismo lío de ideas que tiene el país entero con la crisis de valores a que antes nos referíamos. Esa falta de claridad en las ideas me angustió mucho, el qué decir, por dónde atacar, etc. Esta angustia mía fue disminuyendo conforme se ha ido realizando el espectáculo, porque escribir en un papel lo que quieres decir es muy difícil, mientras que, después, con la magia del escenario y del teatro, se está diciendo.

El mundo del teatro y el mundo de la canción

J.L.A.—*A mí me gustaría preguntarte tu punto de vista sobre esto que está diciendo tu compañero. Uno de los problemas básicos del teatro es siempre el qué decir, mientras que en la canción parece que no es necesario decir algo en este sentido, de forma directa. Es un terreno donde entran más factores de sensibilidad, impresiones, etc.*

S.—Yo lo resumiría en la palabra "texto". Parece ser que en el teatro hace falta un "texto" importante...

J.L.A.—*...Mientras que en una canción tal vez la meta sea sólo gustar...*

S.—No toda la canción se propone gustar. Hay tipos de canciones. Por mi parte, no he hecho nunca canción protesta o canción mensaje. Este no ha sido mi problema. Yo me permito el lujo, por decirlo así, de decir las tonterías que se me ocurren. La meta es sorprenderme a mí mismo lo primero y si, de paso, se sorprende al público, ya es el no va más. Los criterios son en música mucho más amplios que en el teatro en cuanto a lo que es calidad y a saber si estás o no en la onda, si es entretenida, etc. El teatro parece exigir que haya literatura y, si no, la crítica enterada va y dice que no eres importante, lo cual para mí es una tontería; es que no han sido capaces de entender el espectáculo a otros niveles.

J.L.A.—*Ni entendido, ni disfrutado, que es peor. Hay otro punto básico también en la canción, sobre todo en tu canción, y es que lo que más importa no es lo que se canta, sino quién lo canta.*

S.—En mi caso sí, desde luego. Yo no soy un gran cantante ni nada, y mis canciones tampoco dicen nada, así que lo que yo vendo es mi jeta.

J.L.A.—*Hay algo de todo esto que dice Sisa además en vuestro espectáculo...*

J.L.B.—Para nosotros hacer teatro no es más que tener una pelota en las manos y tirarla contra el público, y que el público la devuelva, y así una y otra vez. Y pasar dos horas jugando a la pelota, tan bien.

J.L.A.—*Y que paguen por eso.*

J.L.B.—Ahí está el mérito. Que te paguen por devolverte la pelota. Lo que no les puedes tirar es un saco de patatas porque entonces no juegan. Al comenzar nuestro montaje ésta era nuestra preocupación principal: conseguir una pelotita que nos cupiera entre las manos y establecer unas normas claras para el juego. En el momento en que se dijo: "una comedia musical sobre la noche de San Juan", ya teníamos la pelota creada.

Sobre los sistemas de producción teatral

J.L.A.—*Yo creo que la presencia de Sisa dentro del grupo da a éste unas características diferentes a los demás grupos y colectivos de teatro, y no estoy hablando ahora de estilo, o del tipo de teatro musical que hacéis, sino de vuestro sistema de producción. Tú, Sisa, hablas una y otra vez de "vender" un espectáculo, o una canción. Sitúas los problemas económicos en un lugar de relación directa e inmediata con el producto, y no a largo plazo o*

84

indirectamente...

S.—Es que para el mundo de la canción todo eso de las subvenciones y demás privilegios raros del mundo teatral no existe. Producimos y vendemos, y si no vendemos... Para mí, si no viene el público, fatal. Dependo única, directa y exclusivamente del público.

J.L.A.—*Tal vez eso sea posible en la canción porque hay demanda suficiente. En el teatro no existe esa demanda.*

S.—Quizá sea porque se hace un teatro aburrido, poco interesante.

A.R.C.—Nuestros puntos de partida son también éstos Si se monta un espectáculo pensando que va a ser deficitario, va a serlo seguro. El teatro ha llegado a un momento en el que se plantea como inevitable el que sea deficitario. Incluso las normativas del Ministerio están siempre contando con este hecho...

J.L.A.—*El problema es complejo, porque si el teatro ha de depender únicamente de la taquilla, la mayoría de las mejores compañías de teatro del mundo tendrían que desaparecer. Habría que hacer sólo teatro muy comercial...*

A.R.C.—Depende de qué teatro estemos hablando. Hay una disociación muy clara entre el teatro como se entiende en Europa o como se entiende en Norteamérica. Son dos filosofías en torno al espectáculo. En Europa se persigue más el prestigio cultural para los ministerios de cada país. Así, mediante subvenciones y prestigio cultural se dirige al espectador. La otra forma, la norteamericana, es una manera de entender el teatro como comercio, dependiente de los espectadores y de sus gustos y respondiendo a una demanda social. Nuestra postura como grupo está a caballo entre estas dos concepciones. Yo, concretamente, como actriz y como creadora del espectáculo, me siento más dispuesta a responder no ante un ministerio sino ante un público. Prefiero un teatro lleno a un teatro que dependa de subvenciones. La seguridad económica de un grupo cooperativista o de un empresario está más resguardada en Europa que en Norteamérica, porque allí te la juegas. Yo prefiero depender de la respuesta directa del público.

J.L.A.—*Es vuestro punto de vista. No obstante, el problema de este tipo de competencia comercial, aparte de otros inconvenientes, pasa por una gran especialización. Estás hablando del teatro norteamericano, pero sus sistemas de producción tienen que ver con sus problemas de especialización y de competencia profesional...*

J.L.B.—Se pueden hacer espectáculos donde la gente no baile tan bien, ni cante maravillosamente, si hay una dosis de coco que permita hacer un guiño al público, que entonces pasa por alto el que no bailes muy bien. Eso se da aquí y en Nueva York.

M.G.—De todas formas, no podemos comparar lo que se hace aquí con lo que se hace allí, porque allí no van a hacer un espectáculo musical con gente que baile regular. Allí hay escuelas apropiadas y la competencia y el sistema comercial exigen la necesidad de lo mejor, sin aceptar ese guiño al público.

A.R.C.—Cuando yo me refiero a América, me refiero al sistema de producción artística.

J.L.B.—Lo que nos interesa de los norteamericanos es el sistema de producción y, más concretamente, la imagen del productor ejecutivo, el aparato, el sistema comercial sobre el cual descansa el trabajo artístico. Todo ello aparte de aceptar que estamos en un mundo donde todo se compra y se vende; por tanto, el espectáculo que tenemos que hacer es algo vendible. Luego, en cuanto a concepciones estéticas, el planteamiento es diferente.

J.L. A.—*No obstante vuestro trabajo tiene muchos elementos heredados del musical al uso americano.*

M.G.—Por narices, porque es la única historia dentro del musical que existe válida en el mundo, es el único punto de referencia válido.

B.T.—No, no. No tenemos que ir hacia el musical americano, sino hacia el musical catalán, mediterráneo.

Hacia un teatro mediterráneo

J.L.A.—*Pienso que éste es uno de los problemas que tenéis que resolver al enfrentaros con vuestro próximo trabajo; por eso me interesa que expliques más tu idea de las diferencias entre estas dos concepciones.*

B.T.—Para mí lo importante no es el teatro norteamericano, ni el europeo del norte, sino que tenemos que centrarnos en las formas de cultura mediterráneas en que estamos inmersos. Considero que eso es lo básico de nuestras raíces y de nuestra forma de hacer teatro, muy parecida a mucho del teatro italiano, o a Comediants, etc. Es una cuestión hasta de clima; es una forma de entender la vida muy diferente, que los que no viven en el Mediterráneo no pueden sentir. Hablando de un teatro de la vida al que nos referíamos antes, yo creo que eso tiene mucho que ver con el Mediterráneo. A mí me interesa, por ejemplo, Darío Fo mucho más que otras formas de teatro, y mucho más que la influencia norteamericana que nos llega constantemente con el cine.

A.R.C.—Yo hablaba de sistemas teatrales, de diferentes concepciones que se tienen a la hora de proponer un espectáculo...

B.T.—Yo paso de todo eso. Yo creo que lo importante es identificarnos con nuestra cultura, con nuestra forma de ser, y que de ahí venga nuestra forma de hacer teatro...

J.L.B.—Aceptando las reglas económicas en juego, nos gusten o no nos gusten...

B.T.—En el Mediterráneo y desde el Mediterráneo.

JUAN MARGALLO

FERMIN CABAL.—*¿Hasta qué punto te sientes parte de un grupo generacional?*

JUAN MARGALLO.—Aun siendo muy diferentes, hay una serie de gente con la que creo compartir cosas, aunque sólo sea por el hecho de haber trabajado juntos, aprendido juntos... No hablaría tanto de posiciones estéticas, sino más bien de actitudes vitales compartidas, como por ejemplo, el rechazo al teatro comercial, al divismo, un funcionamiento más relajado, más democrático... Y todo esto cada uno por su propio camino. Porque la vida no es algo pensado, previsto, y cada uno se va encontrando con cosas, muchas veces al azar, que son las que al final determinan, en ocasiones muy injustamente, lo que uno acaba por hacer. Esto de la injusticia de la vida es un sentimiento que yo tengo claro. Que he visto repetirse los ejemplos una y otra vez y que, además, no tiene remedio, es así y punto.

F.C.—*Empecemos, entonces, hablando de tu vida. ¿Cuáles son las circunstancias, justas o injustas, que te llevaron al teatro?*

J.M.—Yo estudiaba perito industrial en Béjar, pero a raíz del traslado de mi padre, que acababan de ascenderle a comandante, me vine a Madrid y me matriculé en la Escuela de Arte Dramático. Hace veinte años ahora de esto. Y me suspendieron en el examen de ingreso. Por lo visto tenía mucho acento extremeño. Me matriculé por libre e hice allí los tres cursos, aunque no llegué a acabar porque me quedó la asignatura de dirección. Estando en la Escuela tuve la oportunidad de trabajar en **La loca de Chaillot**, con José Luis Alonso en el María Guerrero. José Luis había ido por la Escuela a buscar actores, pero ese día yo no estaba en clase.

Cuando me lo contaron fui a verle. Por lo visto necesitaban un malabarista y alguien que tocara el acordeón. Yo sabía hacer algunos juegos de manos y tocaba un poco la guitarra. Me dijo que no le servía pero me vio con tantas ganas que me dio dos frases. Recuerdo que decía: "Las palomas vuelan como volaban después del diluvio: separadas". Fue la primera obra en que trabajé. Y durante varios años, media docena, alterné el trabajo en el teatro comercial, con las clases del TEM, que era una escuela que había entonces en la calle Barquillo y que trataba de hacer un teatro más serio. Allí estaban Layton, Narros, Maruja López... y, entre los alumnos, José Carlos Plaza, José Luis Alonso de Santos, en fin... Nunca pude asistir con mucha regularidad porque el trabajo de los ensayos y las giras me lo impedía. Por entonces hice algunos papeles en **Bodas de sangre**, con Tamayo, **Dulce pájaro de juventud,** con Luis Escobar, **Calígula** y **El caballero de las espuelas de oro**, con Rodero, **El alcalde de Zalamea**, con Narros... Y por entonces trabajé en un montaje del TEM, del que sólo hicimos tres o cuatro representaciones, pero que recuerdo como una de las experiencias más ricas, por lo que supuso de aprendizaje. Era **Historia del zoo**, de Albee, que dirigió William Layton.

F.C.—*En estos años, mediados de los sesenta, se encuentra el punto de partida del teatro independiente. Quizá el TEM sea uno de los fermentos más activos, junto a Goliardos, en Madrid y Joglars en Barcelona. Para un actor "comercial", como eras tú entonces, ¿qué suponían estos esfuerzos?*

J.M.—Bueno, vamos a ver. Yo, al principio, recién llegado a Madrid, quería ser un actor famoso, una estrella, diríamos. Volver a Cáceres con un coche deportivo y aparcarlo en la plaza... Pero poco a poco, sin uno darse cuenta, esos planteamientos se modifican. Influyen multitud de cosas y al explicarlas siempre se simplifican. Puedo decirte, por ejemplo, que recuerdo como muy influyente en mí a Pepe Vivó, un hombre que me empezó a plantear problemas de conciencia política. Recuerdo que una tarde en el María Guerrero, en una conversación, salió el tema de que Nasser había nacionalizado unas tierras que tenía su familia en Egipto. Y, para mi sorpresa, le oí decir que le parecía muy bien y que era lo que había que hacer. Con mi mentalidad de entonces, que no había oído hablar siquiera de socialismo, la cosa me dejó bastante pasmado y me hizo pensar. Por otra parte yo quería aprender y esto es lo que me llevó a entrar en el TEM. Me parecía que allí, con Layton iba a sacar más que en otra parte. Tampoco estaba solo en esto, ya digo que había más gente en mi situación. Con Facio, por entonces, tuve poco contacto. Recuerdo que hicieron un par de montajes y que se habló mucho de ello, pero hasta unos años después, cuando ya estaba Tábano, no tuvimos una relación más profunda. Pero yo creo que lo que más influyó en mí fue precisamente el haber vivido desde dentro lo que era una compañía comercial, con sus mezquindades. El trato era malo y fui incubando una rebeldía, una rebeldía sin causa si quieres... También quiero recordar en esto de las influencias a Italo Ricardi, que me rompía muchos esquemas. En el TEM dio un curso de mimo y el primer día llegó y dijo: "Señores, el mimo ha muerto", y a partir de allí el curso se convirtió en cualquier cosa que le apeteciera o le pasara por la cabeza, desde clases de dirección, de escenografía, de todo... Me dio una visión mucho más atractiva, mucho más dinámica del teatro. En el TEM dieron clases también González Vergel, Maruja López, Gómez Arcos... la gente más inquieta del momento pasaba por allí, autores, actores, directores. Y el nivel de la propia exigencia, sin uno darse cuenta, va creciendo.

F.C.—*¿Cómo influye todo esto en tu decisión de pasar a la dirección?*

J.M.—Pues decisivamente, porque llegó un momento en que yo sentí la necesidad de controlar la totalidad del espectáculo. También el fenómeno de los grupos nace por la misma razón. Cada persona en un grupo aspira a ser dueño de sus actos, todo lo contrario de la compañía comercial. Hasta el punto de que si yo tuviera que volver y dijeran: no hay más teatro que el comercial, yo no trabajaría en teatro, creo. Es una vida horrorosa, sin compensaciones económicas ni artísticas.

F.C.—*Y todos estos sentimientos y vivencias se concretan en la práctica en el nacimiento de Tábano.*

J.M.—Por aquellos años Trino Martínez Trives formó una compañía y montamos dos o tres obras en el Valle Inclán. Yo hice de ayudante de dirección en **Viento en las ramas del sasafrás**, y después en **El verano**. Al acabar en el Valle Inclán, con los actores que trabajan en **El verano**, Alberto Alonso y María Enriqueta Carballeira, y con José Luis Alonso de Santos, que estaba en el TEM, nos planteamos seguir con la obra y como había que ponerse un nombre, elegimos lo de Tábano. Una anécdota muy significativa de cómo éramos y cómo trabajábamos fue cuando nos llamaron para hacer una actuación en la Junta de Energía Nuclear. Al enterarnos de que iba a asistir el príncipe Juan Carlos nos planteamos seriamente no hacer la función. Pero el hombre que nos había contratado nos dijo que le hacíamos polvo, que le iban a echar del trabajo. Al final la hicimos, pero entonces nos dijeron que el Príncipe no tenía mucho tiempo y que había que hacer la obra en media hora, de modo que nos fuimos saltando escenas y hasta actos... y si ya la obra completa era difícil de seguir, en aquellas condiciones debía ser algo alucinante... Hicimos dos o tres actuaciones y la cosa se acabó. Pero, meses después, apareció Juan Carlos Uviedo, un argentino que había trabajado con Renzo Casali en **Cuento para la hora de acostarse**, y que estaba informado de lo que era el Teatro de la crueldad y todo eso, Artaud, el Living,... y con él nos lanzamos a crear un espectáculo, que coordinaba y dirigía Uviedo, que se llamaba **El juego de los dominantes**. El texto estaba escrito entre todos a través de sus experiencias personales: tiempo de sueño, tiempo de domingo, no sé qué, etc,... Liamos al pintor Viola que hizo la escenografía que consistía en un "péndulo de la muerte" que andaba jodiendo al público durante la función simbolizando las tensiones y todo eso... y que terminó destrozado por el público, que se insurgió durante una representación, invadiendo el escenario. La cosa nos costó una multa de 25.000 pesetas de las de entonces. Eso era el año 68. En realidad éste fue el nacimiento de Tábano como grupo. Estaban entonces Paca Ojea, Alberto Alonso, Quino Pueyo... Pero al acabar el montaje el grupo se volvió a deshacer. Y lo mismo pasó después con **La escuela de los bufones**, que fue el primer montaje que dirigí yo, ya con otros actores, entre ellos algunos de los que luego iban a formar parte, histórica digamos, del grupo. Pero no había continuidad y cada uno tenía que ganarse la vida como podía, y yo lo mismo.

F.C.—*Hasta que el montaje de* **Castañuela 70**, *con su éxito comercial y el escándalo de la prohibición gubernativa os lanza a la fama, y os pone en condiciones de alcanzar lo que entonces se llamaba profesionalización, es decir, el poder vivir, por modestamente que sea, del propio trabajo teatral. ¿Cómo influyó* **Castañuela 70** *en tus planteamientos personales y en los del grupo?*

J.M.—El asunto de **Castañuela 70**, en principio, no era distinto de los planteamientos de montajes anteriores. Nos juntamos un grupo de gente que tenía ganas de hacer algo, Carlos Sánchez y Andrés Cienfuegos, que habían estado en el montaje anterior, también Alberto Alonso,... y decidimos ponernos a hacer improvisaciones y ver qué pasaba. Iban saliendo algunas cosas y también iba saliendo gente y entrando otra, y al cabo del tiempo decidimos que Alberto haría el texto definitivo y yo el montaje, pero al ponernos surgieron diferencias, y se decidió entonces que el espectáculo tendría dos partes, una de él y otra mía, y al final Alberto se cabreó y se fue... un lío...

F.C.—*Estas diferencias a las que te refieres, ¿eran de tipo personal o tenían algo que ver con la estética, el estilo del grupo? Porque en los montajes anteriores parece que la cosa iba más de la crueldad, Grotowski, etc... las cosas que se leían en* **Primer Acto**... *y en* **Castañuela 70** *aparece de pronto una nueva línea más caracterizada por el humor, la farsa, etc... que es lo que va a quedar encasillado como "lo tabanero", y que va a hacer furor durante los años siguientes, con una larga secuela de imitadores...*

J.M.—Bueno, ya en el montaje de **El juego de los dominantes** había un ingrediente de humor, y aparecían algunos de los procedimientos que luego utilizamos en **Castañuela**. Por ejemplo lo del texto y el subtexto... Hacíamos un sketch con la biografía de José María Pemán tal como sale en el Espasa, pero la escena se situaba en una comisaría y el detenido según le interrogaban iba diciendo el texto ..."José María Pemán y Pemartín, poeta y prosista, nace en Cádiz en 1898, vive en la 'Tacita de plata'...

autor de **Paca Almuzara, Por el camino de la vida**", ...Era muy divertido ...Aunque el conjunto del montaje era trascendentalista... Teatro de provocación al público... Y sí, algo de esto, de este contraste entre humor y trascendencia, había en los enfrentamientos que tuvimos dentro del grupo. Yo bromeaba con ese tipo de teatro que nosotros, como tú dices, sólo conocíamos de oídas.

F.C.—*Volvamos al tema de la profesionalización...*

J.M.—Hasta entonces, desde luego, no nos lo habíamos planteado. Y, al principio de **Castañuela 70**, tampoco nos lo planteábamos. Lo habíamos pensado y soñábamos con ello, pero como algo casi imposible. Recuerdo que, por entonces, Los **Goliardos** ya estaban en ello. La gente del grupo se dedicaba exclusivamente y se habían comprado una furgoneta y hacían giras por España con el **Juan de Buenalma**. Una tarde, en el local de Goliardos, hablamos de todo esto y el Facio nos sacó una especie de libro de contabilidad y allí sobre la mesa nos explicó que la cosa era totalmente imposible y con las cuentas en la mano estaba claro. Era una locura. Una locura que a algunos nos gustaba. Por suerte para nosotros, en una actuación en un barrio, nos vio Tirso Escudero, que había oído hablar del montaje por Caturla, que nos vio en el Marquina, y estrenamos en el Teatro de la Comedia durante el verano de 1970. No fue nada fácil, porque el permiso de censura que teníamos era sólo para cámara y ensayo, y para el comercial tenías que sacar otro. Primero no nos lo querían dar, luego nos cortaron esto y lo otro... Llegamos al ensayo general, y los censores dijeron: no pasa. Estaba todo preparado para el estreno y hubo que volver a cortar más cosas e incluso retirar elementos escenográficos... A pesar de todo, la obra, efectivamente, tuvo mucho éxito, tanto que nos pilló un poco por sorpresa. De la gente que estábamos entonces en el grupo, la mayoría no era profesional en el sentido del que hablas. Aquel montaje nos planteó por primera vez la continuidad del grupo como algo posible, y con ello mayores exigencias porque, inevitablemente, el público esperaba ya algo de nosotros. En cuanto a lo de la línea "tabanera", que sería un poco la utilización de los géneros teatrales menores, pero al revés, es cierto que se copió, como pasa siempre con las cosas que funcionan, y empezó a aparecer no sólo en otros

94

grupos independientes, sino en los cafés-teatro, y en los montajes comerciales, hasta tal punto que a mí ha habido un momento en que las bromas "castañueleras" me repelían. Es como un lenguaje repetido que, sacado del contexto en el que lo hacíamos, se convertía en un lugar común. Pero que seguía funcionando hasta extremos nefastos, como el **Charly, no te vayas a Sodoma,** que estuvo dos años en cartel y que lo montó precisamente uno de los antiguos miembros del grupo. Era algo claramente "a por la pasta".

F.C.—*Sin embargo, tú mantienes ese tipo de trabajo durante varios años. En el* **Retablo del flautista**, *por ejemplo, que has montado dos veces, en el 71 y en el 75, y en el* **Retablillo de Don Cristóbal** *y el* **Robinson Crusoe** *trabajando sobre el circo...*

J.M.—Sí, es posible... **El retablo del flautista** se tuvo que montar muy deprisa y realmente era un montaje muy burdo, muy "castañuelero" en el sentido que yo critico. Teixidor nos hizo entonces una crítica severa y tengo que darle la razón. No era riguroso, la broma gruesa estaba por todas partes. Había una intención de aproximar todo, de hacerlo inmediato... La cosa no iba por ahí... También nos la prohibieron tras la representación del estreno... Y también nos prohibieron **Piensa mal y acertarás**, que era otra creación colectiva. Con el **Retablillo de Don Cristóbal**, creo que hicimos otra cosa. Quizá nuestro mejor montaje... Es curioso cómo, a veces, sin que uno se lo espere, los resultados nos sorprenden. En cambio el **Robinson Crusoe** se montó para salir del paso. A la vuerta de la gira por América el grupo tuvo una crisis muy fuerte. Layton conocía la obra y nos dijo que estaba dentro de la línea del grupo...

F.C.—*Esta crisis de la que hablas te afecta también a ti, porque es precisamente durante el montaje de* **Robinson** *cuando se produce tu salida de Tábano...*

J.M.—Hay una dinámica en los grupos que siempre se repite. Con el aburrimiento que da el paso del tiempo, llega uno a ser o a sentirse el culpable de las cosas malas, de los frenos, de las limitaciones... La verdad es que en el interior de Tábano había un malestar porque se sentía que no profundizábamos, que no aprendíamos, y el trabajo constante por la supervivencia del grupo era

95

muy absorbente y la cosa no tenía buen arreglo. A esto sumado las experiencias de las giras por la emigración y luego en América, donde contactamos con el teatro que se hacía en otros lugares y que nos parecía... Para mí, por ejemplo, fue interesante el conocer el trabajo de Buenaventura... Como es natural, estas tensiones se centralizaban en la persona que por ser el más viejo, el coordinador o lo que sea... o a lo mejor es sólo una sensación que yo tenía... Me entraron ganas de marcharme. Bueno, tú recordarás, porque estabas entonces en el grupo, que las relaciones estaban deterioradas. Era demasiado. Pongo por caso, con todo el cariño del mundo, que Santiago Ramos y Gabriel Fariza un día, al terminar el ensayo, me cogieron por banda y me plantearon: "Bueno, Juan, es que no sabes dirigir"...

F.C.—*Creo que está claro. No obstante, a pesar de esos inconvenientes del trabajo colectivo, tú has seguido trabajando ininterrumpidamente en grupo... Quizá sería conveniente que expusieras la otra cara de la moneda...*

J.M.—Cualquier cosa cuanto más interesante es más peligrosa. En un grupo, al haber una relación mucho más intensa y mucho más creativa, y no solo artística, sino vivencialmente, nacen un montón de problemas gordos. A veces se pierde el tiempo miserablemente, discutiendo hasta la hora de salir de viaje. Pero tiene contrapartidas evidentes. El funcionamiento perfecto es imposible, pero aun así creo que compensa. La vida está casi constantemente queriendo demostrar lo contrario, y en la práctica casi te lo viene a demostrar, pero esa forma de trabajo, por complicada que sea, sigue siendo la mejor.

F.C.—*¿Qué supuso para ti la salida de Tábano? ¿Te haces nuevos planteamientos estéticos? Quizá las ataduras de un estilo "ya dado" te estuvieran frenando entonces. Yo al menos lo pensaba así, pero tu primer trabajo después de la salida fue remontar* **El retablo del flautista.**

J.M.—Eso fue una cosa un poco de encargo... La obra no se había visto en Madrid, por la prohibición, y había sido un éxito en Barcelona. Surgió la oportunidad y creo que no tuvo mayor importancia.

96

F.C.—*Un compás de espera, entonces. De todas formas me gustaría que me aclararas tus planteamientos de aquel momento. Recuerdo que entonces formaste* **Juan Palomo**, *con la colaboración entre otros, lo que son las cosas, de Gabriel Fariza. Andabais diciendo que queríais hacer algo como lo de Darío Fo y trabajar espectáculo en la calle... Todo ello, ¿no resulta un poco contradictorio?*

J.M.—No llegamos a hacer nada, ¿no?

F.C.—*Hombre, tú sabrás...*

J.M.—Todo esto de los planteamientos teóricos... Creo que, a veces he tenido una actitud excesivamente infantil y deslumbrante ante la gente con ciertos conocimientos. Recuerdo, por ejemplo, cuando entraron en Tábano los Anós, que eran brechtianos y planteaban el trabajo de mesa con una rigurosidad... En España, realmente, tenemos una falta de formación grave y quizá por ello la gente que reacciona contra esto caiga en otros excesos... Yo mismo, con el método Buenaventura, del que hemos hablado... Sí, me parece que un método puede ser una gran ayuda, cuando es el resultado de un trabajo, cuando es la expresión de una práctica... pero es difícil de aplicar desconectado de esas condiciones.

F.C.—*En la primavera del 76, dos años después de dejar Tábano, formas otro colectivo: Búho. ¿Cómo resumirías esta etapa de tu trabajo?*

J.M.—En el Búho, cuando empezamos con **Woyzeck y La sangre y la ceniza** hay un intento de hacer un teatro más serio, evitando la inmediatez, la broma... No digo que se consiga, pero, de alguna manera, es lo que se intentaba. Pero esto de los planteamientos... Yo creo que uno no se sienta un día en el borde de la carretera y se dice ¿qué me voy a plantear?... Son más relativos... Puede ser que hubiera algo de eso, porque éramos gente que estaba, en general, insatisfecha con los trabajos que hacía y de ahí que quisiéramos intentar hacer algo más elaborado, menos facilón...

F.C.—*¿Puede haber alguna influencia, en todo esto, de tu militancia política? Porque tú, progresivamente, vas conviertién-*

dote en un activista...

J.M.—Mi concienciacion política ha sido muy lenta... y retrasada. Por mis orígenes, la vida en una provincia, mi padre militar... Siempre fui un chico rebelde, mal estudiante, conflictivo. Luego, ya en Madrid, como te he dicho, el contacto con el teatro comercial, con alguna gente que me empezó a aclarar cosas... Y después, más directamente, el comprender lo que era la censura, lo que suponía una dictadura, las prohibiciones que sufríamos en el trabajo, como la de **Castañuela 70** y todo eso... También influyó mucho el contacto con las organizaciones de los trabajadores españoles en la emigración cuando fuimos varias veces de gira por Europa, y luego en América... Pero aún entonces mi relación con la política era muy indirecta. Por supuesto, éramos gente de izquierda, pero de una manera muy general, sin afiliación concreta a un partido. Había quizás, alguna gente más preparada, los de Las madres del cordero, que colaboraron en **Castañuela**, también Gloria Muñoz... Durante los últimos años del franquismo hubo mucha actividad sindical entre la gente del teatro y yo me encontré metido en todo eso... Pero en mi trabajo teatral, en los montajes, la política me da la sensación que influye poco. Influye más sobre mi forma de ser, a medida que voy tomando posturas más comprometidas y empiezo a militar. Pero siempre he querido delimitar mi actividad con la militancia. Porque el trabajo cultural tiene que tener libertad...

F.C.—*Y en cuanto a los resultados, ¿hasta qué punto estás satisfecho de tus montajes con Búho?*

J.M.—Pues yo qué sé... Había unos planteamientos y luego la realidad se imponía y es que no se podían hacer. ¿Evolución de la interpretación? ¿Más rigor? ¿Estudio previo del montaje? Todo esto necesita tal tipo de estado de ánimo de la gente, tal tipo de condiciones de toda clase... que es difícil siempre de llevar a efecto, a pesar de que insisto en que sigo pensando que el trabajo ideal es el trabajo colectivo. En el Búho traté de trabajar con el método Buenaventura, hacer improvisaciones, todo eso, pero no puedo decir que se consiguiera plenamente. Porque para llegar a resultados son tan largos, ¡tan largos!, los tiempos, que no se puede llevar a efecto.

F.C.—*Creo que esto que cuentas no os afectaba sólo a vosotros. Durante esos años del 76 al 78, de los que estamos hablando, el conjunto del movimiento de teatro independiente se ve sacudido por una crisis que nos ha obligado a todos a replantearnos profundamente nuestro trabajo. Las nuevas condiciones políticas de la transición a la democracia, afectan de muchas formas a la producción de espectáculos. Creo que se manifiesta entonces el agotamiento sobrellevado durante muchos años de trabajo en condiciones penosas y el deseo de modificar esa situación. En ese momento todo el mundo alza la vista hacia los teatros estables, se pone en cuestión la itinerancia, se demanda una mayor exigencia artística, una mayor formación profesional... ¿Hasta qué punto influyen estas expectativas y deseos, luego liquidados por la política de Pérez Sierra, en la crisis del Búho y tu salida del grupo?*

J.M.—Totalmente, porque el Búho se disuelve precisamente por la aparición de El Gayo Vallecano, un local estable, que podía permitirnos precisamente ese cambio en la forma de trabajo. Habíamos actuado aquí con la obra de Sastre y la sala reunía condiciones aceptables. Los propietarios son los frailes de la comunidad del Raimundo Llulio, que aceptaron el proyecto que se presentó, bueno que presentamos, porque tú eras uno de los promotores, con Alfredo Alonso, Paco Heras, Petra Martínez, etc. Había mucha gente interesada en un proyecto de teatro estable, y que pensaba que una sala era imprescindible para desarrollarlo. Se pensaba que íbamos a poder hacer un trabajo más relajado, estudiar cosas, dar clases, preparar los montajes más despacio... un montón de cosas.

F.C.—*Y al cabo de tres años de trabajo, ¿qué dirías que se ha conseguido?*

J.M.—Pues que se ha conseguido poco. La realidad va cambiando lo que uno piensa... Lo que sí creo es que la posibilidad está. Y la sala cohesiona una gente alrededor, y aquí nos tienes ensayando un montaje nuevo. Pero es cierto que no ha sido tal como pensaba la gente. Creo que, en parte, porque también ha cambiado la expectativa de la gente,... La gente huye ahora, no sé si será el desencanto, del trabajo duro, esforzado, en condiciones difíciles,... y algunos se sienten atraídos por las posibilidades, sobre todo económicas, del cine, la televisión... Ha sido difícil mantener una continuidad en la compañía y como resultado, no hemos hecho un trabajo a largo plazo, de formación, etc...

F.C.—*¿Hasta qué punto ha podido perjudicar al proyecto el hecho de que la sala esté situada en un barrio popular, y no en el centro?*

J.M.—Influye, qué duda cabe, pero no explica todo. El hecho es que no hemos podido hacer ese trabajo en continuidad, que nos ha faltado un aglutinante, un método, y luego el problema económico, no ha habido mucho dinero, a pesar de las subvenciones. Si hubiéramos tenido un éxito... De todas formas, globalmente, el balance es muy positivo. Se han hecho muchas cosas, y no sólo en el teatro. El Gayo Vallecano ha sido, y es, un centro de animación cultural para el barrio. También en este aspecto hemos tenido que ir adecuándonos a la realidad y reduciendo algunos objetivos que se nos escapaban, bien porque no respondían a necesidades reales de la gente, bien por motivos económicos, por ejemplo, los recitales de música, que al principio se hicieron muchos... A veces estas actividades paralelas han sido muy absorbentes y yo mismo les he dedicado un tiempo que he tenido que restarle al teatro, pero así son las cosas. También puede que hayamos actuado con un cierto voluntarismo en algunos momentos... Yo ahora soy partidario de hacer las cosas que realmente están respaldadas por una gente que se responsabiliza de ellas, y si no hay grupos de barrio, no se pueden inventar, si no hay monitores no se hacen cursillos, si no hay pintores interesados, no se hace lo que sea... Creo que me explico. Hay que contar con la gente que realmente está ahí. También se nos ha dicho que dedicábamos demasiado tiempo al teatro, que era prioritario, y es cierto que así ha sido, y quizá en eso ha estado el éxito del Gayo, porque las cosas son complejas y de pronto se nos ha dedicado una atención porque hacíamos precisamente teatro en un barrio, con lo que esto tiene de excepcional. Y por ahí han venido las ayudas económicas más importantes, que nos han permitido sobrevivir, porque evidentemente, contando sólo con la taquilla, nuestro trabajo no es económicamente rentable. Y poco a poco vamos consiguiendo mayor audiencia, sobre todo en los últimos tiempos con la colaboración del Ayuntamiento de Vallecas que nos proporciona ayudas en entradas a bajo precio, que reparten a los vecinos y asociaciones y que nos aseguran un mínimo nivel de público. Y aún estamos muy lejos de hacer las cosas bien en este terreno. Hemos visto cómo funcionan centros similares, por ejemplo el de Lyon, en Francia, con una organización de cara a la captación de público, con acuerdos con las empresas y sindicatos y todo eso, que están muy por encima de lo que nosotros estamos haciendo, y de los que tendríamos que aprender.

F.C.—*La pasada temporada has dirigido, al margen de tu trabajo en el Gayo, el espectáculo de Matilla del Centro Dramático Nacional. Para este montaje contaste con la compañía del Gayo Vallecano, si no me equivoco.*

J.M.—Se planteó como un trabajo de encargo y pude, incluso me insistieron en que lo hiciera, contratar actores profesionalmente más cotizados, pero preferí, por muchas razones, trabajar con la gente con la que lo venía haciendo. Y en una forma desusada en los teatros nacionales, pues conservamos nuestras formas igualitarias en lo económico, y es que yo entendía que tenía que ser así. Pero la mayor parte, la casi totalidad de lo que he hecho en estos años, ha sido con el Gayo, a veces fuera del mismo local, como la campaña de teatro infantil de **La feria mágica**, o las giras, pocas y problemáticas, que se han hecho. Nuestro primer montaje con la compañía estable fue la obra de Alfonso Sastre, **Ahola no es de leíl,** que tuvo un éxito de crítica excesivo, yo creo que un poco exagerado. Quizá hubiera un poco de paternalismo por parte de los críticos, sin que quiera quitarle méritos al montaje. El caso es que nos permitió continuar con cierto crédito. También en el Bellas Artes la crítica nos apoyó bastante. La compañía ha hecho algunos montajes que yo no he dirigido, por ejemplo el **Pasagallos,** una cosa de teatro en la calle, y **El preceptor,** que dirigió Paco Heras, y que tú hiciste la dramaturgia. Creo que era un trabajo correcto, pero el caso es que no funcionó de cara al público... Como tampoco **Ahola no es de leíl,** a pesar de la buena crítica, pues tuvimos que suspender varias representaciones por falta de público...

F.C.—*¿Quizá el repertorio de esos primeros momentos, la obra de Sastre, y* **El preceptor** *no fuera el adecuado para un local de las características del Gayo vallecano?*

J.M.—Yo creo que sí, que podían interesar. Ahora vienen al Gayo espectáculos mucho más difíciles, formalmente hablando, y en mi opinión, de una claridad muchas veces menor y que funcionan. Y es que, con el paso del tiempo, se va creando un público que no se improvisa en un momento.

F.C.—*Sin embargo, ha habido espectáculos, pongo por caso reciente,* **La estanquera de Vallecas,** *de Alonso de Santos, que han despertado mucha expectación, quizá porque el tema resultaba familiar al espectador, quizá porque el género, los elementos de sainete que pudiera tener, el tratamiento cómico, haya gustado, en definitiva, al público. ¿No crees que el público al que va dirigido, condiciona o debe condicionar el repertorio?*

J.M.—Creo que ese tipo de teatro puede traer más público, de entrada, por lo que dices del sainete, etc. Pero no creo que lo hayamos dejado de tener en cuenta. Recordarás que en **Ahola no es de leíl,** que tú trabajaste en la adaptación, había también ese lenguaje de la calle, y unos personajes que eran del barrio, de Vallecas, y un cierto humor, como también en **El preceptor,** que además se pretendía hacer un musical... No creo que eso se haya dejado de lado, pero es que tampoco hay que ir a lo facilón, a lo que resulta seguro... Pero a lo que me opongo es a decir que vamos a hacer solamente zarzuela y sainete. Creo que se pueden hacer otras cosas y que pueden interesar también al público, sobre todo si se hacen bien. Por supuesto, el estar en Vallecas limita el repertorio. Pero también el estar en el Lara limita. Claro que limita. Y a mí me limita más, porque ese público me interesa menos.

F.C.—*Vuestro último montaje, el espectáculo de Valle Inclán, parece que fue peor recibido por la crítica, y sin embargo tuvo, creo recordar, mucho más público.*

J.M.—La crítica fue desigual. Creo que en la primera parte,

Ligazón, no conseguí… Es una obra difícil, poética… Me sigue encantando, pero en el montaje no supe, quizás, trasmitir lo que tiene el texto. En cambio, la segunda parte, **La rosa de papel,** creo que era un trabajo con un buen nivel dentro del teatro independiente… Y quiero aclarar que, cuando digo teatro independiente, no significa que sea un nivel menor. Todo lo contrario, para mí es un nivel muy superior al otro, el del teatro comercial al uso. Concretamente, creo que el decorado de Gerardo Vera, con pocos medios y manejable, era muy bueno, y en la interpretación había un buen trabajo, sobre todo de Santiago Ramos, en el papel de "El julepe", que creo que es un nivel que se ve pocas veces en un escenario. Y la obra funcionó con el público, así que, en conjunto, creo que la valoración es positiva, sinceramente…

F.C.—*Estáis a punto de estrenar vuestra última producción que se va a llamar* **Perdona a tu pueblo, Señor,** *y de la que además de director eres autor. Lo que más me llama la atención, es que hay una especie de vuelta al humor de* **Castañuela 70.** *La obra es una sucesión de* sketch *y números musicales, a la manera de la revista. ¿No es un poco una vuelta a los orígenes? Y también me gustaría que explicaras esta incursión en el papel de autor dramático… ¿qué te ha llevado a escribir esta obra?*

J.M.—Bueno, eso de que la obra es mía es relativo. Es mía, de Cervantes, de Calderón, de Zorrilla…

F.C.—*No seas modesto. He leído la obra y aunque tiene algo de* collage *la mayor parte del material es tuyo…*

J.M.—Bueno, sí, y asumo la responsabilidad… Esto de los textos ha sido siempre uno de los problemas de los grupos. No es fácil encontrar el adecuado a las necesidades múltiples que supone, porque uno se pone a pedir y resulta que tiene que tener: siete personajes, poco vestuario, que el decorado quepa en la furgoneta, que sea gracioso, o que sea serio, o que sea no sé qué, …con lo cual a veces se nos ha hecho casi imposible… A veces he llegado a pensar que lo ideal sería escribirse una obra para uno mismo y con un solo personaje. Luego hay otras cosas. Siempre me han gustado mucho los personajes de Don Quijote y Sancho, que son los protagonistas de mi obra. Puede que tenga que ver con cierta ambigüedad mía, comprendo perfectamente a los dos, a pesar de que son como una antítesis. Hace ya años que vengo pensando en hacer algo sobre ellos. Aquijotarme y asancharme para verlos mejor... Mi forma de ver la vida tiene que ver con esto, hay que asancharse en el sentido de analizar y bajar a tierra las cosas, pero si no te aquijotas no das un paso adelante nunca. Creo que algo de esto aflora en la obra que estoy montando. Esta lucha entre lo posible y lo imposible siempre me ha atraído, y en el teatro la he encontrado a menudo. Está en **Calígula,** está en el **Marat-Sade,...** y está en un estado casi puro, como nunca se da en la realidad. Tal vez sea en sí un tema dramático... O que yo, por mi personalidad, sea especialmente sensible... En los diálogos entre Marat y Sade, por ejemplo, me pasa siempre que habla Marat y me convence, tiene razón, está claro, luego habla Sade y me da la vuelta y me convence de lo contrario, de lo irracional, de la pasión... Son posturas antagónicas y que yo, íntimamente, comparto... No sé si esto tiene solución... Recuerdo también un artículo de Meyerhold: "Meyerhold contra el Meyerholdismo", en el que se rebate a sí mismo... Todo ese tipo de posturas me han flipado siempre mucho. Las cosas son siempre tan relativas, tan dependientes de las circunstancias...

F.C.—*Y esa antítesis que encuentras en la vida y que exploras en el teatro, ¿crees que te conducirá a alguna solución, a alguna posible síntesis? Me parece que es una pregunta bastante idiota...*

J.M.—Hay algo que creo que tengo claro, es decir, para llegar a ser un... para elaborar algo que interese, necesitas tal cúmulo de sacrificios que no creo que los aguante, no creo que lo vaya a hacer nunca... Creo que Grotowski o gente así, capaces de hacer un trabajo continuado, riguroso, pueden llegar a algo interesante. Aunque a primera vista pueda parecer lo contrario, yo eso lo admiro. Pero llegar realmente a un método concreto, muy estructurado, implica tales renuncias que no sé si estoy capacitado para hacerlo, ni siquiera sé si quiero, ¿entiendes? Hace falta ser un poco inhumano para llegar, y esto en cualquier terreno. Hay tanta competitividad, tantos coladores en la vida, que la gente que llega a unos puestos concretos, los lugares de poder, es a costa de renunciar a tantas cosas... Y creo que no estoy dispuesto y prefiero algo más tirado, más por el medio, más alejado del ideal pensado, y que no me cueste renunciar a lo que tengo alrededor... Para llegar a algo hay que ser muy duro y yo creo que no valgo.

Y cuando ya estamos tomando una cerveza en el bar que hay frente al teatro, Juan, con aire preocupado, me dice: "Me gustaría que al final de la entrevista pusieras que después de pensarlo mejor, me retracto de todo lo que he dicho". Le digo que bueno, que así se hará, y añade: "Y si no te importa, pon después que lo vuelvo a decir".

ALBERTO BOADELLA

ALBERTO BOADELLA

ALBERTO BOADELLA.—Cuando a principios de los sesenta, el año 62, me planteo entrar en el teatro, me encuentro con que el teatro que hay en mi entorno no me interesa. Y entonces me decido por el mimo, que es como entrar por la tangente, pero con la intuición de que ése es el camino que más me conviene. No estoy solo en ese momento. Conmigo, en la formación de Joglars están Antonio Font y Carlota Soldevilla, con los que comienzo el camino de lo que será Joglars, aunque ellos se apartan cuando la compañía se hace profesional. A lo largo de todos estos años se ha ido concretando un procedimiento, digamos dramatúrgico, que constituye la identidad de Joglars. Generalmente yo hago una propuesta, una serie de propuestas, a las que determinada gente se ha adherido, involucrándose en el proceso creativo, y esto, naturalmente, dependiendo siempre en cada individuo de su grado de conocimientos, de formación, de su personalidad... y de ahí han ido saliendo los trabajos del grupo. Me preguntas en qué medida son trabajos de Joglars o de Boadella. Yo creo que un hombre de teatro no puede decir nunca que una obra, un espectáculo, es completamente suyo. Sería una mentira absoluta, porque el teatro es una conjunción de actor-director-escenógrafo-etc... hasta administradores, un personaje que se suele olvidar en el teatro. No es necesario que se trate de una creación colectiva. Inevitablemente cada individuo aporta su visión personal y una modificación, incluso, en mi concepción dramática. Es algo imprevisible. Boadella modifica constantemente a Joglars y Joglars a Boadella.

FERMIN CABAL.—*Si te preguntaba esto era precisamente para situar tu figura con más precisión de la que sugieren los pro-*

107

gramas de mano de tus espectáculos. Porque en el trabajo de Jo-
glars hay una zona oscura, imprecisa, o al menos a mí me lo pare-
ce, y es que, si bien no se adscribe el grupo a la idea de "creación
colectiva", tampoco se especifica la responsabilidad de los aspec-
tos dramatúrgicos. ¿Hasta qué punto puede decirse que Boadella
es el autor del "texto", o, en su caso, hasta qué punto se trata de
una creación colectiva? Porque el texto tiene cada vez más
importancia... Y, por otra parte, sería interesante saber en qué
medida ha participado Joglars de aquella ideología que caracte-
rizó al teatro independiente en sus inicios y que tendía a eliminar
los personalismos en beneficio del colectivo...

A.B.—Para mí estaba claro desde el año 62 que, para hacer
un teatro distinto, tenía que cambiar no solo el producto, la
forma, lo que el espectador ve durante la hora y media, sino
también toda la estructura de producción, la forma de contrata-
ción y de administración, la propaganda, la distribución del
espectáculo, las relaciones entre técnicos y actores... Había que
encontrar una nueva fórmula. Y esto es tan indispensable para
hacer un teatro distinto que no se puede decir que me lo planteara
por humanismo, sino, al contrario, por practicismo, por sentido
práctico. Nosotros hemos encontrado una fórmula que fue
probándose durante los primeros años, y luego se consolida
durante los primeros ocho años de la etapa profesional, hasta que,
en el año 74, se produce la crisis que representa la salida del grupo
de la gente más veterana, de los actores que se habían formado
conmigo y con los que tenía una relación humana particular, que
ya no puede ser la misma con la gente que entra de nuevo y que me
coloca inevitablemente en una relación profesor-alumno. Con esas
cinco o seis personas, que son las que empezaron en el año 62, y
tras doce años de trabajo en común, se adquiere un nivel de
comunicación que es casi intuitivo y que favorece la expresión
colectiva. Permite, por ejemplo, que yo les hable en onomatopeyas
durante el ensayo y ellos me comprendan perfectamente. A veces
sin siquiera tener que hablar, como en las improvisaciones de
jazz, que es todo cuestion de **swing**. Como te digo, durante los
años 73 y 74 esto cambia. ¿Por qué? Por motivos diversos, que van
desde cuestiones puramente humanas hasta simplemente por

108

estar quemados por la dureza que supone el trabajo de estos años. Los veteranos se van marchando y la compañía empieza a integrar gente nueva. Pero, claro, los que van viniendo entran sin demasiada experiencia y en un procedimiento dramático bastante evolucionado. Y es que el colectivo no se puede imponer, no se puede decir, ¡vamos a trabajar en colectivo! Sólo se produce cuando existe una unión, una síntesis de objetivos entre una serie de gente que parte de un nivel similar de experiencia. Ahí comienza una práctica en común y en un momento dado se llega a un punto en que se produce esa conjunción creativa. ¡Que no implica por otra parte una garantía de calidad! No creo que el colectivo garantice mayor calidad que el trabajo individual, y ahí están Brook o Strehler... Yo comparo esto al fenómeno del surrealismo, del dadaísmo: hay ciertos momentos donde el fenómeno adquiere la máxima altura porque hay ocho, diez, veinte o treinta pintores que, sin decirse nada, están todos en lo mismo. Para mí esto es el colectivo, y lo que no sea esto me parece una demagogia.

F.C.—*Creo que has aclarado las interioridades creativas del grupo pero, una vez más, eludiendo el tema de la autoría del texto. En Joglars hay unos actores, un director, un escenógrafo, técnicos, músicos, administradores, etc., que ocupan un lugar definido... A riesgo de ponerme pesado, ¿qué pasa con el autor? ¿Por qué no se individualiza la responsabilidad en este caso?*

A.B.—Pues... por discreción... porque difícilmente se puede hacer una repartición exacta de lo que supone ser el autor del cien por cien de una obra... por la cantidad de elementos que los actores ponen en una obra, y ya no estoy hablando de una obra como las nuestras, sino de obras tradicionales, ¡cambia mucho si la hace un actor u otro! Yo he repartido en el Lliure, cuando hicimos **Operació Ubú,** mis derechos de autor con los actores, a pesar de que la obra era casi totalmente mía. Y esto porque consideraba que es muy distinto hacer la obra con estos actores o con otros y por tanto ellos tienen parte en la creación de la obra. Para mí este concepto del autor, de este hombre que lo ha hecho todo... yo no sé si en un libro, pero en teatro no es válido... Luego, en segundo lugar, hay otro problema: los que crean más y los que menos en una compañía. Puede haber diez actores y son tres o cuatro los que llevan el peso creativo, y luego tienes seis individuos que no dan una... que son magníficos intérpretes, ejecutores, pero que no tienen... Es muy difícil determinar esto... Nosotros, de cara a la Sociedad de Autores, lo hemos resuelto estableciendo un porcentaje para mí y otro para la compañía, porcentaje que varía según los espectáculos, según la creatividad haya sido mayor o menor de cada parte... Pero lo que no existe es la firma "de autor". O mejor dicho, pertenece a la compañía.

F.C.—*Pero tú has firmado a veces. Por ejemplo, tengo en casa el cartel del Festival Cero de San Sebastián y allí pone claramente:* **El joc** *de Albert Boadella.*

A.B.—Bueno, esto se nos debió colar en la publicidad...

F.C.—*También has firmado* **La Odisea,** *al menos en Madrid...*

A.B.—Bueno, es que era una adaptación de una cosa que había hecho antes en televisión...

F.C.—*Exactamente, que habías hecho con Joglars en televisión...*

A.B.—Realmente en **La Odisea** lo que era concretamente el texto era mío. Y como yo no firmaba la dirección...

F.C.—*No, no, si no te lo discuto. Todo esto no era más que una pequeña trampa saducea para llevarte a reconocer que igual que hay un lugar específico del director en la creación teatral, puede haber y de hecho lo hay siempre para mí, un lugar del autor, del escritor dramático...*

A.B.—¡Hombre, claro, no faltaría más!

F.C.—*Es que según tus razonamientos, tampoco podrías atribuirte la autoría de* **La Odisea** *desde el momento en que un actor mete una morcilla, hace un* **gag,** *o simplemente levanta un codo que no estaba previsto en una acotación del texto... Hay algo ingenuo en esta pretensión de suprimir al autor...*

110

A.B.—Nosotros en Joglars lo hemos hecho, e incluso en ciertos momentos hemos ido más lejos y hemos suprimido al escenógrafo... La escenografía de **Laetius,** por ejemplo, es nuestra... como lo es la de nuestro trabajo actual **Olimpic Man,** con una consulta a Fabiá Puigserver en cuanto a algunos detalles técnicos..., pero es una escenografía nuestra... ¿Qué ocurre? Pues que unas veces hemos trabajado con el escenógrafo y otras no hemos trabajado... Volviendo al autor, yo siempre he mantenido que el casamiento literatura-teatro no es un casamiento de por vida. Ha habido épocas en el teatro donde han ido juntos, de la mano, y otras por separado. Un señor que sea especialista en... digamos, dramatización literaria, y ofrezca esto a una compañía o participe directamente en la creación, que sería lo mejor, es lógico que exista... como un director que ordena los ritmos y hace la síntesis de una serie de cosas, pero de lo que yo siempre he estado en contra es de esta especie de esclavitud hacia lo que es el texto. La primacía absoluta del texto en el teatro. En nuestra época este concepto del autor de despacho ha entrado en crisis, y llega un nuevo autor que quizá se incorpore directamente a las compañías o sea la misma compañía la que, de alguna forma, se convierta en autor de los espectáculos.

F.C.—*En Joglars ha habido una evolución desde un lenguaje teatral más primitivo, más elemental, muy apoyado en el cuerpo y en el ritmo del espectáculo, hacia un encuentro con la palabra, que, a mi modo de ver, ya predomina en los últimos espectáculos, y que permitiría hablar casi de textos tradicionales... Por ejemplo, en* **Operació Ubú,** *para mí tu mejor trabajo de los últimos tiempos, donde la palabra, el diálogo se...*

A.B.—**Operació Ubú** es, en cierto modo, una excepción. Fue una propuesta hecha en concreto para el Lliure. Y no hay que olvidar que el Lliure es un teatro... literario. Y entonces yo hago una adaptación literaria de mi idea en función de los actores... porque es técnica casi de danza, un juego rítmico. Es un trabajo más de bailarines que de actores. Ante cada espectáculo trato de que el actor se encuentre con un método distinto, que él y yo debemos buscar juntos. En el caso de **Olimpic Man,** el actor se encuentra con un espectáculo donde no puede aplicar a Stanis-

111

lawski, porque no me puede dar personajes concretos, no puede plantear que un **olimpic man** es un señor que va todos los días al trabajo y que vive en un determinado sitio y tal y cual, tantos años, y la mujer así…, porque entonces me desvirtuaría con pequeñas anécdotas de actuación los personajes-marioneta que yo trato de poner sobre el escenario. Porque se trata de verdaderos hombres-marioneta, puesto que son la marioneta de un sistema… El problema es conseguir que este hombre-marioneta tenga suficiente fuerza, pero sin distinguirse demasiado el uno del otro, que todos sean una especie de bloque de hombres puros, de hombres sanos… Cada espectáculo necesita un método distinto. En **La torna**, por ejemplo, trabajamos la comedia del arte. De todas formas, tienes razón, es posible que en los últimos montajes haya un incremento, vaya, que lo hay, de la parte textual, de la palabra, que no es ordenado, porque varía mucho de unos a otros, pero que está ahí. Como también hay una mayor incorporación de los elementos esconográficos y técnicos, como la pantalla de **Olimpic Man,** que permiten incorporar ciertos textos, visualizarlos, de forma no tradicional, es decir, sin recurrir al actor. Y esto partiendo de aquel año 62 en que, apoyándonos en el mimo, en el cuerpo del actor desnudo, sin música, sin decorado, iniciamos este camino que yo definiría como un reencuentro con el teatro, porque poco a poco hemos ido incorporando elementos… Empezamos sin nada, salvo nuestro propio cuerpo y lentamente van entrando unas onomatopeyas de voz, una palabra suelta, un vestuario cada vez más evolucionado, ya no son las mallas, unos objetos… y así hemos ido integrando todos los elementos tradicionales del teatro, para llegar, ¿adónde?… seguramente a un punto que es casi un teatro… típico, en el sentido popular de la palabra, pero con unos milímetros de diferencia; en un arco de 180 grados nosotros no hemos dado toda la vuelta, quizá hayan sido sólo diez grados… que nos han costado veinte años. En este punto ya ha entrado la palabra, pero tiene una concepción muy funcional en el teatro de Joglars. No es una concepción artística, como la del teatro poético, sino aséptica. Y la prueba de que es aséptica es que con la traducción a distintas lenguas, del catalán al castellano o al francés, el espectáculo no pierde absolutamente nada, creo que no hay ni un milímetro de pérdida.

112

F.C.—*En el momento en que el mimo queda ya claramente atrás y el actor de Joglars se convierte definitivamente en un actor de teatro, en ese momento en que la palabra se incorpora al quehacer del grupo, ¿no surgen resistencias en el colectivo? ¿Hasta qué punto pudo influir esto en la marcha de algunos componentes veteranos? Te pregunto esto porque me he dado cuenta de que las fechas que tú has dado para esa crisis, el año 74, coinciden temporalmente con* **Alias Serrallonga,** *que es quizá la vuelta de tuerca en este aspecto...*

A.B.—Bueno, el encuentro, el reencuentro con la palabra es un reencuentro traumatizante para la compañía, justamente por ese exceso de esclavitud literaria del teatro que antes te comentaba. Naturalmente, al reencontrar la palabra, a mucha gente le resulta traumatizante porque parece un abandono de muchos valores defendidos, es decir, parece que va a ir en detrimento de cosas adquiridas de las que estábamos muy orgullosos. Pero junto al trauma está la solución del jeroglífico: la palabra la empleamos solamente donde no llegamos con el gesto. Se nos ha reprochado, incluso, que empleamos la palabra como la fregona de la casa. ¡Yo podría decir los mismo de otros tipo de teatro literario, pero a la inversa! Lo cierto es que en Joglars ha habido una tensión, una lucha contra la palabra, por el miedo a que la palabra se lo coma todo. Y es que la palabra es algo extraordinario, grandioso, exacto y preciso, y su poder de síntesis de cualquier idea es tan grande que lleva consigo este peligro: quedarse en palabras, eliminar los restantes estímulos de los sentidos, cuando precisamente el teatro es una de las pocas artes que están jugando a la vez con todos los sentidos. Pero lo que no creo es que exista relación entre esta lucha, que no ha terminado todavía en Joglars, y la crisis que sufrió la compañía en aquellos años. Más bien creo que fueron cuestiones personales y el agotamiento de varios años de trabajo en condiciones difíciles. Por suerte en los últimos años las condiciones de trabajo han cambiado y permiten una mayor relajación al actor, un trabajo menos agotador.

F.C.—*Entonces, al margen de los muchos problemas políticos, toda la historia de* **La torna,** *el proceso, la cárcel, el exilio, etc., que son, por desgracia, suficientemente conocidos, la*

113

transición política, las nuevas condiciones de trabajo que han surgido en los últimos años y en las que han desaparecido la mayor parte de los grupos independientes, ¿han supuesto para vosotros ventajas económicas?

A.B.—Sí, desde el punto de vista económico es indudable. Y es que, como yo digo, Joglars es una tienda que tiene ya veinte años y en ese tiempo se ha hecho una clientela. Hay nuevos circuitos y no sólo en Cataluña, sino en el resto de España. También trabajamos con cierta asiduidad en la mayor parte de los países auropeos, lo que permite amortizar sin terribles agobios los espectáculos y hacer un trabajo más estable. ¿En detrimento de qué? Probablemente antes, antes de la muerte de ese señor, el teatro, la comunicación con el público, tenía un sentido mucho más profundo. En eso nos hemos puesto a nivel europeo y el teatro se ha convertido en algo de lujo. Se ha perdido el elemento pasional, feroz, que había.

F.C.—*La pérdida de esta carga emotiva, ¿ha afectado de alguna manera a la concepción de los espectáculos? La verdad es que he leído en alguna entrevista afirmaciones tuyas acerca de una mayor estructuración en los espectáculos, mayor rigor en la dirección, etc...*

A.B.—Sí, sí, creo que sí...

F.C.—*Sin embargo, se podría objetar que en tus trabajos actuales aparece cierta disparidad de elementos, en algún momento tan heterogéneos que suponen una ruptura en el espectáculo. Te pongo por ejemplo la escena de Pujol en Laetius... Todo lo contrario, por ejemplo, que en Mary d'ous, que se apoyaba en una estructura elaboradísima, una especie de canon al modo barroco.*

A.B.—Yo me reafirmo en lo que he dicho, pero quiero explicarlo un poco más. En los primeros montajes de Joglars yo trabajaba junto a los actores, lo cual iba en detrimento de la dirección, y es justamente con Mary d'ous cuando abandono por primera vez el escenario y me dedico exclusivamente a montar...

F.C.—*Pero es un trabajo del año 72 ó 73... Es que yo entendí*

114

que atribuías el mayor rigor, a través de la pérdida de emotividad, al condicionante sociológico de la transición política...

A.B.—Claro, también, esto se va haciendo más... Lo que yo quiero en el teatro, mi objetivo, es conseguir una dosis de lectura y espontaneidad controlada, es decir... Voy a hacer un paralelismo con la evolución de Peter Brook, que es un hombre que pasa de un teatro convencional a otro donde parece que los actores estén improvisando. Pero es mentira, los actores no improvisan nada, ni un milímetro. Esto permite dar la ilusión de que no es una cosa tan académica, tan cerrada, exacta,... porque no es cierto. Ahora bien, hablando de mis espectáculos, de esa disparidad que señalas... En el caso de **Laetius,** la escena de Pujol... es algo deliberado, que está colocado precisamente ahí para que el espectador se relaje, para que se olvide de la primera parte de la obra, de esas imágenes... que entran más, creo, en el subconsciente que en el consciente, y van creando un clima de tensión un tanto agobiante... y con esa escena se trata de romper el clima, con algo relajante... sin que tenga una intención demasiado precisa... Era lo mismo hacer esto que poner un chiste de Pajares...

F.C.—*Una especie de entremés...*

A.B.—Exactamente... Con esa función... Para no hacer salir al público de la sala, pero permitirle descansar un poco... Un entremés... A mí las licencias me gustan mucho... pero también las controlo al máximo, no son casuales... Quizá de lo que más pequen estos últimos montajes es de estar excesivamente programados. Hasta la espontaneidad está demasiado programada. Esta es la autocrítica que me hago. Temo que haya un exceso de control que limita la posibilidad creativa diaria del actor. Aquellos márgenes abiertos, que también eran lapsus muchas veces, que los actores teníamos en **Cruel Ubris** o en **El Joc** y que te permitían como actor apelar cada día a todo tu sentido creativo, y cuanto más lapsus más creatividad por un sentido de supervivencia, y sacar a flote cuanto cada uno podía tener de genial en un momento dado. En cambio ahora, una de las cosas que no está prevista es la genialidad. Los actores están excesivamente programados. Es algo que me preocupa y que quiero replantearme de nuevo.

115

F.C.—*Me imagino que esto viene un poco dado por el hecho de haber perdido a los actores tradicionales del grupo.*

A.B.—Desde luego. Un grupo de teatro es como un equipo de baloncesto: necesita un entrenamiento de conjunto.

F.C.—*En tu teatro yo encuentro dos elementos base que a veces aparecen en estado más puro y otras en aleaciones diversas y sorprendentes. De una parte, una representación de la condición humana en abstracto, de pretensión universalista, reflejo, supongo, de tu ideología personal, un tanto excéptica, agria... y por otra, una reflexión más moral, de tipo costumbrista, acerca de tus contemporáneos más próximos, cargada de elementos localistas y con un especial sentido del humor que es una de las claves de su éxito popular. Me gustaría que hablaras un poco de todo esto, cómo se fusionan los dos elementos, a veces un poco contradictorios,... también hasta qué punto es algo consciente...*

A.B.—Bueno, esto ha ocurrido con algunos artistas de nuestro país, hablo concretamente de Cataluña, como por ejemplo, Dalí, que haciendo todas sus barrabasadas, con su barretina y sus historias, consigue al mismo tiempo una dosis de universalidad, consigue volver la anécdota local en anécdota internacional. Creo que en Joglars, a veces, esto se ha conseguido, con diferencias lógicas de un montaje a otro, que se ven, este peso del costumbrismo, a la hora de hacer reformas para llevarlo al extranjero. Pero en el caso del último espectáculo, **Olímpic Man Mouvement**, no es así. Cuando pasa la frontera no es preciso tocar ni una palabra. La única cosa que cambio es la historieta del Barsa... En Francia la cambiamos por el Saint-Etienne que representa lo mismo, el club millonario que contrata extranjeros... En cierta medida el lado más costumbrista, por lo menos en este espectáculo, se ha abandonado en función de una anécdota más universal. ¿Por qué esto? No se puede hablar de un espectáculo de Joglars sin ponerlo en relación con el anterior, que en este caso es **Operació Ubú,** que aunque sea una producción del Teatre Lliure la gente nos la apunta a nosotros, y que era un espectáculo absolutamente costumbrista. Pujol, etcétera,... y entonces nos encontramos con un público predispuesto a una pieza costumbrista y le damos una cosa totalmente distinta. Tenemos muy en cuenta la predisposición del público para rompérsela a cada minuto, para tratar de lograr que este público con Joglars al menos, no tenga ninguna predisposición in mente a la hora de ir al teatro... Ahora bien, yo soy un artista que tiene a Barcelona, a Cataluña, como punto de mira de su creación... Esos son mis conciudadanos... y su forma de vida, su cultura, modifica constantemente la historia de Joglars... Entonces se produce, lógicamente, una especie de fenómeno de autoanálisis: hay unos años triunfantes en los que es necesario colaborar, como ciegos, en cosas que no te gustaban mucho, pero que había que hacerlas porque el enemigo era común en aquella época; pero todo esto ha ido desapareciendo y ahí entra mi función de comediante, mi función de bufón, la más genuina de todas, y entonces frente a esta sociedad en la que vivo, me convierto un poco en su espejo y les devuelvo ampliadas, estilizadas, sus imágenes. Esto de ser el bufón de la corte catalana, a veces molesta, hiere, pero es un trabajo extraordinariamente ecológico, absolutamente necesario, que llena mi sentido como comediante... Pero tampoco olvido nunca que antes que todo, antes que catalán incluso, hay que tener un lenguaje como artista, un lenguaje universal. No me gusta ser un artista local, y no en el sentido de publicidad, sino de comunicación. Justamente ésa es mi gran crítica de Cataluña: su poco sentido universal.

F.C.—*Tus últimos tres espectáculo como Joglars, M-7 Catalonia, Laetius y Olimpic Man Mouvement tienen características comunes, incluso has hablado de una trilogía, en tanto que pretenden romper la exposición tradicional, esa idea de que lo que se muestra es "una historia que ocurre"... Parece que te planteas recurrir a préstamos de otras disciplinas, la oratoria, la propedéutica, etc,... que te permitan romper la convención narrativa...*

A.B.—En los últimos tiempos hay algo que me molesta, que me desequilibra en el teatro: la convención con que se habla al espectador. Da lo mismo que al alzarse el telón aparezca una selva con monos o unos señores con su tresillo. Están allí y hacen ver como si toda la vida estuvieran allí, como si se hubiera levantado

117

la pared de su casa, etc... Tampoco se trata de una altísima convención, como en la ópera, que ya es una locura y uno puede decir, ¡pues vamos a jugar con ella!, sino que se trata de una convención media... Pero en un teatro pueden pasar muchas otras cosas, por ejemplo una convención publicitaria, un congreso médico, una conferencia cultural, un mitin... Esto es lo que he utilizado en la trilogía. El espectador se sienta y no tengo que dirigirme a él a través de una convención, sino que de golpe le abordo, sin tener que justificar el espacio escénico. Naturalmente, esto es otra convención, pero más sutil...

F.C.—*A mí me parece una convención mucho mayor...*

A.B.—Mucho mayor, pero de otro grado... Que me permite dirigirme al espectador de otra forma. Cuando en **Laetius** aquella gente que está haciendo una especie de reportaje nuclear se dirige al espectador lo hace como lo haría un locutor de radio. En **Olimpic Man** los actores se dirigen al espectador como lo harían los niñatos de este movimiento para convencerle de sus ideas. Trato de involucrar, de alguna forma, al espectador en el rito que sucede ahí arriba, en el escenario. No haciéndole trabajar, participar, que esto sería una tontería, pero forma parte de la obra. El caso es eliminar esa cuarta pared de cristal. Yo me pregunto apasionadamente qué tiene que hacer el teatro en los próximos años para desempolvar un poco sus métodos. Aunque fundamentalmente el teatro seguirá siendo el mismo, porque temas no hay muchos, el amor, el desamor... pero me refiero al envoltorio con el que el espectador se siente cogido, atrapado en la comunicación... Hoy están ocurriendo fenómenos muy interesantes en ese terreno. Pongo por caso la intromisión de Coluche en la campaña electoral francesa. Aparte de la valoración política positiva o negativa, encuentro muy importante que, de pronto, el teatro empiece a jugar en la vida real y convierta en teatro todo lo que toca. Coluche ha convertido ese momento político en teatro.

F.C.—*La historia de Joglars ha sido pródiga en incidentes con el mundo de las instituciones. Asoma siempre la punta de una rebeldía inevitable. La última agarrada, que tiene algo de estilo Coluche, ha sido con la Generalitat de Cataluña a propósito de*

118

las distribuciones de los fondos públicos para el teatro. Creo que llegasteis a lanzar un ultimátum amenazando con nacionalizaros aragoneses o poco menos...

A.B.—Sí, je, je, hablamos de irnos a vivir a Huesca, a Binefar... Je, je, mis abuelos son de allí, lo cual hubiera sido un poco como volver a las raíces... Bueno, lo que ha ocurrido es que la Generalitat ha sido en todo el área de la cultura, y no sólo en el teatro, de una incompetencia total, por lo menos en esta primera etapa. De tal incompetencia que al empezar a funcionar llegamos a estar peor que antes, cuando el Ministerio de Cultura entregaba un dinero a los grupos. De ahí nace esa discusión, ese contencioso con la Generalitat que nos lleva a amenazar con marcharnos de Cataluña para poder seguir haciendo nuestro trabajo con un mínimo de ayuda, a la que creo que tenemos derecho. Pero la cosa se ha resuelto en parte, gracias a esa batalla que hemos dado la gente de teatro, y en la que no hemos estado solos los de Joglars. Hay otras compañías que necesitan aún más que nosotros esas subvenciones. Al fin, este año nos ha entregado cuatro millones, que viene a ser alrededor del diez por ciento de nuestro presupuesto, de nuestro gasto anual. Creo que no deberíamos hablar de subvención en un caso así. Es sólo una ayuda, una pequeña ayuda que está muy lejos de cubrir nuestras necesidades. Aunque yo creo, y aprovecho para matizar todo esto de las subvenciones, que en este país hay que ir a que sea el espectador quien pague el teatro. Dadas las circunstancias del país en cuanto a la inversión que la Administración hace en cultura, creo que lo más seguro para nosotros y para el espectáculo es pagar nosotros mismos el teatro. Es la única forma de asegurar la independencia. Porque la política de subvenciones siempre es una política de consenso, siempre depende de la Administración que te hace pender de un hilo y bailar cuando ella quiere. De tener que escoger, prefiero la esclavitud del público a la de los ministerios.

MANUEL COLLADO

Sobre la política teatral y su influencia en el terreno comercial

J.L.ALONSO.—*Me gustaría empezar esta entrevista hablando de tu opinión sobre la política teatral que llevan los organismos rectores teatrales (o la falta de la misma), y que me hablaras de si crees que se está llevando bien la promoción, ayuda y mantenimiento de las estructuras teatrales de tipo profesional comercial de este país.*

MANOLO COLLADO.—Para mí esta influencia está siendo negativa en todos los sentidos. Desde la Dirección General de Teatro, del Ministerio de Cultura, se lleva a cabo algo muy desafortunado que ni los más optimistas llamarían "política teatral", sino, lo más, una especie de apaños para ir tirando.

J.L.A.—*Para meternos más directamente en el tema de las soluciones que necesitaría nuestro teatro para salir de su agujero actual, supongamos que ahora mismo te nombran Director General de Teatro. ¿Qué harías? ¿Cómo utilizarías esa amplia parcela de poder para modificar nuestra situación actual?*

M.C.—A mí, de verdad te lo digo, me gustaría muy poco que me hicieran Director General de Teatro. No te digo que no lo aceptase. Lo que te estoy diciendo es que sentarse detrás de la mesa de un despacho a ordenar la vida a los demás es algo que no me gustaría hacer.

J.L.A.—*Yo te hablo desde otro punto de vista. Estamos de acuerdo en que en este país hay, en todo (y en el mundo teatral también, lógicamente), una inercia muy negativa. Las cosas van*

121

*mal, pero nos hemos acostumbrado y es sumamente difícil
cambiar cualquier cosa porque los que pueden hacerlo están
precisamente ahí, en puestos de poder, para que no se haga. Tú
me has hablado de la necesidad de que personas de la profesión
tengan esos puestos de responsabilidad. Personas que conozcan
los problemas, y tengan interés en modificar realmente el estatus
quo actual.*

M.C.—Ya. Lo que pasa es que si a mí me nombrasen Director General me tendría que pasar la vida organizando la de los
demás y no podría dedicarme a lo que realmente me apetece. En
este sentido, yo soy un hombre poco político.

J.L.A.—*Bueno, pero supongamos, a pesar de lo que dices,
que decides aceptar. Pasamos a la segunda etapa, que es en la que
me interesa que me clarifiques tu opinión: ¿Qué intentarías
cambiar de nuestro teatro actual, de su organización y estructuración, si pudieras?*

M.C.—Me lo tomaría como una obligación y aceptaría el cargo. De acuerdo, supongamos eso. Ya que me he quejado tantas
veces de que los Directores Generales no sean de la profesión lo
aceptaría. Como cuando a Nuria Espert, o a José Luis Gómez, les
nombraron directores del Centro Dramático Nacional. En este
sentido, y dada mi trayectoria, sí me siento capacitado para
cualquier puesto de responsabilidad.

J.L.A.—*De acuerdo. Ya eres Director General. ¿Qué harías?
¿Cuál es el teatro (y no te hablo sólo bajo un punto de vista
estético, claro) que te gustaría ver en nuestro país? ¿Qué
relación habría entre los organismos rectores (digamos) y el
mundo comercial? ¿Y entre los teatros estatales? ¿Y dentro del
teatro independiente y experimental?...*

M.C.—La verdad es que en este país hay que cambiarlo todo.
Estamos cada uno intentando hacerlo un poco a ciegas, no
sabemos bien cómo. Hemos estado un montón de años dirigidos y
cuando nos han dejado solos se nos ha venido un poco la casa
encima. Hay como un desorden total y no sabemos qué hacer.

J.L.—*¿Tú crees que nos han dejado realmente solos? ¿Antes*

122

estábamos "dirigidos", en qué sentido? ¿Crees que ése es el problema?

M.C.—No. Nos han dejado "malamente solos". En cualquier caso, creo que lo que realmente pasa, de lo que adolece toda nuestra generación es de una gran falta de formación. De una formación en libertad. De un aprendizaje de lo que es realmente ser libres. Como no lo hemos sido durante un montón de tiempo, sino que hemos estado obedeciendo, llega un momento que te dicen: ahora puede usted hacer lo que quiera, y no sabes muy bien qué es lo que quieres hacer. Tienes entonces que empezar a equivocarte una y otra vez, y pasar por unos años de errores para formarte.

J.L.A.—*¿No estás hablando de un cambio que no ha sucedido? Estás responsabilizándonos a las gentes de teatro de no saber emplear la nueva situación... En parte hay algo de verdad. ¿Pero tú crees que esta situación, objetivamente hablando, es tan diferente a la anterior?*

M.C.—Efectivamente han cambiado muy pocas cosas, al menos en el mundo teatral. En la Administración siguen los mismos hombres de toda la vida. Si se hubiera producido una revolución, no digo que esto sería ni mejor ni peor, pero sí diferente. Los cambios moderados de Europa son muy lentos. Pero es cierto que tenemos una serie de libertades que no teníamos antes, aunque también tenemos una serie de inconvenientes que antes tampoco teníamos. Antes teníamos censura, por ejemplo, de la que hemos hablado tanto tiempo, y ahora tenemos una censura económica. Entonces, volviendo al tema ¿qué haría yo si llegara a una Dirección General de Teatro? Repito que yo no sé si en esta situación lo aceptaría. A lo mejor, el año próximo, cuando ya sepa si en este país las elecciones las ha ganado el PSOE o no, o resulta que ha habido un golpe y estamos en manos de los golpistas...

En definitiva, para hacerme cargo de un puesto así me gustaría saber concretamente dónde estamos. En la situación actual, creo que no podría cambiar nada. Por ejemplo, estamos hablando siempre de la necesidad de hacer la Ley de Teatro, y es cierto que hay que hacerla, de verdad, habría que deshacer toda la estrucutra económica que tiene el teatro aquí y ahora, que es catastrófica y no tiene nada que ver con sus necesidades reales. Se tiene que producir un cambio y tiene que haber gente que haga todo eso. Yo soy de los que piensan que es necesario socializar el teatro. Creo que es la única forma de que evolucione en un buen sentido.

J.L.A.—*Has hablado de socializar el teatro. Pienso que es importante que aclares qué quieres decir, que entiendes tú por socializar.*

M.C.—Desde el punto de vista económico, que exista una estructura estatal que permita que los teatros funcionen de acuerdo a unas normas culturales de estado y no a los criterios independientes propios de una política capitalista o neocapitalista, como la que estamos viviendo.

J.L.A.—*¿Unas normas culturales de estado?... Creo que estás dando a estas palabras un sentido relativo y no un sentido estricto. De todas formas, hay en este momento dentro de las gentes de teatro una esperanza, lógica, de que se "normalice", se regule, se prepare esa ley que permita acabar con el caprichoso caos en que se mueve actualmente nuestra absoluta falta de política teatral desde los organismos encargados de esa, digamos, protección. Pero, tal vez, haya también en ello un falso espejismo. Leer la situación actual en que se encuentra esa ley, los borradores, es bastante decepcionante, ya que se trata siempre aquí de crear algo lo suficientemente amplio que no moleste a nadie, que no cambie nada, y que tenga el visto bueno de la Administración...*

M.C.—Sí. Hay que tener mucho cuidado con las leyes que no regulan nada, y con las normativas que dan viso de serios a criterios que siguen siendo subjetivos. A mí cada vez que me han planteado una reunión de trabajo sobre dicha ley he podido comprobar que aquello siempre terminaba en algo que no conducía a nada. Y, sobre normativas, tenemos el ejemplo de la que creó el último Director General saliente sobre la concesión de subvenciones, y que mantenía las concesiones a dedo, como se ha hecho siempre. Entonces yo me pregunto, ¿para qué se nos ha hecho rellenar tal cantidad de instancias y papeleo según artículos tal y cual, si luego...?

J.L.A.—*Estoy de acuerdo contigo en este punto. Tal vez el más patético (entre los muchos patéticos esfuerzos) del Sr. García Barquero, penúltimo de nuestros Directores Generales, ha sido un intento de hacernos creer que él estaba tratando de "normalizar" y "objetivar" todo la política de ayudas de su departamento.*

En busca de soluciones

J.L.A.—*¿No crees que habría que dar un giro total a todo ese estado de cosas, ir a la creación de oportunidades reales de que las cosas cambien, meterse de lleno en mejorar toda la infraestructura teatral, las posibilidades de trabajo, facilitar que nazcan cosas nuevas...? Y cuando hablo de medidas concretas, hablo, por ejemplo, de la construcción y equipamiento de nuevos teatros, lo cual generaría rápidamente un cambio en cadena de todo lo que originaría el tener estos nuevos teatros funcionando...*

M.C.—Sí, claro. Naturalmente. Por cosas así es por las que habría que empezar. Y que fueran además teatros en condiciones. A los actuales teatros españoles les pasa lo que a los restaurantes. Un restaurante no pude ser bueno si no tiene una buena cocina. Los escenarios de los teatros actuales son bochornosos. Es imposible montar allí un buen espectáculo. No están preparados técnicamente para un espectáculo teatral del gusto de un espectador de hoy. Ese es uno de los fenómenos que hace que las gentes que estamos trabajando en esta profesión estemos viviendo al margen de lo que el espectador espera en este momento del teatro.

J.L.A.—*Supongamos que ese sueño se ha hecho realidad. Hay teatros, y buenos teatros. Hay compañías estables, etc. ¿Para ti habría simplemente que fomentar un liberalismo industrial dentro de este campo, o dar unas normas "culturales", como has dicho antes, a las que ciertas compañías podrían acogerse, o efectuar un dirigismo total de la estructura teatral...?*

125

M.C.—Para mí hay dos maneras de plantearse el trabajo teatral: una es aquella que pretende dar al público lo que éste le pide, sin mayores preocupaciones, y es la que podríamos llamar teatro "comercial-convencional", que generalmente suele estar al servicio de ideologías ya pasadas. Esto para mí no es cultura o lo es desde un punto de vista decadente.

Existe un segundo planteamiento, y es el protagonizado por una serie de señores, con ideas más o menos creativas, distintas a lo que llamaba antes convencionales. Este teatro es el que yo llamaría "comercial-cultural". Dentro del primer grupo existen una serie de personas e instituciones que en cualquiera de sus vertientes, desde la más frívola a la dramática, por haber gozado de determinado prestigio durante muchos años, por la prensa, la televisión, etc., han alcanzado un determinado status. Pero en el segundo apartado, el "comercial-cultural", es donde las cosas son mucho menos claras por la diversidad de tendencias, y es donde la Administración debería actuar con una gran delicadeza. Yo pienso que la cultura no debe ser dirigida desde arriba, pero sí cuidada, atendida desde arriba. Yo creo que la cultura nace del pueblo, y somos nosotros los que debemos ir con nuestros proyectos a la Dirección General para que ésta actúe como árbitro de las personas que llegan allí. No todo el mundo puede tener derecho a una ayuda simplemente porque se le ha ocurrido una idea teatral. Esta es la parcela que está más descuidada y fundamentalmente habría que modificar. Para poder tratar adecuadamente este punto sobre una gente tan hipersensibilizada por determinados motivos, como somos la gente de teatro, un Director General debería ser un conocedor profundo de la materia y no un simple funcionario o político que viene generalmente de un campo diferente al nuestro y con los que no es posible dialogar. Cuando tú eres un especialista en algo —mejor o peor, pero especialista—, resulta muy irritante tener que dialogar de tu especialidad con una persona que está en otra cosa, porque no hay diálogo posible y a los cinco minutos has cerrado la clave de la comunicación.

J.L.A.—*Parece que una y otra vez nos sale la Dirección General de Teatro, y su política de subvenciones, como clave de la situación actual...*

126

M.C.—Es que los problemas vienen de ahí en gran medida, porque en un país como el nuestro, en proceso de descapitalización, y de cambio de estructuras, como está ocurriendo aquí, son necesarias unas ayudas oficiales bien distribuidas, y que no se den éstas exclusivamente a determinados figurones como puede ser una primera actriz, un primer actor, o a obras de Ibsen, o de Pirandello, etc., que, en principio, sobre el papel pueden estar bien, pero que luego los resultados no suelen ser buenos. Hacer esto es estar de espaldas a la realidad.

**La distribución de las ayudas.
Beneficiarios y no beneficiarios.**

J.L.A.—*Por todo lo que me estás diciendo, da la impresión de que generalmente eres perjudicado por la política de concesión de ayudas del Ministerio de ·Cultura, cuando la vox populi te señala como uno de los mayores beneficiarios de todo este tinglado actual. ¿Qué opinas de esto?*

M.C.—Para esa gente, yo soy beneficiario desde·toda la vida. En el año 1970 yo ya hacía una campaña nacional de teatro con obras de Sartre, Lope de Vega, Wesker y Chejov, y mira, no me he beneficiado tanto, porque vengo haciendo prácticamente lo mismo desde hace diez o doce años y no tengo ninguna finca, ni coches de ésos maravillosos. Realmente desde el punto de vista que más me he beneficiado es desde el laboral. He aprendido un oficio, he leído, he viajado,... en fin, me puedo defender un poco mejor por mí mismo...

J.L.A.—*Es que estamos hablando precisamente de beneficios dentro de este campo laboral, de poder trabajar en el teatro. En cuanto a los beneficios económicos, me refiero a pequeñas ganancias, y no a hacerse millonario con el teatro gracias a las subvenciones...*

M.C.—Pero es que la gente de la cultura no debería estar beneficiada económicamente a tan pequeña escala. La gente de la cultura (y no lo digo como una prerrogativa ni como una arrogancia, sino como el resultado de·unos años de trabajo y preparación)

127

deberíamos estar un poco más atendidos. Es que trabajar para la cultura en este país es mucho más duro que trabajar en la construcción. ¿Una persona dedicada a la cultura tiene que ser necesariamente una persona pobre? ¡Hombre, estamos igual que en la época de Cervantes, que se moría de hambre! No hay derecho.

J.L.A.—*Si tú opinas así, ¿cuál crees que debería ser el punto de vista de las gentes del teatro que nunca han tenido la más mínima ayuda de la Administración...? Me refiero a que hace unos días, por ejemplo, salió una página entera del periódico El País, anunciando tres espectáculos tuyos que estaban en ese momento en teatros madrileños. Los tres estaban subvencionados por ese Ministerio de Cultura del que hablamos. Creo que el fenómeno es importante a destacar en todos los sentidos.*

M.C.—Es que es lo mínimo.

J.L.A.—*Un mínimo del que no goza casi nadie en este país, en estos momentos, excepto tú...*

M.C.—Vamos por partes. Efectivamente, esos tres espectáculos que me dices están subvencionados. Uno es una función de Buero Vallejo (**Caimán**), que se subvencionó para su estreno. Es lógico que si se monta una obra de un académico se subvencione, ¿no? Es lo mínimo. Entonces resulta que yo soy el director de la obra y, como consecuencia, el productor de la misma. Pero yo considero que a quien se subvenciona no es a mí, sino a Buero Vallejo. Con el caso de Antonio Gala, de quien es otra de las obras que señalas (**Petra regalada**), ocurre lo mismo. Gala es uno de los escritores más importantes de este país, y además, a sus obras acude una gran afluencia de público. Y, finalmente, respecto a la tercera de las obras (**La gaviota**, de Chejov), si yo, despues de todos mis años de trabajo, no puedo hacer una función de Tolstoi (**Historia de un caballo**, como hice la temporada pasada, también subvencionada) o, ahora, ésta de Chejov, pues ya me contarás...

Mira: después de todos mis años en el teatro (primero como actor, y luego como productor), la primera función que monté como director, **Equus**, de Peter Shaffer, no estaba subvencionada. Después monté lo de Valle Inclán en el teatro María Guerrero, que tampoco estuvo subvencionado, ya que se trató solamente de un "acuerdo económico" con la Administración. Pero es que, delante de mí, acababa de salir de ese teatro la compañía de Carmen de la Maza dirigida por José Díaz y, antes, había salido Manolo Canseco, etc. Quiero decirte con eso que entonces todos teníamos el mismo posibilismo. ¿Que mi espectáculo era más arriesgado que otros de aquella época? Bueno; yo siempre me he caracterizado por eso. Luego hice lo de Tolstoi, y creo que es normal que para ello me dieran una subvención. A partir de aquí, sí, es cierto que siempre me han ayudado porque era lógico. Y digo que es lógico porque mis funciones siempre han estado encuadradas dentro de esa estructura. Que luego yo haya conciliado, en algún caso, o en la mayoría de ellos, unos elementos convencionales de acuerdo con lo que podríamos considerar una política oficial, pues es cierto. Yo he hecho una serie de concesiones que me han permitido tener esas subvenciones. Posiblemente a mí me hubiera gustado hacer un teatro más de ruptura, más diferente..., pero como no podía hacerlo por mí mismo, pues he tenido que pactar con una serie de personajes de la Administración para que se me concediera esa especie de crédito que no me iban a conceder sólo por mí. Solamente ahora ya se está empezando a considerar mi trabajo. Llevo ocho funciones dirigidas y ya saben quién soy. Ten en cuenta que yo venía del campo de la empresa y se negaban a concederme un reconocimiento de tipo artístico. Se negaban a concederme el carnet de director. Tuvo que ser a base de una función y otra y otra... Bueno, ahora ya se me considera un director, y quizás ya pueda tener una serie de ayudas independientemente de lo que realice.

Por todo esto, no creo que yo haya sido una persona beneficiada. He sido, en todo caso, una persona que ha trabajado de acuerdo con las normas impuestas por el Ministerio, al igual que lo han hecho otras muchas gentes a mayor escala que yo.

J.L.A.—*Me parece que lo que estás diciendo clarifica la orientación y la selección realizada en el teatro de nuestro país por los organismos competentes. Si el que, dados los escasos presupuestos a tal efecto, se eligiera únicamente un grupo redu-cido de personas para realizar lo que ellos pensaban que había* que hacerse desde el teatro en esos momentos, (en "estos" momentos), ello no os hace culpables...

M.C.—Yo no me siento culpable de nada.

J.L.A.—*Me estoy refiriendo a que desde una visión parcial puede parecer que unas cuantas personas habéis facilitado el que un tipo determinado de criterios hayan sido los que han mandado y mandan en nuestro teatro...*

M.C.—Mira, yo no sé qué criterios se han seguido exactamente. Lo único que puedo decirte es que yo, cada vez que entro en el despacho de un Director General (cosa que procuro hacer cada vez con menos frecuencia, porque me produce una gran irritación el tener que ir a entregar mi carta de presentación cada vez que nombran uno nuevo), bueno, pues cada vez que voy, me dicen que todo el mundo va allí a quejarse de la cantidad de ayudas que me han dado y que por consiguiente hay que ayudarme menos. Incluso un año me tuve que marchar a América porque no me concedieron ninguna ayuda y no tenía dinero. Al año regresé y entonces, por lo visto, ya se me había levantado la veda.

J.L.A.—*Es la pequeña y miserable lucha en que han recluido al mundo del teatro. La queja de lo que le han dado a uno o a otro, lo que le han dado —no hay que olvidarlo— del dinero del presupuesto de los españoles dedicado al teatro, pues el dinero no llueve del cielo ni es de ningún mecenas, en cuyo caso allá él. Pero es que resulta además de esos criterios de clasificación están llevando el teatro hacia donde los que "dan el dinero" desean llevarlo.*

M.C.—También es que hay un problema de desconocimiento general de quiénes somos cada uno. Evidentemente, a los que hemos hecho más cosas se nos conoce un poco más y, por lo menos, tienen unos mínimos de garantía que les sirven, y te ayudan porque ya saben poco más o menos lo que lo vas a hacer. Es por esto por lo que te decía que en esos puestos debería haber gentes que conociesen profundamente esta profesión. Un señor que viene de fuera no sabe nada de nada, y entonces le da dinero únicamente a la figura más conocida, a la del "luminoso", claro.

El futuro del teatro en España

J.L.A.—*Has tocado otro de los grandes problemas del teatro español al hablar de los conocidos y los no conocidos, de los que "son", y de los que "no son". Si no hay ni dinero ni interés en proteger la industria teatral ya creada, ¿de dónde se va a sacar interés en promocionar una nueva gente de teatro? Y no te hablo ya sólo de toda nuestra generación, ni del sufrido y machacado teatro independiente español, sino de toda una gente nueva que llega al teatro, que tiene la vocación de integrarse en este campo artístico. ¿Quién la protege? ¿A quién le interesa cuidar todo lo que se llamaría "cantera" en términos deportivos?*

M.C.—Para eso debería haber diferentes cauces y sitios. Yo creo que en el Teatro Español debería trabajar una determinada gente, en el Bellas Artes otra, y en la Sala Olimpia otra. Y toda esa gente debe tener una ayuda por parte de la Administración. Y además, así sabríamos que el teatro clásico se hace en un sitio, el experimental en otro, etc.

J.L.A.—*Yo creo que el nacimiento de ese nuevo teatro, de esos nuevos creadores, está frenado no sólo por la inercia negativa y por la Administración, sino también (lo que es peor) por los profesionales que tienen el dominio real del teatro español. Es una guerra que se está desarrollando dentro del mundo teatral, en la cual tienen todas las armas en la mano los que, valga la redundancia, se han quedado a lo largo de todos estos años con ellas.*

M.C.—Fundamentalmente, yo creo que esta guerra se produce porque hay sólo una manta y además muy pequeña. Entonces, todo el mundo quiere arroparse con ella. Los que quieren entrar tiran de un lado, y los que están tiran de otro... Acabaremos rompiendo la manta.

J.L.A.—*Pero es que los que están debajo de la manta, siguiendo con el ejemplo, se han llegado a creer, con el "disfrute continuado" de la misma, que es suya. Y el teatro no es de nadie.*

M.C.—Lo que pasa es que nos estamos quedando sin manta y vamos a morirnos de frío.

131

J.L.A.—*Los que están siempre fuera de la manta, están más acostumbrados. Pero dejemos el juego de palabras. El asunto grave es si realmente estamos haciendo algo por el teatro o nos lo estamos cargando entre todos. Y hablo sobre todo del teatro que queremos para el futuro, y no de una continuación de lo que vamos heredando de nuestro triste reciente pasado.*

M.C.—Pienso que en este terreno fundamentalmente nos harían falta un par de cosas: la primera, trabajar; y, en segundo lugar, respetar el trabajo de los demás. Creo también que hay un exceso de amor propio y creo que el amor propio es lo opuesto al amor verdadero, al respeto, al amor a los demás. Creo que se debería respetar más la parcela de cada uno. Y luego esa parcela debería ser regada por distinta agua, o mejor dicho, con distinta cantidad de agua, pues no necesitan la misma cantidad de agua un cactus que una orquídea.

J.L.A.—*Y desde el punto de vista de la creación artística, ¿hacia dónde crees que camina el teatro de nuestro tiempo? ¿coinciden las líneas generales del actual teatro español con las modernas corrientes del teatro europeo y americano?...*

M.C.—Yo creo que aquí todavía estamos a gatas. Nos pasa como con el momento social que estamos viviendo. Si el teatro es el reflejo de la sociedad en que se vive, al estar viviendo en una sociedad desordenada, que no sabe muy bien ni de dónde viene... (aunque de dónde venimos sí que lo sabemos)... Lo que no sabemos es adónde vamos ni por dónde tenemos que ir... Al teatro le ocurre lo mismo. Sabemos de dónde viene el teatro que tenemos, pero, al haberse producido una ruptura en la continuidad, ahora no tenemos idea de por dónde tirar. Luego, por otro lado, hay que tener en cuenta que nuestra formación es bastante deficiente; para qué nos vamos a engañar. Nadie tiene aquí una educación maravillosa. La gente de teatro no es una gente muy cultivada...

J.L.A.—*¿Crees que uno de los problemas básicos de nuestra gente de teatro es, pues, un problema de falta de nivel cultural y artístico?*

M.C.—Sí, sí. Creo que deberíamos tener una mayor educación en todos los sentidos.

132

J.L.A.—*Cuando tú hablas de ese pasado reciente tan negativo que hemos tenido, del cual venimos, ¿crees que existen unas raíces en nuestro teatro que deberíamos tratar de recuperar, o lo que tenemos que hacer es tratar de copiar lo que se está haciendo en otros lugares con éxito?*

M.C.—Pienso que el teatro de cualquier país tiene unas raíces y una historia. Yo no pienso por eso que haya que seguir la tradición, pero al menos debemos conocerla, para, a partir de ahí, hacer cada uno lo que crea más conveniente.

J.L.A.—*Tocando los problemas del teatro español comercial actual, ¿no crees que deberíamos hablar de uno de los más importes: la falta de sinceridad y autenticidad en lo que se hace? ¿No crees que en el teatro que se está haciendo actualmente —y hablo de ese teatro comercial más importante, al que nos estamos refiriendo—, detrás de la palabra "cultural", hay una gran dosis de inautenticidad, de utilización del término "cultural" en un sentido de mercancía vendible?*

M.C.—Yo te puedo hablar de las gentes que trabajan conmigo. Creo que a esa gente no les ocurre. Se produce siempre por todos una gran entrega. En lo que a mí respecta, yo siempre digo que esto del teatro para mí es un destino más que una vocación, y yo me entrego totalmente a él. No creo que en mis espectáculos, los actores trabajen de mentira, ni exteriormente. Por otra parte, el actor español sigue estando sometido al régimen de las dos funciones, y es lógico que unas salgan más deterioradas que otras. No se puede generalizar en este sentido. Hay actores más responsables y actores menos responsables. Pero retomando tu pregunta, yo creo que esa especie de cinismo con que se afronta a veces este trabajo viene por otras cosas. Dentro de lo que es el "teatro cultural" hay mucha gente a la que lo único que le interesa es la supuesta tapadera de la cultura con la que se está aderezando determinado producto, cuando lo único que se está haciendo es utilizar el esnobismo de los demás.

J.L.A.—*Y todo ello regado y aderezado desde la Administración...*

133

M.C.—Claro. Fíjate que durante estos últimos años, realmente lo que hemos hecho ha sido lo que la Administración quería. Llegaba un señor y decía: "a mí me gustan los autores del norte de Europa", "eso es la cultura", y todo el mundo a montar autores del norte porque era para lo que daban el dinero.

J.L.A.—*Y te ves dando "lo que se entiende por cultura", sin tener asumido qué estás haciendo y por qué...*

M.C.—Te ves montando un Ibsen, cuando a lo mejor a ti no te gusta Ibsen, pero lo haces porque es tu coartada para conseguir la subvención que necesitas.

J.L.A.—*En este sentido es en el que creo que hay que tener cuidado con la palabra "cultura". Ibsen te puede gustar o no...*

M.C.—Lo que corresponde a un hombre culto es conocer a Ibsen, y luego saber si se identifica con su teatro o no. Si no se identifica no debe tocarlo. Aunque, de todas formas, yo creo que también un camino para ese conocimiento es tocarlo todo. A lo mejor tocas algo con las zarpas y lo rompes, eso sí, pero creo que la única forma para saberlo es hacerlo. Si estás seguro de que eso no va a ir bien, entonces se necesita la suficiente honradez para no meterte a hacer aquello para lo que no estás preparado.

Teatros estatales, teatros comerciales.

J.L.A.—*Como persona representativa de lo que estamos llamando el teatro "comercial-cultural" de nuestro país, ¿qué diferencias básicas ves de planteamiento entre este tipo de teatro y el que emana de los teatros estatales?*

M.C.—Para mí esto de llamr al teatro "comercial" o "no comercial" es una catástrofe. Lo que debería ocurrir es que todos los teatros estuvieran llenos. Todo esto además es una coña, porque si dices o aceptas que el teatro viene dirigido por la Administración (yo he estado viendo teatro en la URSS y allí los teatros están llenos de un público que está obligado a ver los espectáculos que el poder quiere que vean, y esto tampoco sirve), ocurre como

134

aquí en estos momentos, que estamos viviendo la falacia de que los teatros nacionales y municipales funcionan bien, ya que están llenando, cuando lo que ocurre es que están trabajando a unos precios muy por debajo de los normales, con reducciones para colegios, etc. Así, te encuentras el teatro lleno muchas veces, pero de niños que no entienden lo que están viendo ni se enteran de nada. Si esa función la hubieran puesto en otro teatro hubiesen ido diez personas, sin la cobertura y el entramado que les da el aparato del poder. Cuando tú hablas de teatro "comercial" yo te digo que a mí me daría igual que el teatro estuviera protegido de una manera u otra, siempre que no estuviera protegido de una manera dictatorial. A mí me daría igual que fuera una estructura capitalista o una estructura socialista, siempre y cuando lo que se estuviese defendiendo fueran unos intereses culturales, cosa que no ocurre en estos momentos en que todo está confundido.

J.L.A.—*Una y otra vez nos surge en la conversación, por un lado, la necesidad de que la intervención de la Administración sea positiva, y, por otro lado, que mediante ella se defiendan unos "intereses culturales". Me gustaría que trataras de aclarar un poco más qué son para ti estos intereses culturales, es decir, qué es lo que tú tratarías de hacer si contaras con esos medios lógicos necesarios para poder desarrollar plenamente tu trabajo.*

M.C.—Me encantaría que eso sucediera alguna vez. Lo que más me gustaría es tener un teatro con un escenario en condiciones para poder hacer todo tipo de funciones. Y luego, claro, tener una compañía estable, pero lo primero es el teatro, que no puede haber compañía estable sin teatro.

J.L.A.—*Supongamos que tienes ese teatro, y una compañía estable, con un plazo mínimo fijado de cinco años para poder desarrollar tu trabajo. ¿Por dónde empezarías?*

M.C.—Trataría, después de acondicionar el teatro adecuadamente, de rodearme de un equipo de colaboradores, tanto a nivel artístico como de producción para ver de qué forma podíamos conseguir que aquello funcionase durante el mayor tiempo posible, y, finalmente, trataría de rodearme de un grupo de actores lo más homogéneos posibles —dentro de la dificultad que eso entraña en nuestro país—, y me rodearía de un par de directores más con los que me pudiera comunicar y repartir esos actores que tengo.

J.L.A.—*¿Y en cuanto a los autores?*

M.C.—Fundamentalmente trataría de encontrar lo que antiguamente se llamaba "los autores de la casa". Gente que escribiera obras para esta compañía, obras que trataría de mantener en repertorio. Pero todo esto es muy difícil, casi imposible, salvo en el caso quizás, de que todos estuvieran muy bien pagados... ¡para que los actores se comprometan a estar en una sola compañía...! Les vienen películas, o televisión..., y se van. Entonces tienes que empezar con gente más joven; que luego rápidamente el medio ambiente se encarga de contaminar, y finalmente estás en las mismas.

J.L.A.—*¿Estás hablando de una estructura en parte parecida a la del Lliure de Barcelona, pero basada en una pirámide empresarial? Y te hablo del Lliure como referencia, porque seguramente ha sido en este terreno el proyecto más interesante realizado en España en los últimos años...*

M.C.—A mí la estructura que me gusta es la de la Royal Shakespeare Company. En cuanto a la estructura del Lliure te diré, que aunque me parece bien, creo que debería de hacerse con gentes de un nivel artístico más desarrollado. No quiero decir ni mejores ni peores, sino que al trabajar siempre con gente joven —y con esto no quiero caer tampoco en la defensa de los tratamientos naturalistas de los espectáculos—, pues siempre tienes que hacer unos repartos que te configuran los espectáculos dentro de un estilo "amateur", y no tiene por qué ser así.

En busca de una poética de creador

J.L.A.—*Cambiando de tema, y metiéndonos ya en los terrenos de la creación artística, yo te he oído decir que tus montajes hasta ahora han significado para ti como una especie de examen, algo así como unas asignaturas pendientes que tenías que aprobar en tu primera época como director, para poder aprender*

136

mientras trabajabas. Sobre eso me gustaría que me contestaras a varios temas: ¿qué es lo que has aprendido en esos espectáculos?, ¿cuál es tu posición artística en estos momentos? ¿te consideras ya un creador, o un hombre que sigue tratando de aprobar asignaturas atrasadas dejando para después otras etapas?

M.C.—Creo que lo que fundamentalmente he aprendido con mis espectáculos es a trabajar, la profesión, lo que es el teatro, con lo bueno y lo malo que tiene su ambiente, lo que es un actor, etc. Luego, al montar a diversos autores he aprendido quién es cada uno. Al margen de la estética propia que yo tenga, o pueda tener con los años, creo que he aprendido a respetar la estética propia de cada autor.

J.L.A.—¿Con qué tipo de teatro del que se realiza en nuestro país te identificas más?, y concretamente, ¿qué director de los existentes está más cerca de tu línea de trabajo? ¿Si tuvieras que elegir, según tus gustos y criterio artístico, a un director español, a quién elegirías?

M.C.—A José Luis Alonso.

(Se está refiriendo al actual director del Teatro María Guerrero de Madrid, llamado ahora Centro Dramático Nacional, y no al firmante de esta entrevista, cuya coincidencia de nombres quiso el hado.)

Yo no había trabajado nunca con él hasta **La gata sobre el tejado de cinc caliente** y **Panorama desde el puente**, obras que él dirigía y yo llevaba la producción. Bueno, al trabajar con él —lógicamente yo había visto antes muchos espectáculos suyos—, encontré en su forma de trabajar algo que me deslumbró, y de cuyo deslumbramiento todavía no he salido. No es que yo me considere un discípulo suyo en el total sentido del término, ya que en **Equus**, por ejemplo, yo habría tenido en todo caso como maestro a Adolfo Marsillach, pero sí que puedo admitir que me he sentido influenciado por José Luis Alonso en mis últimos montajes. De alguna forma, me parece el más honrado de los directores. No porque tenga un mayor o menor respeto al texto, sino porque tiene una humildad de planteamientos que, puede que sea cierto o no, yo he llegado a creerme. En unos momentos como éstos en que todo es tan falso, y que todo está dominado por unas corrientes tan snobs, estamos necesitados de una cura de humildad, y yo quizá me he dejado llevar por esa corriente de humildad. También creo que tengo que salir de eso y que necesito empezar a trabajar de otra manera. Tampoco quiero decir con esto que José Luis sea el único director que admire. Yo te he hablado a veces de que los montajes de Albert Boadella me han entusiasmado siempre, y además, en mi etapa de productor, yo he trabajado con la práctica totalidad de los directores españoles.

J.L.A.—*Estamos hablando de lo que aprendes tú, pero háblanos ahora de lo que crees que están siendo tus aportaciones...*

M.C.—Te hablaba antes de un proceso de humildad, y eso es real. Yo, en general, me siento una persona poco dotada para enseñar. Yo he aprendido de una forma totalmente autodidacta, y me da miedo pensar que yo tenga la obligación de enseñar algo a alguien. En todo caso, el que quiera aprender algo de mí, lo mejor que puede hacer es ver mis espectáculos. En todo caso, te repito que me considero mejor alumno que profesor.

J.L.A.—*Y en todo este proceso del trabajo teatral y sus resultados en el campo de la creatividad, ¿qué opinas en líneas generales de nuestros actores?, ¿te aportan en tu trabajo con ellos o ves un bache similar en ellos a los del resto de los participantes en el hecho teatral?*

M.C.—Con los actores es otra vez el mismo problema. El actor en España es un autodidacta, y eso es terrible. No se puede tener una profesión seria en la que no se ha empezado aprendiendo el A,B,C. La gente tiene un talento natural, pero somos demasiado dados al autodidactismo. Es cierto que se producen grandes talentos entre nosotros pero el término medio, que es lo más importante, es de una terrible mediocridad. Y mucho más patético aún es que ni siquiera tienen un control de sus propias posibilidades, ni un mínimo conocimiento de las condiciones reales de su talento, ni una administración del mismo. Se sigue a base de intuición, y a veces se tienen resultados buenos, pero sin una base sólida, y yo creo que deberíamos empezar por ahí todos, poniéndonos a estudiar.

Sobre la necesidad de una dramaturgia nacional

J.L.A.—*Hemos dejado para el final uno de los temas más espinosos de nuestro teatro actual: el de nuestros autores dramáticos, y hablo básicamente de los nuevos, claro está. Yo sé que tú estás interesado por el fenómeno; por eso quiero que me aclares cómo ves el problema.*

M.C.—A mí con el nuevo autor español me pasa una cosa terrorífica, y es que sus obras no me llegan. No sé si es un problema de timidez por parte de ellos, o por lo que sea. El caso es que me llegan unas funciones que desde luego no son las del nuevo autor español, que son sólo de aficionados, y que son horrendas. Las funciones interesantes, que innegablemente tienen que existir, no me llegan. Yo trato de que me lleguen, incluso trato de buscarlas, pero...

J.L.A.—*Creo que el problema lo planteas mal. Eso de que un autor escriba una obra y tenga que ir dándosela a unos y a otros a ver si a alguno os gusta... ¿no crees que se deberían encontrar unas fórmulas más apropiadas y lógicas de comunicación entre los autores y los directores y productores? ¿no crees que deberían existir otros cauces que ir con la fotocopia debajo del brazo de puerta en puerta?*

M.C.—Un intento cercano de hacer lo que dices fue cuando se planeó hacer del Teatro Bellas Artes, del Centro Dramático, un centro de experimentación de nuevos autores. Luego pasó lo que pasó...

J.L.A.—*Como tantas otras veces. Sí, evidentemente, no hay ningún interés dentro de los cauces más oficiales (digamos Centro Dramático Nacional, o Teatros Municipales) por el nuevo teatro español. Pero además, yo hablo ahora de vosotros, las personas que como tú tienen poder y posibilidades dentro del teatro en España, y que, pienso, vuestro interés no pasa de una charla de buenos propósitos generalmente sobre este problema, para mí básico, de nuestro teatro. Y no digo que si en un momento determinado descubrís esa "gran obra" no lo hagáis... pero esa búsqueda es falsa. No hay grandes obras porque sí. El procedimiento*

139

debería ser otro. Igual que tú dices que estás aprendiendo mientras diriges, y que tu propio trabajo te está formando como director... ¿Por qué negarle ese derecho al autor?

M.C.— Ya te he dicho que para mí debería haber un campo de experimentación para los autores, ya que si no estrenan, evidentemente nunca llegarán a ser autores, y se quedarán sólo en unos diletantes, en unos señores que escriben cosas para ellos, carentes de interés y de capacidad de comunicación con el público. Evidentemente, yo he aprendido en los años de profesión precisamente eso: la profesión. A los autores les debe pasar igual. Aunque eso no creo que sea una tarea de la empresa privada. Yo creo que eso depende de la Administración. Lo que sí te puedo decir es que si a mí me llega la Administración y me plantea el montar en cualquier teatro una obra de un autor español desconocido, yo lo haría con absoluto amor y me entregaría totalmente. Ahora, creo que eso es una tarea de la Administración.

J.L.A.—*¿Pero tú crees que en la cabeza de los profesionales de las diversas áreas del teatro (productores, directores y actores) está situado, con toda su gravedad, el problema de la necesidad de un teatro de autores actuales, de un buen teatro español como base para sacar el teatro de la crisis en que se encuentra? ¿No crees que ante ese teatro que está acabando deberíamos tratar entre todos de ayudar a nacer de una vez al teatro que viene?*

M.C.—Sí, pero ya te digo que para mí es muy difícil contactar con esa gente joven. Normalmente esa gente tiene un gran recelo conmigo. Ellos piensan que yo estoy metido dentro de una estructura socio-político-comercial y que ya de entrada les voy a rechazar. Yo te puedo asegurar que yo no rechazo a nadie. Me llegan, evidentemente, una gran cantidad de obras, pero que no reúnen siquiera un mínimo de condiciones. Yo estoy dispuesto, en la misma medida que he trabajado con un Buero o con un Gala, a trabajar con un autor joven. Y como te decía antes, lo que más me gustaría es incorporar alguno de estos autores, tener autores "de la casa", y que lógicamente éstos sean de mi generación, es decir, gente joven, ya que yo soy, y además me considero, joven.

J.L.A.—*Pero el caso es que tú has estrenado dos obras de Antonio Gala y una de Buero Vallejo, y ninguna de un autor nuevo...*

M.C.—Es que es lo lógico dado que la economía en estos momentos es muy precaria. Tú sabes que con un Buero o un Gala tienes asegurada una mínima cobertura económica. Tienes asegurados los riesgos mínimos. Si estrenas a un autor desconocido, no. Este es uno de los grandes males del teatro en España, y no sólo a nivel de autores, lo que hablábamos antes de "lo conocido" y "lo no conocido". Por un lado hay unos productos acreditados desde hace un montón de años, que están perfectamente publicitados, y por otro los nuevos, que no hay forma de acreditarlos, por el hecho de serlo...

J.L.A.—*Al margen de su calidad real, o de sus posibilidades...*

M.C.—Sí, sí. Sólo por el hecho de ser "nuevo". En este sentido la televisión es otro ejemplo clarísimo de lo que pasa en nuestro país. En resumen, y volviendo a los autores, tú tienes mucha más ayuda si estrenas a un autor famoso que si lo haces con uno que no lo es, cuando lógicamente debería ocurrir lo contrario. Y así ocurre lo que ocurre, que normalmente se tiene uno que pasar quince años de su vida para que se enteren de quién eres, y cuando esto sucede, ¡si es que llega a suceder!, estás ya amargado y sin ganas de hacer nada.

J.L. ALONSO DE SANTOS

FERMIN CABAL.—*El último año, con el estreno de* **La estanquera** *y la publicación de varias de sus obras, y el reciente premio a la que ahora publicamos, ha sido particularmente intenso para José Luis. Por ahí empezamos hablando.*

J.L. ALONSO DE SANTOS.—No creo que haya sido un año diferente a los anteriores. Lo que pasa es que quizá la acumulación de trabajos de años anteriores ahora haya dado un resultado. De todas formas sí es cierto que mi forma de escribir se ha modificado. Yo soy un eterno aprendiz y, quizá por eso, cuando he sentido que empezaba a dominar el tipo de teatro que estaba haciendo, me ha interesado irme a otro. Es un poco como andar explorando una mina; uno anda por las galerías a ver dónde está el oro, y ves que hay oro en varios sitios, pero uno quiere encontrar la veta más rica, allí donde puede aportar algo significativo. En ese sentido mi última obra, **El álbum familiar,** rompe un poco con mi trabajo anterior, explora una veta nueva. Pero, en cambio, la obra que preparo a continuación, gracias a esa beca del Ministerio de Cultura, y que se titula **El demonio, el mundo y mi carne**, podría incluirse perfectamente en mi teatro anterior, tiene mucho de **Don Carnal y doña Cuaresma,** un teatro más basado en la frase, en la construcción lingüística, en los modelos del Siglo de Oro. No obstante, algo ha cambiado en mí como escritor; el tipo de cosas que quiero escribir, una atención mayor por la imagen, también por los elementos dramáticos... Tengo una tercera obra en la cabeza...

F.C.—*Pareces estar en un momento de efervescencia creadora... ¿Es normal en ti tener tantas cosas en la cabeza?*

143

J.L.A.—Hay épocas. Epocas en que mi actividad se centra más en aspectos teatrales prácticos, como director, como profesor de actores… y épocas en que necesito escribir. Para mí el trabajo en el teatro es un intento de dar una respuesta poética a la angustia. A veces, esta respuesta se concreta en la escena, ensayando con los actores, con los alumnos en clase… Es una respuesta más activa. Pero otras veces uno necesita una respuesta más lenta, más matizada, estudiada, elaborada… Estoy pasando por uno de esos momentos y por eso necesito responder escribiendo, surge en mí como una necesidad.

F.C.—*¿Hasta qué punto influyen en esa efervescencia factores externos como pueda ser un mayor interés de la profesión por los autores españoles? ¿Existe realmente ese interés?*

J.L.A.—Uno trata de ver en qué puede aportar cosas interesantes y significativas. De repente he notado una demanda profesional mucho mayor que la que he tenido hasta ahora y, naturalmente, tengo ganas de comprobar si esa demanda ha sido una casualidad o responde a algo real. Me doy cuenta de que he tenido una gran suerte, porque es bien cierto que después de unos años durísimos en que el autor ha sido marginado, vuelve ahora a haber una demanda de nuevos textos, quizá por moda, quizá porque el filón de lo anterior se agota y se busca en otros sitios, pero es un hecho. El problema puede estar en que cualquiera es autor, cualquiera puede escribir una obra de teatro. Hay una cosa curiosa en esto del teatro, lo veo en los autores y también en los actores, y es que se considera un mundo de sensibilidad donde ése es precisamente el requisito, único mínimo a cumplir sin una gran exigencia técnica, como por ejemplo en la música, la pintura, etcétera… Todo el mundo se siente capacitado para subirse a un escenario o para escribir una obra de teatro. Y eso hace que el terreno entre autores de verdad y no autores sea completamente resbaladizo. No parece necesario un aprendizaje. Al menos no es imprescindible.

F.C.—*Parecería que el problema tradicional, la eterna queja de los autores noveles acerca de la dificultad de estrenar, viene a sustituirse por una facilidad peligrosa, pero lo cierto es que la mayoría de los éxitos de las últimas temporadas son de autores españoles no precisamente noveles. Porque no creo que pueda hablarse en esos términos de Marsillach o Fernán Gómez, y mucho menos de Gala, de Buero, etc...*

J.L.A.—Es que precisamente por esa facilidad de escribir teatro se genera una desconfianza de las posibilidades de la gente que aparece nueva. Creo que una de las razones de un éxito como el de Fernando Fernán Gómez, por ejemplo, es que se llama Fernán Gómez. Está amparado por un nombre de prestigio reconocido, y es un hombre querido, interesante, aunque a veces haya hecho cosas espantosas... El caso es que sigue siendo difícil en el mundo del teatro promocionar nuevos nombres. Es como si estuviera completo el cupo. Como si los huecos estuvieran ya ocupados por otros. Esto también ocurre con los directores y los actores. Supongo que hay épocas en que se cubren los carteles, lo que quiere decir que hay un cambio de personas y hay que estar entre los nuevos nombres, y si no estás es muy difícil después...

F.C.—*Y si la época actual es de cambio de cartel, ¿qué perspectivas ves para los autores más jóvenes?*

J.L.A.—De entrada te diré que escribir teatro es fácil, pero escribir teatro bien es muy difícil. Como todas las cosas. Entre la gente que pinta cuadros y los cuadros que pasan luego a la historia de la pintura, hay una diferencia. Habría que distinguir entre la afición de escribir y escribir aportando cosas. La afición de escribir la puede tener mucha gente, pero de ahí a que aporte algo al teatro, a la historia, a la sociología, a la comunicación, a lo que sea... hay una distancia difícil de cubrir. Por otra parte, entre los autores españoles se ha dado durante mucho tiempo como moda la filosofía del fracaso. Ser autor, como ser pensador, escritor, poeta, era generalmente ser un hombre fracasado, porque el que triunfaba y el que llegaba y tal, era un poco el asimilado, etc. Hay polémicas famosas, en torno a todo esto. Y se camuflaba esa falta de reconocimiento social a tu trabajo, merecido o no, con estar en los cenáculos de los filósofos del fracaso. En cambio, ahora, creo que la gente nueva no está por este régimen de cosas. Eso de escribir para guardarlo en el cajón, que te digan que eres un autor marginado, maldito, etc., ya no da gusto. Es una recompensa un poco estúpida. Hoy, si escribes, necesitas un reconocimiento de tu trabajo.

F.C.—*En una mesa redonda con autores noveles que publicamos en* **Primer Acto** *hablabas de que hay dos vías para el acceso del autor a la profesionalidad: la literatura o el teatro. Y defendías, si no me equivoco, esta segunda posibilidad. ¿Te ha beneficiado mucho esta situación privilegiada de escribir desde dentro del teatro?*

J.L.A.—Pues sí. El estar dentro de la profesión teatral tiene varias vertientes positivas. Una, por supuesto, que puedes dar salida a tu trabajo de forma más directa, conoces a la gente, la gente te conoce a ti, estás por tanto en el meollo de la cuestión. Y otra es que estás conectado con el lenguaje específico del teatro, sabes de qué va la cosa, lo que les lleva mucho tiempo, a veces todo el de que disponen, a los que llegan de fuera. Comprendo que esto es duro de aceptar para los que empiezan, pero para mí es claro. Si yo me tuviera que definir sobre qué hago yo en el teatro, diría que empecé a trabajar en el teatro para usarlo como unas gafas que me permitieran relacionarme con la realidad, protegerme de su luminosidad. Porque la realidad es tan compleja, tan distorsionada, tan brillante, tan caótica... que directamente no podía con ella. Ante este caos de vivir, el teatro lo he puesto como intermedio entre la realidad y yo. Y al cabo de muchos años, todas esas cosas que he ido estudiando, leyendo, aprendiendo, han ido haciendo crecer esas gafas. ¿Por qué he estudiado psicología? Porque en el teatro me encontraba con aspectos profundos del ser humano que me llenaban de curiosidad, de sorpresa... y tenía que entenderlos. No es que haya comprendido mucho, la verdad, pero quiero señalar esa intención. Constantemente estoy tratando de incorporar a mi baúl teatral elementos... Por eso creo que es muy distinto un escritor que llega desde fuera, desde una problemática exclusivamente literaria, a uno que vive el teatro, como actor, como director, como lo que sea, y que por tanto está conectado con esa nueva realidad de la escena, o mejor dicho, con esa forma artística específica a través de la cual él se comunica con la realidad.

146

F.C.—*Llevas más de veinte años en esa profesión teatral y sólo siete como escritor dramático. ¿Es tu caso también el de una vocación tardía o te planteabas ya en los comienzos el papel de autor?*

J.L.A.—Yo llego al teatro como una huida del personaje. Elijo un medio artístico que me permite no ser un personaje. Es decir, si interpreto personajes no soy un personaje: soy una persona que hace personajes. Pero descubro después que mi trabajo como actor no me deja satisfecho. No creo que fuera mal actor, pero tampoco era lo suficientemente bueno como para crear personajes. Eso sí, aprendí muchas cosas del teatro como actor, y es algo que todavía me interesa, me divierte y quiero seguir trabajando como actor, pero necesitaba ir más lejos. Me planteo entonces la dirección. Porque la dirección puede romper más ese status del personaje, porque manejas personajes, estás ordenando con un abanico de posibilidades mucho más amplio. Durante diez o doce años he trabajado en el teatro desde ese lugar y al final veo que hay todavía un escalón superior, más rico, más abstracto, más complejo... Hablo de mí, por supuesto, supongo que habrá otra gente que lo que yo he descubierto como autor lo habrá descubierto como actor... Digamos que he ido pasando de un grado de abstracción a otro cada vez mayor hasta llegar al autor, buscando un poco la construcción de la estructura desde sus orígenes. Como actor ya encontraba mucho construido, como director también y como autor estoy más en los orígenes, siento que elimino más esa sensación, que hay en mí y que odio, de ser un personaje. No quiero ser un personaje. Quiero ser una persona que construye personajes.

F.C.—*Pero el personaje no es un patrimonio exclusivo del teatro. Los hay en la novela, en el cine, en la danza, incluso, ¿por qué el teatro precisamente?*

J.L.A.—El teatro, en esa investigación sobre lo que nos rodea, es el laboratorio más inmediato, que permite una comunicación más directa. De todos los medios artísticos es el más inmediato y el más imposible. Creo que hacer teatro bien es una pretensión imposible. Una de las cosas a que tiene que acostumbrarse el que hace teatro es al fracaso constante. En el intento de construir realidad ahí, realidad-realidad, no como el cine, realidad sobre el escenario, se está eternamente condenado al fracaso. El único espectáculo absolutamente real que existe es la vida. Es un intento prometeico, absurdo, el intentar "crear" una realidad diferente a ella con sus propias reglas. Y ese carácter imposible es lo que más me tienta del teatro. Todos los que participan en el proceso artístico del teatro tienen que sufrir luego, al verlo desde fuera, la frustración de que no ha salido. ¡No puede salir nunca!... Y también, la verdad, me imagino que en mi dedicación al teatro habrá influido el azar. Uno se mete en el teatro porque hay otros que están allí y conectas y se va liando la cosa. Supongo que si me hubiera dedicado desde pequeño a las regatas, hubiera terminado por hacer cosas en ese medio. Pero lo principal, creo, son los factores de personalidad que te llevan a tu "terreno". El teatro tiene esa capacidad de comunicación inmediata, aquí y ahora, que no la posee la pintura, ni el cine... Y eso me atrae mucho.

F.C.—*En esto de la gente con la que uno conecta me llama la atención un hecho curioso: la coincidencia de edad de un buen número de gentes que en estos momentos formáis la última promoción profesional. Es como si de pronto se hubieran dado las condiciones óptimas para la siembra... ¿Hasta qué punto te ha influido el contacto con tu grupo generacional? ¿Qué hay de azar en todo esto?*

J.L.A.—La casualidad, el azar,... debe ser el azar. Llegas en un momento oportuno o no llegas. Es como una planta: germina o no germina. En ese aspecto he tenido una gran suerte, porque llegué al teatro español en un momento en que se estaba dando un recambio generacional, que aún no ha terminado porque a quienes vamos a recambiar se resisten, y hacen bien... Se estaba formando una generación de recambio y el azar quiso que yo estuviera dentro. Eran los años del TEM, de los comienzos del teatro independiente... El haber llegado en ese momento y no siete u ocho años más tarde ha sido determinante. Prueba de ello es que la gente que en aquellos primeros momentos se integró en los grupos es la que constituye ahora la vanguardia renovadora del

148

teatro español. Hay diez o doce personas muy significativas en nuestro teatro que parten de ese momento, pongo por ejemplo a José Carlos Plaza, Margallo, Angel Facio, tú mismo, Gloria Muñoz, Santiago Ramos, Alberto Miralles, Boadella, Carlos Sánchez, Joan Font Malonda, Matilla, Llopis, Paca Ojea, Jesús Sastre, Luis Vera... hablo de actores, autores, directores, todo un poco mezclado, que también eso ha sido característico de esa época... Gente que oscila entre los treinta y tantos y los cuarenta y tantos años, diez años más o menos que integran a un grupo de gente con muchas afinidades... Todos han pasado por el teatro independiente en un momento determinado de la vida y han participado y participan de concepciones cooperativistas, democráticas, abiertas... gente con gran curiosidad, con ideales políticos y humanos que suponen una cierta ruptura con lo anterior perfectamente detectable, y todo dentro de una gama muy amplia de estéticas... Pero con planteamientos claramente distintos de los que se pueden haber hecho gentes de la generación anterior.

F.C.—*Supongo que junto a estas influencias de la gente que estaba a tu lado por razones de edad, habrás tenido otras de gente más mayor que hayan ejercido un poco de maestros... Pienso en un William Layton, por ejemplo, al que es obligado referirse...*

J.L.A.—Sí, los profesores que encontré en aquellos años en el TEM... Es curioso, porque a lo largo de mi vida he seguido en contacto con ellos y no he cerrado ese proceso de aprendizaje... En el TEM y en otros sitios, como por ejemplo a Monleón, al que conocí en el Centro Dramático N.º 1, que había montado por entonces... Yo citaría a muy pocos, y además eran así todos gente que no estaba haciendo teatro... Somos una generación que no ha aprendido de los que estaban haciendo teatro, porque íbamos en contra de ellos... Casi lo primero que supimos es que teníamos que romper con aquello, no nos gustaba lo que hacían... Por tanto, nuestros profesores no podían ser los que tenían un poder teatral directo... Entre estos profesores hay que destacar a Layton, que indiscutiblemente ha tenido una gran influencia en la mayoría de nosotros, y a Monleón, desde luego... Y también a Domenech, a Maruja López, a Miguel Narros... gente con la que

149

aprendí cosas en el TEM y de la que, a lo largo de mi vida, he seguido cerca... Lo que pasa es que el teatro es tan amplio que se le come todo, como un gran pozo... Noto que los caminos se quedan cortos siempre; por ejemplo Layton, uno de los hombres más interesantes que he conocido en mi vida: después de estar media docena de años a su lado, tuve necesidad de irme a estudiar justamente todo lo contrario, cosas que me aportaran nuevas dimensiones de la realidad, porque de alguna forma los aprendizajes de una técnica limitan el conocimiento de la realidad, y mi instinto me ha pedido siempre salir corriendo a estudiar otra técnica que cuestione la técnica aprendida.

F.C.—*Esto que dices me hace pensar en una constante de todo este grupo generacional al que te refieres, que tiene algo para mí preocupante, y es precisamente ese autodidactismo esencial. Es gente que debe, en general, más a sus iguales, a sus compañeros de trabajo, que a otra cosa... Esto tendrá aspectos positivos, sin duda, pero me pregunto si no habrá que pagar un precio... Cuando se habla de matar al padre y esas frases... me hace gracia... Tengo la sensación de que hemos nacido bastante huérfanos...*

J.L.A.—Sí, sí, entiendo lo que dices... Quizá haya sido inevitable... El teatro independiente, al romper tan radicalmente con lo que había, nos colocó a una serie de gente en una postura muy incómoda, nos convirtió en líderes de una forma excesivamente rápida, sin unos modelos... sin unos profesores directos... porque estos que estamos diciendo era profesores de clase, y los que íbamos en las camionetas, los que hacíamos el teatro, éramos nosotros... Tengo la sensación, por una parte, de haber crecido excesivamente deprisa y, por otra, de haber crecido excesivamente despacio. De repente tuve que dar la imagen de que sabía mucho antes de saber... Bueno, esto de saber,... todavía no sé nada, pero ya me defiendo un poco mejor... Es decir, tuve que asumir un papel de líder y de maestro y todo eso, cuando aún no estaba preparado. Porque había una exigencia de cambio y nos vimos obligados a ocupar ese lugar. Creo que esto le ha pasado a toda esa gente que he citado, a ti, a Margallo, a Boadella, a Facio, a José Carlos... Estoy de acuerdo contigo; aunque supongo que nos ha dado ciertas ventajas, ha tenido para nosotros muchos inconvenientes.

F.C.—*Creo que nadie va a discutir que existen profundas afinidades sociológicas, de edad, ideológicas incluso, entre la gente que estuvo en el teatro independiente, pero en los aspectos estéticos la cosa parece más ambigua. ¿Crees que puede hablarse de afinidades estéticas también? ¿De qué forma te ha afectado esa posible "estética del independiente"?*

J.L.A.—Creo que ha habido una estética condicionada por los medios, por el tipo de público, por la intención del trabajo que íbamos a realizar y por un intento desesperado por comunicarse. Creo que cuando la gente hace espectáculos para la Bienal de Venecia, su orientación es muy diferente de cuando los hace sabiendo que los va a tener que llevar de lugar en lugar... Creo que hemos adquirido una gran flexibilidad, al saber que teníamos que adaptarnos a la itinerancia, con unos medios muy limitados, con un gran desgaste humano... Ha sido un teatro muy poco monolítico, muy flexible, siempre atentos a ver de qué va la cosa. Por eso no han aparecido grandes cuerpos doctrinales. Hemos aprendido a partir de la experiencia, viendo lo que hacían los compañeros y yendo de La Ceca a La Meca... Y esos titubeos nos han enriquecido en parte y nos han limitado en otra. A lo mejor, de todo el teatro independiente sólo podrían rescatarse hoy diez o doce montajes, pero sería equivocado pensar por eso que ha sido un aprendizaje pobre. No lo creo. Porque han sido precisamente esos diez o doce montajes los que han marcado el punto de inflexión del teatro español más reciente.

F.C.—*Y tú, personalmente, en cuanto a tus modos como escritor, ¿qué le debes a esa estética del independiente?*

J.L.A.—Yo me puse en un momento determinado a escribir obras porque cuando teníamos que buscar textos para montar un espectáculo, nos volvíamos locos para encontrar uno satisfactorio, que se ajustara a nuestras condiciones, a nuestras intenciones, gustos, etc... y en un momento dado me planteé que lo más fácil era escribirlo directamente. Cuando escribí **¡Viva el duque, nuestro dueño!** quise expresar toda esa problemática, esa despro-

151

porción entre la voluntad y los hechos, ese andar dando vueltas como ciegos alrededor de una meta imposible. Ese tema que me inquietaba tanto, no lo encontraba y decidí escribirlo. Luego influyen otras cosas. En el curso de esos años, junto a la magia del teatro descubrí otra magia que ahora me tiene preso: la magia de la literatura. Junto a esa forma de descubrir la realidad que es el teatro, está esa otra forma que es la frase. Hoy me inquietan tanto la una como la otra... Hay que decir también que eran tiempos muy especiales, se acababa la dictadura, la muerte de Franco, parecía que todo era posible... No sé si eso influyó también en mi decisión de escribir. Me dije, ¿por qué no?

F.C.—*Es curioso esto, porque puede decirse que eres el último autor del franquismo... Según el registro de la Sociedad de Autores tu obra se estrenó precisamente el 19-N, la víspera del tránsito de Su Excelencia...*

J.L.A.—Me parece que habíamos hecho ya alguna representación oficiosa, pero sí, eran esas fechas... Empecé a escribir y como tuve algunas compensaciones he continuado haciéndolo. Esto de las compensaciones es fundamental. Si haces algo y no encuentras un apoyo social, de tus amigos, de tus compañeros o de alguien, la resistencia a la frustración tiene que ser enorme para seguir escribiendo y escribiendo para nadie. No entiendo eso de escribir para el futuro. Me parece un chiste. Uno escribe para ahora y notas que lo que estás haciendo interesa, tiene un resultado... Es como el panadero, que hace panes y al día siguiente se los come alguien. Hacer panes y guardarlos en el armario para el día de mañana es algo...

F.C.—*Ese tema de la utilidad, de esa cosa inútil que es el teatro, está muy presente en tus primeras obras. La compañía de cómicos que ensaya fatigosamente una obra en la esperanza de que algún día conseguirán representarla ante el duque... Hay algo en todo esto de autobiográfico, quiero decir que los materiales de los que partes están situados en tu entorno más inmediato, entroncado con lo que te está pasando...*

J.L.A.—Es que yo no puedo hacer algo si no estoy en ese momento, en esa vivencia. No sé trabajar de encargo, y si me

152

piden una obra que no responde a una necesidad de comunicación interna, no puedo hacerla. Yo hago teatro para dar una respuesta a una situación que me desborda y al menos al escribirlo o al dirigirlo la entiendo, lo digiero un poco. Al llevarla a una maqueta pequeñita la controlo mejor, puedo dominarla incluso. Por ejemplo, al escribir ¡**Viva el duque, nuestro dueño!**, toda esa situación en la que había vivido tantos años, y que me empezaba a desbordar, la enmaqueté, la controlé, y pude pasar a un estadio diferente. Tengo muchas veces la sensación de que en la vida vamos creciendo sin resolver, sin resolver, sin resolver, sin resolver. Se nos va quedando la infancia acumulada y tiene uno... yo tengo ya cuarenta años y es como si tuviera cuarenta años de infancia acumulada. No es que me haya hecho mayor... De repente noto que las cosas no están... Al pintar un cuadro, escribir un libro o hacer una obra de teatro, si lo haces como una respuesta a problemas tuyos, a la realidad que te rodea, esa respuesta artística te permite pasar al cuarto siguiente.

F.C.—*Es una forma, entonces, de intervenir en la realidad.*

J.L.A.—Es como un labrador ante el campo: da una respuesta a la realidad del campo diciendo si va a sembrar o no, si va a cambiar el producto, si va a venderlo... Mi campo es la relación de mi realidad con los conflictos sociales y los comportamientos humanos que me afectan y en ese campo yo trato de dar respuestas y de resolver de alguna forma esa angustia que la gente vive como lógica y que yo... Yo vivo siempre la realidad social, y la realidad humana que me rodea con cierto pasmo, y necesito dar una respuesta, porque no entiendo nada y no tengo la anestesia del sentido común... Sentido común no tengo, ¡qué le vamos a hacer!

F.C.—*Después del estreno de tu primera obra pasan cuatro años hasta que en el 79 estrenas la segunda,* **Del laberinto al treinta.** *¿No fue fácil el paso de director a autor? ¿Tuviste dudas?*

J.L.A.—Muchas. Después de **Viva el duque,** quise seguir escribiendo y empecé tres o cuatro obras que no me salieron. No me salieron. Y me cuestioné si podía seguir escribiendo o no. Y tardé mucho tiempo en volver a tener la necesidad de escribir... Durante ese tiempo me dediqué a dirigir. Y es que al estar dirigiendo, también estás escribiendo. La única diferencia es que cuando escribes, escribes con máquina o con pluma, y cuando escribes en escena, escribes con signos escénicos. No veo una diferencia tan grande entre mi oficio de director y mi oficio de escritor. Ahora estoy dirigiendo en la Escuela de Arte Dramático **El sueño de una noche de verano** y noto que estoy escribiendo con una luz, con un movimiento... Y cuando escribo en mi mesa, escribo con unos puntos, con manchas de tinta... Son formas diferentes de ordenar algo que no está ordenado...

F.C.—*Pero tú hablabas antes de que para ti el lugar del autor suponía un momento más abstracto de la práctica teatral, hablabas de la construcción del personaje, de la frase...*

J.L.A.—Sí, sí, es verdad, en ese sentido es otra cosa...

F.C.—*¿Cuáles eran, entonces, tus dudas como escritor durante esos años dilatados entre tu primer estreno y el segundo? ¿Dónde te sentías frenado?*

J.L.A.—Te voy a ser sincero, aunque pueda sonar un poco cínico. Yo en el teatro, tanto de actor como de director, no he tenido un gran respeto al medio. He visto que se podía trabajar y que la mayoría de mis compañeros que trabajaban, lo hacían con lo que podían y con lo que sabían. Sin embargo, la literatura... ¡Siempre me ha dado mucho respeto! No sé si por mi condición de lector, o más bien de relector, porque vuelvo una y otra vez sobre los textos que me interesan... Estoy muy impresionado por los grandes libros de la humanidad, por las grandes obras. Era un terreno que me daba un gran respeto. Y que ahora lo voy perdiendo... ¡qué mal suena esto, parece terrible!... Pero es verdad, antes lo veía más... No me preocupaba ser toda la vida actor, aunque no sirviera mucho para ello, o ser director, pero de repente ser escritor... me inquietaba. Debe ser porque hay miles de obras escritas en todos los estantes, ¡escribir una más! ¿para qué? Ahora estoy empezando a pensar que puede tener un sentido, hasta el punto de que pienso que, para mí, la madurez en mi vida teatral sería un poco abandonar todas esas historias de actor, y de director y de profesor de interpretación y todo eso, y dedicarme mucho más a escribir.

F.C.—*Volviendo al tema de la estética del teatro indepen-*
diente. Hay un elemento común en la mayor parte de aquellas
producciones, el toque humorístico... No es lo mismo el humor de
Margallo, o de Boadella, o de Facio... pero por distintas vías
terminan confluyendo en unos objetivos... son obras satíricas,
agresivas, muy críticas de la realidad que reflejan... Tus primeras
obras participan, para mí, de esto, **Viva el duque, Don Carnal**...
En **Del laberinto al treinta** *hay ya un cambio importante, y es que*
es una obra "actual", con una aproximación mucho más
realista,... porque éste es otro elemento característico de aquel
momento del teatro independiente: por razones obvias el aquí y
ahora había desaparecido de nuestros escenarios, había siempre
una distancia histórica o geográfica y esto era tan asfixiante que
provocaba en el espectador una lectura compulsivamente aproxi-
mativa, en fin, lo que quiero preguntarte es cómo has vivido ese
desplazamiento temático... hasta llegar a esta última obra **El**
álbum familiar, *donde esos elementos de la tradición del teatro*
independiente me parece que se desvanecen para dar lugar a una
obra mucho más madura, más profunda, poética...

J.L.A.—A mí me interesa muchísimo el teatro de humor. Y
es que yo creo que el espectador se sienta en la butaca a que le
den, y en el teatro de humor, aparte de un desgajamiento y una
lectura lúcida de la realidad, hay un afán de dar cariño, de dar
algo, de hacerle reír, divertirle, alegrarle una vida un poco dura
que lleva encima. Hemos estado haciendo chistes en épocas
terribles un poco para decir "ya que nos roban todo, que no nos
roben la alegría". Eramos gente de un campo de concentración
que tratábamos de pasarlo lo mejor posible y hacérselo pasar a los
demás, para que no se amargaran la vida, que bastante nos la han
amargado ya. Creo que una de las grandes luchas que he tenido en
la vida es esta lucha contra la amargura reinante. Pero quizá eso
haya pasado ya un poco... Soy optimista y creo que a pesar de
todas las circunstancias nefastas, el campo de concentración en el
que vivimos tiene las alambradas ahora con menos espinos, está
un poco más adecentado, y entonces hay como menos amargura y,
por tanto, menos necesidad de humor. Yo, si tuviera que hacer
teatro en un hospital lleno de gente con cáncer, sólo haría teatro

155

de humor. Alienarse y escaparse de una obsesión, y encontrar otras dimensiones a la realidad puede ser magnífico. No estoy de acuerdo con que haya que ir obligadamente a la búsqueda de la autenticidad, la sinceridad y el espejo de sí mismos, ¿qué es eso? A mí me ha dado siempre un poco de vergüenza eso de contarnos la vida unos a otros, he tenido cierta propensión a huir del teatro en serio por una especie de pudor... En **El álbum familiar** creo que es una de las primeras veces en mi vida que me he metido en este terreno, de decir "vamos a hablar sinceramente", pero en una dimensión poética, no de confesionario.

F.C.—*Entonces para ti el cambio de situación política es el determinante de un cambio en tu estilo como escritor... ¿A qué nuevas respuestas te obliga?*

J.L.A.—Hemos pasado del campo de concentración al laberinto. Hay una sensación de pérdida de las escalas de valores, de las metas, de la realidad, de las posibilidades del ser humano; se han mezclado las generaciones, las estéticas, las formas de vida, las psicologías... Fíjate, en psicología hay siete escuelas psicológicas que cada una tiene absoluta razón y dice cada una lo contrario sobre el ser humano que la otra... Estamos en un absoluto laberinto de espejos en el que hemos perdido la identidad. Al menos es como yo lo vivo. Y ésa es una de las funciones del teatro: devolver la identidad. Quizá pueda explicarse por ahí esa vuelta al realismo que yo capto. Porque estamos tan alejados de la realidad ahora mismo que necesitamos recuperarla, volverle a mirar el rostro... ¡Saber por dónde andamos! Qué es ético o qué no es ético... Porque de pronto hemos destruido todo: hemos destruido a Dios y al destruir a Dios hemos destruido al padre, y al franquismo y las ideas de justicia y de bondad y todo eso... Y tengo la sensación de que está bien destruir, pero luego hay que construir, y a lo mejor **El álbum familiar** en mí es un intento de partir de atrás para reconstruirme y al reconstruirme tratar de ayudar a reconstruirse a los espectadores... Es un intento de poner los cimientos, parar un momento, saber que el edificio se ha venido abajo con todo... y con los cimientos recapacitar sobre una nueva realidad posible hacia la que hemos de viajar.

F.C.—*Junto a estas motivaciones de índole interna, hay otros factores más externos que han influido sin duda en la elaboración de tu última obra. En primer lugar una variación en tus modelos literarios. Porque en tu primer teatro se respira el aire del Siglo de Oro, sobre todo de Cervantes, del que eres un lector apasionado. En cambio ahora pareces más abierto a otras influencias más modernas, por ejemplo, para mí clarísima, la de Tadeusz Kantor, que, si no me equivoco, ha actuado en ti como un detonante. Recuerdo aún la tarde que vimos juntos en Caracas* **Wiépole, Wiépole,** *la impresión tremenda que te causó... De vuelta al hotel te sentaste en la mesa de la habitación y dijiste: "Voy a empezar una nueva obra". Me eché a reír y te dije: ya sé el título: "Valladolid, Valladolid"... Y efectivamente, hay algo de eso en esta obra, aunque sometido a una elaboración muy particular, tuya, personal... Esta es otra de tus cualidades que me admira: la capacidad para incorporar cosas nuevas, es como si fagocitaras constantemente las cosas que te llegan dentro...*

J.L.A.—No estoy muy de acuerdo en eso que dices de Kantor. Vamos a ver... Cuando yo vi en Caracas a Kantor, llevaba un año entero metido en Proust, y de ahí arrancan, creo, las principales influencias que pueda tener mi última obra. Hay una frase en Proust, mejor dicho, una idea que él repite constantemente: que el tiempo no es recuperable, pero que el espacio tampoco lo es. Y que el espacio no sea recuperable es completamente inquietante. Quiere decir... es algo muy de Heráclito, que cuando pasamos por un sitio, ese sitio ya no es el sitio. Que cada momento muere en sí mismo, muere el momento y muere su espacio. Y muere la gente que había en el momento. O sea que el fluir es un fluir como de cristal, un fluir que no deja nada detrás. No deja recuerdos, deja acumulación. Si el tiempo muere y no se puede guardar y el espacio tampoco, entonces sólo quedan sensaciones, cintas magnéticas acumuladas en nuestro cerebro, que se ponen en marcha un poco desconectadas y que generalmente unas motivan que se pongan en marcha las otras. Somos como cerebros electrónicos: en una cinta están guardadas las sensaciones, en otra las emociones, en otra los recuerdos, en otra los espacios, en otra los tiempos,... y hay algo que motiva que todo el cacharro se ponga en marcha y nos bombardee con montones de sensaciones y cosas que no corresponden ni a los momentos ni a los espacios, ni a nosotros mismos. Todo ese fluir de la existencia, tan inquietante, es el que en Kantor he encontrado, Ese intento desesperado de Kantor en su obra de ser el autor, el director, el protagonista personal, espectador también de sus recuerdos. De sus recuerdos que ya no son sus recuerdos, porque, por mucho que intente reconstruirlos, sus recuerdos murieron. Esto de los recuerdos es como si queremos parar un río y lo hacemos hielo: yo no es un río. No se puede parar, las cosas van. Como en la fotografía. Esa pretensión de que la fotografía es la realidad, es un chiste. La fotografía es la mentira más espantosa sobre la realidad. Una fotografía y la realidad no se parecen en nada porque precisamente la fotografía es la muerte de la realidad. Es una presunción decir que las artes modernas apresan la realidad de forma absoluta. El cine es un código. La fotografía es un código y tiene sus propias leyes. Y cuando vemos a la gente en las fotografías, si nos fijamos bien, vemos que no se parecen en nada. Nos han dicho que nos parecemos y lo hemos creído. Pero es una gran mentira. ¿quién se parece en una fotografía a como es? ¡Ni siquiera la cara! Si acaso se parecerá cuando esté muerto. Entonces Kantor me motivó a escribir una inquietud que yo tenía dentro de mí: la lucha entre lo que fluye y lo que permanece, entre el álbum y el tren... Yo tengo ahora una sensación muy particular: creo que lo que no existe es el presente. Sólo hay pasado y futuro. Pasado y futuro. Hay un compulsión en nuestro tiempo de vivir "el día de hoy", el presente. Y el día de hoy cuando lo vivimos ya no es. Es todo una proyección del pasado hacia el futuro. Y en ese choque entre el futuro y todo lo que queda acumulado... Ese tema me interesa mucho para escribir sobre él. El choque entre lo que llevamos bajo el brazo, a nivel personal, a nivel social, y el adónde vamos.

F.C.—*Hablabas antes de que estamos hoy metidos en un laberinto de espejos y que quizá eso propicia una vuelta al realismo en el arte, como una forma de indagar la propia identidad. Y ahora planteas serias dudas sobre la capacidad del arte para trabajar directamente con los materiales de la realidad, sobre los límites del realismo. Podría pensarse que, como artista, te planteas ir un poco contra corriente de la tendencia actual...* *Sin embargo, en tu última obra, como en otras anteriores,* **El laberinto** *o* **La estanquera de Vallecas,** *el realismo está presente... No sé si hay una contradicción en todo esto...*

J.L.A.—Tienes razón, me he expresado sin demasiado rigor... Contra lo que yo voy es contra la pretensión naturalista. Hay una confusión entre el realismo y el naturalismo. Y el realismo constantemente queda traicionado por sus más exaltados defensores... En cuanto a mi obra, si es realista... pues yo creo que sí, pero no porque se esté metiendo en el laberinto de ahora, sino porque trato de revisar las cuentas atrás perdidas... Yo todavía no estoy escribiendo sobre el hoy. Antes no me atrevía porque escribía sobre otras cosas, el teatro cómico, las relaciones artísticas... Ahora estoy escribiendo un poco sobre el pasado. Sobre el pasado que yo tengo hoy. Algún día empezaré a escribir sobre el hoy. Pero es que el hoy todavía se me escapa de las manos, no lo aprehendo... porque como ser humano no capto la presencia real del hoy. Sólo puedo trabajar con lo histórico, y el hoy no lo es hasta mañana.

F.C.—*Entonces, la orientación actual de tu trabajo, ¿puede decirse que parte de la introspección? Esa reconstrucción de los cimientos, como en Proust o en Kantor, ¿parte también de materiales directamente autobiográficos? ¿Eres tú mismo el niño que consigue el billete del tren?*

J.L.A.—Digamos que la obra no es biográfica en cuanto que muchos personajes no existen y el noventa por ciento de las cosas que pasan en la obra a mí no me han pasado. Pero yo me he puesto en el caso de que "si yo hubiera sido ese niño"... Me he planteado. "si yo soñara ese viaje con mi familia, ¿cómo sería?" Y lo he soñado sobre el papel, en vez de en la cama... He tratado de contar el desgajamiento de los orígenes. De alguna forma, una serie de gente hemos tenido la oportunidad de salir de esas familias humildes de provincias que estaban condenadas a pasear por las calles de su ciudad, ver la televisión, vivir en la cotidianeidad más neutra... Soy una pieza que no encaja en absoluto con toda mi familia desde mis tatarabuelos, que eran gente de pueblo que emigraron a la ciudad. Yo he sido el único que estudió de toda la familia, el único que fue a la universidad, mientras los demás no pudieron siquiera hacer el bachillerato, etc. Es un desgajamiento que he vivido en mi carne con mucho dolor, y en ese sentido sí que es autobiográfica. El cómo te puedes arrancar tú de una situación, pero no puedes arrancar a todos los que te rodean, y en consecuencia cómo te quedas muy fuera de la situación familiar, de tu grupo original... Hay algo de Wesker, y de los jóvenes airados ingleses.

F.C.—*Entonces tú eres el niño y el billete para tu tren ha sido el teatro.*

J.L.A.—Soy el niño, sí... y lo del billete no se me había ocurrido, pero supongo que sí, que así ha sido... Porque yo he sido ese niño que sube al tren que no sabe a dónde va, y que viaja sin derecho... Ese es otro gran tema, porque yo tengo la sensación de que viajo en este mundo sin tener derecho... No derechos filosóficos, sino derechos políticos, reales... Los acomodadores me siguen inquietando, los revisores también, los que van de uniforme... Aunque tenga la entrada me da la sensación de que me van a decir: ¿dónde va usted?... Y vivo esta sociedad que es de otros como una cosa donde me cuelo de vez en cuando pero donde realmente no tengo derechos. Creo que ésa es una vivencia que comparto con muchísimos seres humanos... No sé por qué, si por la situación política que hemos pasado... pero nos han educado de una forma que nos quedara claro que este mundo no nos pertenece. Nos dejan estar aquí y nos ofrecen ciertas concesiones, nos dan ciertas posibilidades a alguno... pero los derechos profundos no los tenemos. Nos pueden castigar en cualquier momento y quitarnos los beneficios si somos malos.

F.C.—*Para terminar, ¿hacia dónde va Alonso de Santos en ese tren al que ha subido en* **El álbum familiar**?

J.L.A.—En ese tren voy a la reconquista de los derechos. Voy a que me devuelvan mis derechos. Porque el vivir sin derechos es jodido. Y yo creo que una de las grandes conquistas sociales que tenemos que realizar en este país, o quizá en esta civilización, en

160

esta cultura, es, primero, aceptar que no hay personas mayores. Porque uno cuando es persona mayor se da cuenta, dice: "¡Pero si ya soy persona mayor y no soy persona mayor!.. Luego los demás tampoco". Conque no me vengan diciendo que hay personas mayores. Ya podemos desvelar la mentira. Y, segundo, que nadie diga que no tenemos derecho. Todos tenemos derecho. Nos han enseñado lo contrario y es difícil de asimilar. Esa es la gran reconquista: aceptar dentro y fuera de nosotros que nadie es el dueño de nuestros derechos.

F.C.—*No teníamos derecho porque los derechos los tenían las personas mayores.*

J.L.A.—Sí, las que decían que eran mayores... ¡para tener los derechos, je, je, je!

FERMIN CABAL

Los inicios. Un poco de historia

ALONSO DE SANTOS.—*Me gustaría empezar esta entrevista hablando de tus primeros contactos con el teatro. Hagamos pues un poco de historia, de tu historia teatral. ¿Cuáles fueron tus primeros contactos con el teatro? ¿Qué personas o qué hechos básicos te arrastraron hacia el teatro?*

FERMIN CABAL.—A los ocho años quería ser escritor, a los quince, director de cine, a los veinte me había resignado a ser poeta de ratos libres y, ya con veinticinco, un poco talludito para estas cosas, me encontré con el teatro un poco por azar y me recogí. Hasta entonces, mis contactos con el teatro habían sido débiles. El cine y la literatura me atraían más. Como espectador me aburría muchísimo y me parecía el reino de la mentira, aunque recuerdo algunas obras que me engancharon, **El tragaluz,** por ejemplo. Como lector era otra cosa; siempre he sido un lector voraz y el teatro era para mí una parte más de la literatura y me enrollaba. Las navidades del 72 las pasé trabajando en Galicia y en eso estaba cuando se presentaron en mi casa Gloria Muñoz y Santiago Ramos, dos grandes actores y dos grandes amigos y me convencieron de que les acompañara a Oporto, a casa de Angel Facio. Angel les planteó que quería montar con ellos **La boda de los pequeños burgueses,** de Brecht, y como yo andaba por allí y debí caerle bien, me ofreció ser su ayudante de dirección y acepté. Y acepté porque tenía suficiente dinero ahorrado como para vivir un año sin apuros y porque estaba en un momento personal de cierto cansancio y me apetecía hacer cosas distintas a las que me pringaban entonces. Algo así como unas vacaciones.

J.L.A.—*También influiría la relación afectiva positiva que tenías en ese momento con toda esa gente que te rodeaba en el grupo, así como el enfoque político de su trabajo que coincidía de algún modo con tus inquietudes del momento...*

F.C.—Sí, naturalmente. Yo estaba completamente absorbido por la política, y el teatro independiente era un medio de conciliar arte y política. Como espectador, **Castañuela 70** me había seducido totalmente. Vi el espectáculo unas treinta veces seguidas y no me cansaba. Descubrí entonces lo que llamo "el veneno del teatro": esa sensación de gozo profundo que se extiende por la sala cuando salta la chispa de la comunicación con los actores. No era la primera vez que la atisbaba, pero entonces la comprendí por primera vez, empecé a observar qué le pasaba al público. Y me di cuenta de que era algo bien diferente de lo que le pasaba en el cine, en un concierto o en una exposición. Comprendí que el teatro era un arte con leyes propias.

J.L.A.—*Además de* **La boda de los pequeños burgueses** *y de* **Castañuela 70**, *¿qué otros espectáculos de aquella época te arrastraron hacia el teatro?*

F.C.—Ya te he dicho que el teatro no me atraía demasiado. De forma asidua sólo iba a los espectáculos de Marsillach, recuerdo **Pigmalión, Después de la caída**, ya sabes que soy un fanático de Miller. Empezaban entonces las escenografías de Paco Nieva, que me atraían... Pero lo que más me interesaba eran los grupos de gente, como Goliardos y Tábano, y Los Cátaros de Barcelona, que me calentaron mucho la cabeza... Yo estaba pintando, muy influido por las cosas de Rauschemberg y Jaspers Johns, que entonces eran la vanguardia, y aquellos "collages" que montaba Miralles tenían que ver con lo que yo trataba de hacer... También recuerdo los montajes de Bululu con textos de Brecht y Sastre, que me incitaron a leer a Brecht... Pero el espectáculo que más me impresionó antes de llegar la **Castañuela** fue el **Marat Sade,** de Weiss, en el que, curiosamente, confluyen todos esos elementos, o casi todos, porque allí está Marsillach, Malonda, Miralles, Sastre, Nieva... y supongo que Brecht, asomando por una rendija. Y además es del año 68, un año mítico.

J.L.A.— *Es interesante señalar estas influencias porque muchas de las personas que configuramos después el Teatro Independiente procedíamos de Escuelas de Teatro, y en cambio, para ti, tu primera escuela, podríamos decir, han sido esas influencias, esos espectáculos de referencia, esos autores...*

F.C.—De los escritores españoles de teatro hubo dos que influyeron mucho en mí en ese primer momento. Lo hicieron de una forma subterránea, porque yo no imaginaba que un día fuera a dedicarme a esto y cada uno representa un polo opuesto estilísticamente. Arrabal, todo lo que significa la transgresión, la potencialidad de transgresión del teatro. Me atrajo muchísimo el movimiento pánico. Mi tío Pepe traía de París las cosas de Arrabal, de Topor, de Jodorowski, como el que trae panfletos o dinamita, y eso era realmente para mí que hacía el bachillerato en un colegio de curas. Y detrás de Arrabal estaba el absurdo, la vanguardia francesa de los cincuenta, que ya boqueaba pero que en estos páramos parecía novísima... Y del otro lado estaba Alfonso Sastre, que ejercía sobre mí un gran atractivo personal porque me lo encontraba a diario en los bares del barrio, le veía escribir, era muy escritor de café... y además era alguien que se había atrevido, y esa actitud me impresionaba... pero su teatro de entonces no lo entendí demasiado, me parecía moralista y aburrido, a pesar de que tenía algo de Miller en los momentos mejores... Curiosamente, Sastre me ha ido gustando más como escritor a medida que se ha ido haciendo viejo, sus últimas obras tienen más humor, más energía y más lucidez. También a mí me gustaría evolucionar así.

J.L.A.—*Entramos ya en un segundo período tuyo, en el que entras a formar parte directamente del movimiento de Teatro Independiente. Háblanos un poco de este momento, en que te integras ya como profesional en este teatro.*

F.C.—Entré en Goliardos pensando que podía pasarlo bien una temporada y de paso aprender algo con Facio, que me parecía una persona capaz. Digo aprender, pero no sé bien qué, quizá dirección de actores, porque en el fondo seguía pensando en el cine. Y me gustó mucho el trabajo: creo que **La boda de los pequeños burgueses** fue uno de los mejores exponentes de aquella época

165

del independiente. Con Santiago y Gloria pasé después a Tábano, con Juan Margallo, al que admiraba profundamente desde **Castañuela 70**. Necesitaba meterme más en el tema del teatro, me encontraba cada vez más a gusto y me apetecía probar mis propias fuerzas. Mi primera obra la escribí a los dos o tres meses de haber entrado en Goliardos. Se titulaba **Pérez, un héroe de nuestro tiempo** y mezclaba cosas del absurdo, Ionesco sobre todo, con algo de Adamov y toques de Jarry, sobre una trama de farsa política al estilo de **Castañuela 70**, con música y bailes, y a pesar de que los ingredientes era muy buenos, el guiso salió soso, vamos que era una castaña más que una **Castañuela**. Suele pasar. Pero fue en Tábano donde pude y tuve que escribir de manera continuada y de cara al público. Siempre digo que ese ha sido mi verdadero aprendizaje.

J.L.A.—*¿Aproximadamente cuántos años estuviste entre Goliardos y Tábano?*

F.C.—Yo conocí a Facio en la Navidad del 72 y salí de Tábano en el verano del 77, después de las elecciones, o sea estuve cinco años.

J.L.A.—*¿Cómo ves desde ahora esos años aparte de un lugar de práctica política? ¿Qué fue lo más importante para ti? ¿Lo que aportastes o lo que esos grupos como caldo de cultivo te permitían desarrollar?*

F.C.—Si no hubiera pasado por esos grupos, hoy no estaría en el teatro. No sé a qué me habría dedicado en la vida, pero al teatro no. Fueron cinco años muy buenos, vividos con mucho placer, con muchas batallitas, a veces con penurias, pero siempre trabajando con gente que me ha enseñado mucho... o que nos hemos enseñado mutuamente, porque nuestro drama era que no teníamos maestros. Quizá eso nos ha hecho madurar tarde como grupo generacional, pero también nos ha dado la oportunidad de poder hacer cosas que, en otro sistema de aprendizaje más cerrado, nos hubieran estado vedadas.

J.L.A.—*La mutación de roles dentro de un grupo genera esa libertad creativa...*

166

F.C.—Era precisamente la falta de rigor, la carencia de una línea definida de trabajo, nuestra misma inmadurez, en una palabra, lo que nos alimentaba. Teníamos la sagrada audacia del ignorante, pero a la edad en que hay que tenerla. Por ejemplo, nada más llegar a Tábano, Margallo me subió al escenario y me vi convertido en actor. También carpintero, chófer y lo que hiciera falta. Como no valía para ninguna de las tres cosas y tampoco para comer de balde, me las arreglé para encontrar un lugar en la estructura del grupo donde me sintiera a gusto. Cuando entré en Tábano me quedé bastante sorprendido al comprobar la absoluta incapacidad de sus miembros para administrar mínimamente el patrimonio. Aunque parezca increíble en un grupo tan puntero, la gente apenas podía cobrar un sueldo miserable y de Pascuas a Ramos. Empecé a encargarme de la administración de la compañía, a llevar las cuentas, a gestionar los contratos, las giras, etc… y los resultados fueron inmediatos. Nuestro nivel de vida subió considerablemente y, a pesar de las dificultades políticas de la época y de la ausencia de subvenciones, pudimos regularizar nuestra economía y vivir modesta pero tranquilamente. Las cosas eran así de sencillas: podías hacer lo que quisieras, mientras no hubiera otro que lo hiciera mejor, e incluso, por desgracia, a veces también en ese caso. Y lo mismo me pasó con la dramaturgia. Como nunca encontrábamos un texto que respondiera a las necesidades del grupo (y las necesidades eran insaciables) y pasaban meses y meses antes de encontrar algo medianamente adecuado, resultaba fácil empujar a la gente a hacer algo más personal, en plan de creación colectiva. Pero luego aquello había que escribirlo y si tú lo hacías medianamente bien, te daban campo libre.

J.L.A.—*Podríamos decir que una de las grandes ventajas que tenía en aquel momento el Teatro Independiente para nosotros es que mientras en la actualidad nadie tiene talento hasta que demuestre que lo tiene, en los grupos era al revés, todo el mundo tenía talento y posibilidades de hacerlo todo, hasta que demostrase que no lo tenía. Todo el mundo podía colocar luces, por ejemplo. Al final, al que más "cortos" había hecho y más bombillas se había cargado no había más remedio que dedicarle a otro papel… pero esa posibilidad estaba abierta…*

F.C.—Ese ha sido uno de los elementos más positivos del trabajo en los grupos. Yo, como he vivido ese aprendizaje, cstoy completamente a favor, y me sigue atrayendo mucho. Lo que pasa es que los niveles de exigencia también son distintos para mí ahora, es decir, que a medida que uno tiene niveles de exigencia mayores, necesita trabajar con gente con ese nivel de exigencia. Yo no podría trabajar ahora "conmigo" de hace diez años. No nos entenderíamos.

"Tú estás loco Briones": tu primera obra de teatro

J.L.A.—*Pasada la etapa anterior, y ya con el Grupo* La Monumental de las Ventas, *escribes tu primera obra de teatro:* **Tú estás loco Briones**. *Antes has escrito versiones y arreglos de textos, pero es esta obra la que va a marcar un cambio decisivo en tu trabajo teatral, orientándote hacia el papel de escritor.*

F.C.—Yo en aquel momento no distinguía muy claramente esa diferencia con la etapa anterior, pero ahora veo efectivamente que sí. Cuando repaso el programa de esa función veo que hablaba de creación colectiva y de algún modo lo era, ya que era un trabajo en el que todos habían participado, y yo tenía ahí un papel ambiguo ya que además de escribir el texto era también el director, llevaba la gerencia del grupo, mis compañeros era veteranos de Tábano con los que yo había hecho trabajos anteriores, etc. La diferencia básica está en que en la etapa anterior era realmente la opinión del colectivo la que prevalecía, mientras en esta obra no pasó esto, hasta cierto punto. Yo escribí la obra, pero te contaré por qué digo "hasta cierto punto": en mi obra moría el protagonista al final, pero los actores se oponían y, después de estar representándola durante meses, un día vinieron y me dijeron: "Tienes que escribir otro final, porque éste es pesimista, derrotista y no nos gusta". Y tuve que escribir otro final porque me convencieron entre todos. Así que había dos finales, el mío y el que pidieron los actores. En ese final el protagonista no moría. Ataban a Briones a la cama en el hospital y acababa gritando: "¡cabrones! !soltadme! !quiero salir!". Y era un poco más positivo que el otro final.

J.L.A.—*¿Y al publicarse la obra después, cuál de los dos finales has publicado?*

F.C.—El primero, el mío. Y pido perdón a los que lo lean y hayan visto la función y recuerden que no acababa así y se hagan un pequeño lío. Pero es que además hay en esto otro dato curioso: cuando hicimos la adaptación de esta obra para la película (**Tú estás loco Briones,** se ha estrenado también como película), ninguno de estos dos finales le gustaron al director; entonces escribimos otro en que Briones huía del hospital psiquiátrico donde estaba recluido, con la monja, en una furgoneta del pan. Ese es el que menos me gusta de todos.

J.L.A.—*El final feliz cinematográfico.*

F.C.—Un final feliz tremendo, que no le pega nada además.

J.L.A.—*En resumen, de todo ese proceso digamos que en esta etapa sigues aún relacionado con las formas de trabajo del Teatro Independiente, pero asumiendo ya el papel de escritor.*

F.C.—El sólo hecho de firmar la obra con mi nombre ya marca ese cambio. Ten en cuenta que en la época de Tábano eso no lo hacíamos. En La Monumental seguíamos siendo un grupo independiente pero firmábamos, nos responsabilizábamos cada uno de nuestro trabajo.

J.L.A.—*¿Te planteas ya a partir de aquí claramente tu profesión de escritor?*

F.C.—Mi dedicación mayor dentro del Teatro Independiente era la de· gerente (Tábano, Sala Cadarso, Gayo Vallecano etc.) A partir de **Briones** me empiezo a plantear la posibilidad de dejar este trabajo y aunque, como tenía que vivir, tuve que seguir haciéndolo de momento, vi que eso no me satisfacía, y me puse a escribir para el cine. Me puse a hacer guiones de cine, y de eso vivo desde entonces. Con **¡Vade retro!** tengo ahora la oportunidad de trabajar para el teatro de una forma más normalizada. Por unas cosas o por otras, mi teatro hasta ahora no me había dado lo suficiente como para permitírmelo.

J.L.A.—*Ese fue tal vez uno de los factores que te hizo dejar de escribir durante un tiempo, junto quizá a la falta de reconocimiento en esa época de todo ese trabajo...*

F.C.—No, no. Yo creo que lo que ha pasado es que he tenido una crisis, como tú sabes; durante año y medio no he podido escribir una línea, ni de cine, ni de teatro ni de nada. Lo que pasa es que tenía mucho material escrito y lo he ido dando salida. Era una crisis mía profunda, de la que ya he salido, y he vuelto a escribir, como sabes. Espero no recaer. Yo diría que ha sido una crisis de crecimiento, que me ha puesto a prueba muchos mecanismos interiores míos, mi capacidad de supervivencia... Pero yo creo que está poco relacionada con el tema económico o de reconocimiento, porque yo he visto que tenía trabajo, todo el que quisiera, ofrecimientos de películas, más de las que podía escribir. Era lo contrario de no tener trabajo. Simplemente, me sentía incapaz de escribir una línea en ese momento. Pero afortunadamente ya pasó. Y espero no recaer.

Entre el realismo y la comedia. Una línea dramática.

J.L.A.—*Fermín, me gustaría que habláramos ahora de tu trabajo actual, de la línea dramática en que se entronca tu producción. Y al hacerlo quiero referirme principalmente a tus cinco obras conocidas:* **Tú estás loco Briones, ¿Fuiste a ver a la abuela?, ¡Vade retro!, Caballito del diablo,** *y* **Esta noche gran velada.** *Las tres primeras, además de haber sido representadas, están publicadas en un volumen de Espiral/Fundamentos, y las otras dos van a ser estrenadas a lo largo de esta temporada seguramente. Me gustaría que me dieras tu opinión de estas cinco obras como bloque estilístico, de si estás o no de acuerdo con el etiquetado que se hace normalmente de tu teatro, como entroncado dentro de unas líneas paralelas, que se podrían definir como realismo una y comicidad la otra. ¿Es dentro de esas líneas donde te sientes más cómodo al escribir? ¿Están situados en ella los escritores que tú más admiras? ¿A qué tipo de criterios crees que se debe esta localización? ¿A que estas líneas están tal vez más cerca del lenguaje cinematográfico y más cerca del gusto del espectador de hoy?*

F.C.—Por una parte te voy a decir, sinceramente, que yo me considero una persona que está aprendiendo un oficio, y que empiezo a darme cuenta de que puedo vivir de este oficio de una forma tranquila y sin verdaderos agobios, cosa que me agrada, pero creo que dentro de ello estoy haciendo balbuceos aún. No creo que tenga una línea definida. Sí que veo en mí, cuando analizo mi trabajo, algunas características definidas: por una parte, una facilidad para provocar la risa en el público, que yo no sé de dónde me viene, sinceramente, porque tú sabes perfectamente que soy una persona que en mi vida cotidiana soy más bien serio y poco gracioso, pero sin embargo tengo un mecanismo de humor que funciona en mis obras. Pero, por otro lado, yo tengo una propensión al teatro dramático, a mí me interesan mucho los conflictos humanos, el dolor, etc.; ésa es otra fuente que me atrae y que para mí es como una meta. Quiero ir hacia eso. Pero como la línea del humor para mí ha sido más fácil, quizás porque en estos grupos hemos trabajado mucho siempre, en esa línea, y en la formación que allí adquiríamos tendíamos a un tratamiento más de farsa, la realidad farseada, este aprendizaje te impone unos límites muy basados en el trabajo externo; eso me ha conducido a trabajar en mis primeras obras sobre residuos de la farsa, aún intentando distanciarme de ella; en ese sentido, para mí **Tú estás loco Briones** es una farsa, sigue siendo una farsa, pero en la que ya se introducen elementos que a mí me gustan, como es trabajar con los materiales de la actualidad.

J.L.A.—*Esa es otra de las características básicas de tu teatro. Los personajes son seres vivos de aquí y ahora.*

F.C.—Como escritor y como espectador, lo que más me gusta es trabajar con los materiales de la actualidad. No digo que no haya que trabajar con cosas históricas —ahora he terminado una comedia histórica para la ayuda a la creación literaria que me concedió el Ministerio de Cultura el año pasado—, pero es una excepción. Lo que a mí me gusta, en principio, lo que me sale, donde yo siento que me lo paso bien escribiendo, es con los problemas de la gente que me rodea ahora; qué nos pasa, qué queremos, por qué sufrimos, por qué reímos, a quién amamos, qué esperamos de las cosas, de nosotros mismos, cuál es el problema que no nos deja hacer algo, etc. Eso es lo que me atrae. Yo creo que eso es además lo que atrae al público. Y digo esto para aclarar que para mí no es despreciable trabajar con lo que atrae al público, sino todo lo contrario. Hago teatro para comunicarme con los espectadores, contándoles las cosas que pasan, expresando de alguna forma algo colectivo, y en la medida en que sea capaz de expresarlo bien, a la gente le interesará. Este es el principal sentido de mi teatro.

J.L.A.—*¿Cómo ha ido evolucionando ese principal sentido de tu teatro a lo largo de tus obras? ¿Cómo has ido encontrándole ese sentido?*

F.C.—En **Tú estás loco Briones**, para mí fue importante poder empezar a realizar esto, poder permitirme lo que en Tábano no nos habíamos permitido nunca. En Tábano hubiera querido hacer cosas así, pero mis compañeros no se atrevían, o no les interesaba, en ese momento, hacer un montaje, directamente, sobre el hoy, aquí, ahora, qué nos pasa, dónde estamos. Algo a lo que el teatro español en los últimos años ha empezado a aproximarse, pero que el teatro independiente de alguna forma bordeaba —por múltiples razones—, no sólo por la censura, sino también por miedo nuestro a trabajar con los materiales vivos, con nosotros mismos y nuestros problemas. En **Briones** la gente se sorprendía de que se hablara del "ahora". Aunque fue un espectáculo con muy buen resultado de público, algunas críticas fueron duras y me hicieron reflexionar. La mayor oposición la encontré en gentes precisamente del teatro independiente, pero sentí que debía mantenerme en mis trece y hacer lo que me apetecía.

J.L.A.—*¿Cómo se dio el paso al siguiente espectáculo, ¿***Fuiste a ver a la abuela?***, donde, además de elementos del* **Briones***, hay incorporación de elementos ya menos farsescos, más dentro de ese realismo actual al que nos estamos refiriendo?*

F.C.—Con este segundo espectáculo me planteé definitivamente abandonar la farsa. Por eso lo hice sin los compañeros anteriores que, de alguna forma, me empujaban a ese estilo. Entonces, por un azar, me encontré con Angel Ruggiero —las cosas del azar son misteriosamente lógicas—. Yo no sabía nada de

172

él. Me llama por teléfono, nos vemos en un bar, y me dice que es un argentino que lleva poco en España y tiene un proyecto; empezamos a hablar, y al decirme lo que pretendía noté que me estaba contando justamente lo que yo quería hacer. Al minuto había entre nosotros una comunión alucinante. Nos encontramos un rato en un bar en las Navidades del 78 y quedamos para después de Reyes, porque estaba muy liado en ese momento, y el día 7 de enero, cuando llegué a su casa, le enseñé la carpeta de notas que había tomado en ese tiempo sobre el tema, y tenía más de doscientos folios escritos. Angel me dejó unas cintas que tenía grabadas con los actores, y escuchándolas me di cuenta de que había una serie de temas que estaban en todos nosotros y que eran contenidos nuestros, generacionales, que estaban ahí, que era un material que iba a salir, que la gente quería hablar de eso, y yo el primero. Hicimos el espectáculo, y a pesar de lo mucho que tenía de inmaduro en todos los aspectos, tanto por mi parte como por los actores de Magerit, que eran casi todos debutantes, conseguimos enganchar la onda y el montaje gustó a la gente. Para mí fue una experiencia extraordinaria, porque, por primera vez, hice un espectáculo que no estaba en la clave de farsa, y también porque me encontré con un director, Angel Ruggiero, que me ha enseñado mil cosas del teatro, que me ha abierto las puertas del teatro realista, de la verdad escénica, y de cosas que yo no sabía del teatro, o sea, de la vida.

J.L.A.—*Podemos entonces definir* **Tú estás loco Briones**, *y* **¿Fuiste a ver a la abuela?**, *tanto en el proceso de trabajo como en el resultado, como dos puntas que te marcaban caminos distintos en tu evolución como dramaturgo. Llegamos así a* **¡Vade retro!**, *que podría ser un poco la síntesis de esas dos líneas...*

F.C.—Sí, de alguna forma es una confluencia de las dos. Sobre todo he ido a la busca en esta obra del mayor despojamiento escénico posible. Sólo dos actores y una situación, prescindiendo de otros elementos que habían configurado mi trabajo anterior. Se repiten no obstante muchas cosas en esta obra de las anteriores de forma inconsciente. Cuando vi puesta en el María Guerrero la escenografía de **Vade retro**, me di cuenta de que era básicamente la misma de **Tú estás loco Briones**.

173

J.L.A.—*Hay un tema que has esbozado hablando de la búsqueda de lo "común" cuando escuchabas esas cintas: cuando eliges un tema, cuando vas detrás de ese despojamiento de que me hablas ahora en ¡Vade Retro!, que caracteriza mucho tu teatro, hay ahí una relación generalmente señalada por los críticos con lo cinematográfico. ¿Cómo exploras esa línea de lo que es y no es "común"?*

F.C.—Considero que para escribir hay que escucharse a sí mismo, lo que uno quiere, lo que uno "necesita" expresar en un momento determinado. Ese es el camino. En mi caso, como me interesan los problemas dentro de la realidad inmediata, trato de hacer una propuesta de poética de lo cotidiano.

J.L.A.—*¿Tú crees que la realidad no es lo que interesa a todo el que escribe, y que la única diferencia es el tipo de gafas que te colocas para poder comunicarte, para poder "ver" esa realidad? Y cuando hablo de realidad no hablo de "lo común". La forma de responder, de dialogar con esa realidad, con esas circunstancias frente a las que se encuentra el ser humano, por ejemplo Kafka, es muy diferente de unos a otros. Por ejemplo, en este autor que cito, es precisamente "poco común" su respuesta a ese diálogo con la realidad.*

Esa habilidad que tienes tú precisamente de convertir lo común en materia teatral, es una de las características más interesantes de tu teatro. Y tú, además, eres consciente de ello. Tú decías hace poco en una entrevista de prensa, que no quieres hablar para ti mismo, que quieres, al escribir, tener una conversación con otros, con la mayoría...

F.C.—Cuando yo me planteo escribir, me escucho a mí mismo en esa conversación, yo soy el que coloquia conmigo, no puedo hacerlo de otra forma. Lo que pasa es que tengo siempre presente al espectador, porque yo soy también el espectador de esa comedia, es como un desdoblamiento. Es decir, cada uno tenemos nuestras gafas como tú dices, para ver la realidad, y entonces según la vemos la contamos, y el estilo sale de una forma natural. Creo que la equivocación es tratar de provocarse uno un estilo. Una ingenuidad de muchos escritores.

174

J.L.A.—*Si yo tuviera que definir la base de tu teatro creo que tu característica básica es que en vez de proponerte dar un triple salto mortal en un trapecio (y eso tendría que ver con el intento de estilo de que hablábamos antes), lo que haces es ponerte debajo y contar las mil pequeñas cosas que le pasan a esa persona que quiere dar ese salto mortal en el trapecio. Y eso lo convierte ya en personaje. Su impotencia, su conflicto frente a este trapecio que tenemos siempre delante, y al que no sabemos bien cómo agarrarnos. Es tu gran habilidad, convertir en personajes a seres que no lo son (no lo serían en otro tipo de teatro), hasta que tú nos demuestras que sí lo son, que todos lo somos.*

F.C.—Sí, puede ser; pero fíjate, ahora que lo dices, mis personajes son anónimos, son normales, pero también son un poco gente marginada: una monja que trabaja de enfermera en un hospital, un funcionario de ministerio en un mundo que ya no le pertenece, un boxeador que se vuelve loco porque le deja la novia, unos curas que no saben muy bien por qué discuten...

J.L.A.—*Seres grises, normales, marginados incluso de su normalidad, a los que de pronto les pasa algo que cambia su vida, algo que pone toda esa normalidad a prueba...*

F.C.—Es que eso es para mí precisamente una obra de teatro, José Luis. Tú me has dicho muchas veces, precisamente, que una obra de teatro es el "¿Y si...?" Y esa ruptura de la normalidad es precisamente ese ¿"Y si"?; es una de las cosas que yo he aprendido de ti, reflexionando sobre ese tema dentro de la estructura del material dramático: que tiene que haber un incidente potente...

J.L.A.—*Sí, pero ese incidente potente que se genera a partir del "¿Y si?", y que va a poner en marcha todo el conflicto dramático entre la situación anterior (el status quo) y la nueva que este "¿Y si?" provoca, es relativamente fácil de asimilar y comprender teóricamente. Está toda la historia del teatro girando en su torno. Es más, es la llave que pone en marcha los procesos de la imaginación y la creación. Pero el problema es que de atender esto mentalmente, a ser capaz de llevarlo al trabajo práctico de uno como escritor, hay una gran diferencia. Para mí una de tus virtudes*

175

como escritor es que realizas perfectamente este esquema, base de toda la dialéctica y el conflicto teatral, y además lo haces de una forma creíble, no extrapolando datos y sacando las conclusiones según las necesitas para seguir adelante. Es lo que hace que se conviertan estos personajes en materia teatral.

F.C.—Es lo que hace que se conviertan en "otros", porque fíjate, que en mi teatro hay algo fundamental, y es que yo necesito que a lo largo de la acción dramática mis personajes se transformen. Para mí el tiempo de la representación es el tiempo en el que mi personaje inicial se transforma.

J.L.A.—*Personajes que llevan dentro de sí la capacidad potencial de transformarse, y que cuando se dan las circunstancias adecuadas (el ¿Y si...?), se transforman. Esa es una de las características positivas, además políticamente hablando, de tu teatro: esa fe en que las personas podemos cambiar, y de hecho cambiamos cuando se dan las circunstancias adecuadas. Eso sucede en tus obras de una forma real, lógica, y creíble. Y eso en tus dos últimas obras* **Caballito del diablo,** *y* **Esta noche gran velada,** *está más desarrollado, más enriquecido. Y este tipo de teatro origina siempre una sorpresa, una respuesta optimista, ya que nos han enseñado que los seres humanos somos así, o asá, y es esperanzador ver que no, que podemos ser así, o no, que depende, depende de los conflictos que se generen y de cómo se resuelvan.*

F.C.—El teatro te ofrece la posibilidad de mostrarle a la gente que no somos como creemos ser, que el mundo está lleno de ideologías, de señales sobre los espectadores del mundo en las que el poder nos explica cómo somos y nos hace comulgar con ruedas de molino; y el teatro puede mostrar que no es verdad que en el mundo pasan cosas que parecen arbitrarias si las contemplamos con las leyes establecidas, pero que no son arbitrarias porque son las leyes del ser humano, las leyes del deseo, las leyes de lo profundo de nosotros mismos que nos es desconocido y que el arte nos muestra. Por eso hay que atreverse a hacer eso, atreverse a no trabajar con las categorías oficiales, de la ideología oficial.

J.L.A.— *Del aparente sentido común...*

176

F.C.—Sí, sí...

J.L.A.—*Que nos dice por ejemplo que a un hermano le quieres siempre por ser tu hermano; y no, a veces es tu hermano pero no le quieres, y además no le tienes por qué querer...*

F.C.—**El precio**, de Arthur Miller, habla de ese ejemplo...

J.L.A.—*Tal vez el tema que estábamos tratando de dilucidar, entre el realismo y la comedia, esté ahí, en que cuando indagas en la realidad "aparente" y la dejas un poco desnuda, surge la comedia.*

F.C.—Claro, para mí cada vez con más fuerza, porque mis gafas esas de que hablábamos son un poco así, esto es así. Hay una frase de Lacan que me tiene subyugado: "Si el realismo en sentido estricto es imposible, ello se debe a que el objeto alcanzado por el deseo es siempre metonímico". Claro, yo le doy vueltas a esto y me digo: ¿de qué sirve proponerse estilísticamente tal o cual actitud hacia la realidad? Carece de sentido. No se puede trabajar con apriorismos. A mí me importa un bledo en estos momentos, a partir de estas reflexiones, hacer un teatro realista o no hacer un teatro realista. Yo hago el teatro que de una forma natural me sale, el teatro que me apetece, intuyendo que en ese teatro hay grandes dosis de realidad, pero que aún así es turbio y fangoso como todo el arte. Y tampoco necesito más para escribir. No necesito saber en este momento si hay que hacer realismo o hay que hacer farsa, o hay que hacer comedia. Simplemente hay que expresarse.

J.L.A.—*Claro, no hay una fórmula para escribir teatro, pero tu teatro sí que se puede formular. No debe haber tampoco unos apriorismos, pero cuando estudiamos los finales de tus obras, los lugares donde precisamente se van a resolver esas transformaciones que antes planteabas, sí que das tu visión de la vida, de la existencia humana aquí y ahora.*
También Benavente podría decir que él escribía porque escribía, sin más, pero es que, además, daba su visión de la vida, de los seres humanos y de sus conflictos, y de que todo —para él— debe quedar al final como al principio. Yo diría que tu teatro dice

177

justamente lo contrario, y que en esos finales suceden cosas, cambian cosas, y que esos seres que cambian a veces tienen que pagar un precio terrible por hacerlo Briones, *el boxeador de* Gran velada, *etc.), un precio terrible...*

F.C.—Terrible.

J.L.A.—*Luego en tu teatro sí que hay algunas constantes definitorias: que los individuos no son como parecen, que podemos cambiar, que cambiamos cuando sucede un ¿Y si?, y que ese cambio a veces —casi siempre— tiene un precio. Para mí, como la realidad (no el realismo en cuanto estilo) es ésa, al menos la que yo capto en la vida que me rodea, en ese sentido digo que tu teatro es realista.*

F.C.—¡Ojalá!

J.L.A.—*Hablemos un poco de esas dos últimas obras tuyas,* Caballito del diablo *y* Esta noche gran velada. *Dinos cómo ha evolucionado en ellas toda esta problemática a que nos estamos refiriendo.*

F.C.—Pues mira, aunque yo creía que quería ir más claramente hacia formas dramáticas, me he encontrado con que sigo estando a caballo entre esas dos líneas de Briones y ¿Fuiste a ver a la abuela? En Caballito del diablo trato de ir un paso más allá en el planteamiento narrativo, huyendo del naturalismo, con alteraciones de tiempo y de espacios. En cambio, Esta noche gran velada es una obra tradicional, de situación cerrada, tipo ¡Vade retro! es decir que continúo tirando de esos dos hilos de que hablamos al principio; el humoristico y el dramático.

J.L.A.—*Es interesante ver cómo, a lo largo de la producción de un autor, se van enriqueciendo, desarrollando, sus formas de contar, de comunicarse. Eso hace que para mí tu mejor obra hasta ahora sea la última,* Esta noche gran velada, *en la que está aglutinado y desarrollado todo tu trabajo de autor de las obras anteriores.*

178

El futuro del teatro en España. El cambio generacional

J.L.A.—*Fermín, aparte de autor teatral, eres una persona muy relacionada actualmente con las estructuras del teatro de nuestro país en varios sentidos, por eso me gustaría ahora oír tu punto de vista sobre la evolución del teatro en nuestro país, las relaciones con el cambio político, el movimiento de autores españoles y, en fin, una opinión tuya sobre dónde estamos en este momento y hacia dónde deberíamos ir para que el teatro español alcanzara el nivel que todos deseamos para él.*

F.C.—Creo que el cambio político es un síntoma claro del cambio generacional que se está dando en nuestro país en todos los sentidos. Los que empezamos ahora a ser padres éramos hijos hace veinte años y esto se nota en muchas cosas. Supongo que este mecanismo cíclico en la sociedad ocurre siempre y lo que pasa es que en España ha coincidido con una serie de cosas que le han proporcionado una caja de resonancia mayor, ya que el cambio sociológico de los años 60 ha transformado la sociedad española de una sociedad muy patriarcal y represiva, cerrada sobre sí misma, en una sociedad más moderna, más europea, industrial, donde hemos pasado de ser el 60% de población campesina a un 10%. El caso es que estamos en Europa...

J.L.A.—*Sobre todo cuando este cambio sociológico es catapultado por el cambio político que se da en la década de los 70, hasta llegar a este 1982 con un gobierno socialista, impensable en nuestro país hace unos años...*

F.C.—Sí. Eramos una sociedad llena de prejuicios, de prohibiciones, retrógrada y sin sentido. De pronto, nosotros somos ahora, y eso tiene que ver con lo del cambio generacional, somos los primeros que hemos empezado a disfrutar de esa libertad que ha sido arrancada al pasado, y nuestra generación tiene esa sensación clarísima de que hemos conquistado esas parcelas de libertad. En ese sentido somos una generación ofensiva, rupturista, y optimista bajo el punto de vista del cambio. Hemos visto que es posible, que ha sido posible hasta cierto punto. Y en ese punto y aparte empieza otra hoja, que presiento que nos va a gustar menos.

179

J.L.A.—*Y ese cambio se está dando también paralelo en el teatro, esa ofensiva, esa integración, lenta pero real, de una serie de gentes que no estaban contentas con lo que veían en el teatro y que querían aportar cosas a él con su incorporación. En general, gentes procedentes del T. Independiente. Aunque siempre dar nombres es un tema delicado, me gustaría que citaras algunos que, bajo tu punto de vista, han contribuido, o están contribuyendo decisivamente en este cambio.*

F.C.—Por supuesto el grueso del pelotón lo forman las gentes del Independiente. He citado ya algunos nombres y debería añadir los de algunos veteranos que admiro, como Boadella, Puigserver, Plaza, Salvador Távora, seguro que me dejo alguno, a los que admiro de forma crítica, que es la mejor forma de admirar de que dispongo. Luego venimos otros, en gran mogollón, surtidos y variados, la segunda generación del Independiente, ocho o diez años más jóvenes que los anteriores, y que empezamos ahora a despuntar, y de los que prefiero no hablar porque no puedo ser juez y parte... Naturalmente tengo preferencias, espectáculos que me han influido por una u otra razón más que otros,... por ejemplo, a mí me interesó mucho **No hablar en clase** que dirigió Joan Ollé, creo que se ha valorado poco este espectáculo, que fue muy innovador en su momento... Es un poco violento, pero creo que debes poner también que entre los autores que más me interesan estás tú sin lugar a dudas... Luego hay otros que sin haber estrenado me tienen en ascuas, ahí pondría a Amestoy, a Maqua, a Alvaro del Amo, creo que hay un potencial que todavía no ha aparecido, pero que lo hará sin tardanza... Pero además de las gentes del Independiente y de lo autores más noveles, en el cambio teatral español caben muchos más, porque no hay que olvidad que nuestro teatro ha tenido una vida bastante traumatizada hasta fechas muy recientes, y que aún está por recuperarse. Ahí está la montaña de textos dramáticos producidos por el teatro "silenciado". y que debería ser revisada, empezando por la llamada "generación realista", gentes como Olmo, Muñiz o Rodríguez Méndez, que están en plena capacidad creadora. He hablado antes de Arrabal y de Sastre, pues bien, tanto el uno como el otro son casi desconocidos en el teatro español. Y luego están los *underground,* que no han hecho más que empezar y dentro de unos años recordarán la época franquista como un mal sueño. Y luego gente de nuestra generación que no estuvo en el independiente pero que ha demostrado que tiene algo que decir, como José Luis Gómez o Manolo Collado, que son coherentes con los objetivos que se han marcado y mantienen hacia sí mismos un nivel de exigencia riguroso, que es, en definitiva, lo que suele faltar en el teatro español.

J.L.A.—*Fermín, me gustaría tratar, como último punto de esta entrevista, el tema del trabajo creador tuyo en tus circunstancias actuales. Fíjate que te estoy haciendo una entrevista en un camerino del María Guerrero, donde tenemos los dos actualmente una obra representándose cada uno, cuando hace unos años no nos dejaban apenas entrar, y cuando nos encerramos aquella vez para protestar por la situación del teatro español y la marginación al Teatro Independiente, nos echó de aquí a palos la policía. Han cambiado muchas cosas desde entonces, ¿no? A mí me gustaría ahora preguntarte cómo ha influido todo ese cambio en ti, cuál es tu situación actual, qué añoras del pasado y qué ventajas básicas has obtenido para poder realizar tu trabajo, al ser ya un escritor de teatro reconocido y aceptado.*

F.C.—Creo que esta crisis llamada del cambio, muy positiva porque nos ofrece muchas posibilidades, también a veces es muy dolorosa. Yo he sufrido el cambio antes de que se produjera; tenía la sensación ya desde hace un par de años —y eso está relacionado con las motivaciones que originaron esa crisis personal que he sufrido, de la que hemos hablado—, de que había acabado una etapa y ya no tenían sentido cosas que tenían todo el sentido antes. Ya no me motivaban ni me estimulaban a trabajar. Un "clic" me decía que eso ya no servía. Ahora mismo, para mí, y tú lo sabes, lo más deseable sería poder trabajar en equipo con una serie de gente, recuperando en parte cosas de los equipos de trabajo en que he estado en otra etapa; ahora bien, ahora necesito un equipo que tenga el nivel de exigencia que yo me planteo a mí mismo, porque si no no puedo crecer, y si no puedo hacer esa elección (y

181

no veo cómo pueda hacerla, porque la gente no parece estar por la labor), sólo me queda la posibilidad de seguir yo solo.

J.L.A.—*Estás como asomándote a lo alto de una loma y viendo, o presintiendo, lo que hay detrás, y delante, un poco como los personajes de tus comedias. Y calculando también un poco los precios que hay que pagar para ir adelante. ¿No implica también un tanto de crueldad, de endurecimiento, esa decisión de ya no trabajar con personas que has trabajado antes pero que ya no te interesan porque no te aportan?*

F.C.—No, cuidado. Yo trabajaría muy a gusto exactamente con el mismo grupo que estábamos en Tábano, pero con otros presupuestos. Esa es la diferencia. Lo que no estoy dispuesto es a repetir estereotipos y a creerme que cualquier tiempo pasado fue mejor. Ahora mismo estoy preparando el montaje de **Esta noche gran velada** y lo hago con Santiago Ramos, con Juan Margallo, con gente con la que sigo enrollado... pero no por eso voy a perderme otras cosas que me apetecen... Hay quien me ha reprochado haber llamado a José Luis López Vázquez para hacer ¡**Vade Retro!** ...Me parece un disparate. El trabajo con López Vázquez ha sido valiosísimo para mí, pero no porque la gente vaya a la taquilla y se deje los dineros, sino porque José Luis me ha enseñado cosas, muchas cosas... Es un hombre que sabe y eso es lo que estoy siempre deseando encontrar. Porque siempre me ha dolido que no hemos tenido maestros, y cuando encuentro a un hombre que me enseña algo quiero trabajar con él.

J.L.A.—*Ahora estás poniendo ¡**Vade Retro!** en el María Guerrero, con un buen resultado, críticas buenas, público, etc. ¿De los escritores de nuestra generación anterior, alguno ha venido a hablar contigo de la obra?*

F.C.—Pocos, la verdad. Por ejemplo Luis Riaza sí, ha hablado conmigo de la obra, de una forma crítica, pero interesante. Buero Vallejo me felicitó el día del estreno y me dio alegría porque a ese hombre le creo. También lo han hecho Alvaro Custodio y Alfredo Mañas y, naturalmente, Lauro Olmo, que se ha interesado siempre por mi teatro, que me ha defendido y que me quiere. Pero en general, están lejanos, es la verdad. Mucho más cerca han

182

estado, y están, los escritores ya de nuestra generación. Bueno, de eso habla también mi obra ¡Vade Retro!

J.L.A.—*Los estás identificando un poco con el padre Abilio (personaje de* ¡Vade Retro!*), y a ti te han tomado por el padre Lucas (el otro personaje de la obra), y han pensado que la quiniela que te tocaba era el María Guerrero y se han sentido un poco ofendidos, tal vez.*

F.C.—Tal vez.

J.L.A.—*Oye Fermín, ¿y hacia dónde vas ahora? Cuéntanos ahora tus proyectos futuros —así, como* **Primer Acto** *sale siempre un poco retrasado, cuando salga esta entrevista ya será actualidad—. ¿Cómo te ves ahora? ¿Qué estás escribiendo?*

F.C.—El año pasado (1982) he trabajado mucho y tengo ganas de descansar un poco. Ahora quiero exponer al público ese material; ya está en marcha el montaje de **Esta noche, gran velada**, y, mientras, seguirá representándose por varios sitios durante todo el año ¡Vade Retro! Me gustaría, por tanto, meterme en otro género. Me apetece mucho un proyecto que tengo para hacer en TV, con José Luis Gómez, una cosa sobre los Trastamara, sobre Pedro el Cruel y todo eso. Este hombre me atrae porque es el paradigma de lo que admira un español, como modelo, tanto para un hombre de izquierdas como de derechas; cuando alguien te confiesa con admiración, hablando de fulano, que aunque sea un sinvergüenza, "tiene dos cojones", refleja una admiración ancestral por la gente que es capaz de alzar la voz, capaz de hacer las cosas caiga quien caiga. Este personaje es representativo de esto. Y luego está el tema básico que me atrae hacia este personaje, el tema del PODER. Yo estoy ahora muy enrollado con Shakespeare, al que he descubierto muy tarde, y sus constantes de la lucha por el poder, sus grandezas y miserias, sus conflictos... me interesa mucho ese tema. La voluntad política, la lucha personal llevada hasta el límite. Con Pedro el Cruel quisiera poder hablar del poder en España, y para muchos españoles, a través de un medio masivo como es la televisión. ¿Y por qué quiero hablar ahora de este tema, me pregunto yo?, y en la respuesta encuentro el punto de cambio que se ha dado en

183

España. Hace sólo dos años no tenía sentido para mí el hablar de estas historias porque el poder nos era ajeno; en cambio, ahora, a pesar de todo lo que nos falta por profundizar en las libertades, por primera vez la sociedad española puede hablar abiertamente del poder en la calle, porque de pronto se puede luchar por el poder abiertamente. Todos conocemos a gentes que luchan y tienen pequeñas parcelas, o grandes, de poder. El poder se ha multiplicado y abierto, y además, esos ciudadanos que han entrado en el poder son de nuestra generación, en la derecha y en la izquierda, introduciendo así en la vida la problemática del poder, ahora posible, y las preguntas que conlleva: qué pasa con el hombre cuando tiene el poder, qué nos pasa a nosotros, no a seres ajenos, sino a nosotros. Cómo nos transformamos, cómo el poder nos envenena y nos modifica, hasta qué punto tenemos nosotros el poder o el poder nos tiene a nosotros. Esas son las preguntas que yo ahora mismo me planteo y planteo por tanto en mi trabajo.

J.L.A.—*Cuando reflexiono sobre tu trabajo en las cinco obras que antes hemos señalado, y ahora tu dedicación a este tema relacionado con el poder, pienso que está dentro del desarrollo tuyo de un proceso de necesidad en relación a tus circunstancias. Haciendo un juego de palabras con los títulos de tus obras podríamos decir que* **Tú estás loco Briones**, *es un señor que va a cambiar decisivamente, podría ser* **Tú estás loco Fermín**, *porque* **¿Fuiste a ver a la abuela?**, *una vez más fuiste a verla, al pasado y te dio* **Una noche de insomnio**, *antiguo título de* **¡Vade Retro!**, *con ese último título te quitaste de encima el insomnio, entonces te dijiste a tí mismo,* **Esta vez sí** *(antiguo título de lo que ahora llamas* **Caballito del diablo**, *decisión ya de armas tomar),* **Esta noche gran velada**, *para obtener el Poder, (o para renunciar a él al ver lo que significa). Fuera de la broma lingüística, lo que sí quiero reseñar es el proceso encadenado en el trabajo de escritor con la realidad que vives. Por eso cuando trata uno de hacer algo que está fuera del momento profundo de uno lo pasa tan mal. Es una especie de psicoanálisis social constante, una forma de digerir las transformaciones que te van ocurriendo dentro, en relación con lo que te rodea.*

F.C.—Sí, creo que tú lo has explicado bien. En ese sentido toda obra es autobiográfica, y se van dando los pasos personales a través de los temas, de los personajes... sí. Me parece una buena forma de terminar esta entrevista, porque expresa algo con lo que estoy muy de acuerdo y cierra el ciclo de todo el tema que estamos hablando.

JOSE CARLOS PLAZA

JOSE CARLOS PLAZA.—Estoy totalmente en desacuerdo con esa idea que se extiende últimamente y que nos presenta, a mí y a otras gentes de mi generación, como principiantes que empiezan a hacer sus primeras producciones importantes. Muy al contrario, creo que nos estamos desviando y esto es muy grave. Sinceramente creo que Margallo, o Facio, o Boadella,... toda una serie de gente que no voy a enumerar, han sido precisamente quienes han hecho un verdadero teatro para España. Unos trabajando en la investigación de nuevas técnicas, cosa que estamos perdiendo, otros más preocupados por buscar nuevos públicos, nuevas estructuras de producción, cosa que también estamos perdiendo, pero todos ellos con unas señas de identidad propias. Ahora, al cabo de muchos años, se nos ofrecen "algunas oportunidades", y a mí particularmente en este caso el montaje del Español, que efectivamente, nos permite, me permite, trabajar en unas condiciones más desahogadas, pero que presiento que encierra graves contrapartidas y en mi caso personal no sé si me interesa mucho.

FERMIN CABAL.—*Has hablado de una doble pérdida: por un lado la investigación técnica, por otro lado, la pretensión de encontrar un público diferente. ¿No empezaba a producirse algo de esto en la liquidación del TEI y su sustitución por el TEC? De hecho, ha sido entonces cuando has empezado a trabajar con actores formados en otras técnicas, y para un público mucho más amplio que el del Pequeño Teatro y los circuitos independientes.*

J.C.P.—Llegó un momento en que supimos que el Pequeño Teatro se nos había quedado demasiado pequeño y que teníamos que abrirnos a otro público. Empezamos compaginando el trabajo en nuestro local con incursiones en otros teatros. Por ejemplo, **Preludios para una fuga** se presentó en el Valle Inclán. Pero nunca nos planteamos hacer exclusivamente teatro comercial. También lo han hecho otros grupos. No creo que nuestra experiencia haya sido muy distinta de la de **Castañuela 70**, que llevó a un teatro tradicional un público nuevo, distinto, y por lo tanto no dejó por ello de pretender una renovación en este sentido.

F.C.—*Pero es que yo no he hablado de teatro comercial. Me resisto a creer que todo lo que se salga del "teatro independiente" sea anatema. Me refería a nuevas condiciones de producción como las que tú has tenido ahora en tu último montaje y al reto que suponen para los directores procedentes del independiente. Para mí tú has sido uno de los pioneros en atreverse a aceptar ese desafío... ¿Podrías explicar cómo se gestó esa vuelta de tuerca que te lleva del TEI al TEC?*

J.C.P.—Hasta que hicimos **Preludios para una fuga**, que fue el último montaje del TEI, mantuvimos totalmente el concepto de "independiente". Nuestra ideología en ese momento, que dio cuerpo al espectáculo, era la técnica y la experimentación al máximo. Fue un espectáculo fallido de cara al público. A partir de ahí pensamos que la siguiente salida tendría que ser intermedia entre el teatro, digamos, profesional (aunque yo pienso que nadie más profesional que los que hacíamos teatro independiente) y lo que veníamos haciendo. Como paralelamente se produjo el cambio político, de pronto nos vimos ante una nueva etapa y al constituir el TEC pensamos que nos habíamos ganado el derecho a no ser marginados y que, respetando nuestra estética y nuestra ideología, íbamos a poder conectar con la sociedad de un modo más fluido que antes, sin las cortapisas y censuras del franquismo. Y nos encontramos con que las capas superiores de la sociedad, las que en definitiva manejan las estructuras, eran capitalistas y que nuestro trabajo no tenía para ellas ningún interés al carecer de posibilidades valoradas en dinero. No éramos rentables económicamente. En cuanto al público, que pensamos que podría apoyarnos, nos encontramos con que el nuestro habitual, la progresía, que en su mayoría era antifranquista, no era revolucionaria en cualquier sentido del término, empezó a desvalorar también nuestro trabajo porque para ellos todo estaba superado... Creo que la equivocación del TEC fue intentar asumir lo que es el papel de un Teatro Nacional. Hicimos una programación ambiciosa, quisimos llenar lagunas de textos que no se habían hecho durante el franquismo... y no sólo desde un ángulo político, sino cultural... Empezamos con **Así que pasen cinco años** de Lorca, luego **Tío Vania**, de Chejov, y el **Don Carlos**, de Schiller... intentamos también los nuevos autores con la obra de Vallejo... y todo ello nos llevó a un caos, una ruina económica y un desmembramiento total de lo que era el proyecto original... Porque el TEC sigue nominalmente, ya que hay muchas deudas que pagar, pero evidentemente el planteamiento es muy distinto... como una compañía privada pequeñita...

F.C.—*¿No hay nada rescatable en toda esta experiencia?*

J.C.P.—Sí, sí,... En primer lugar el Laboratorio del TEC, nuestro taller de investigación, que ha continuado, a pesar de los desastres, formando gente y trabajando... Y de toda esta experiencia uno aprende, y ahora hablo en primera persona. Yo me he dado cuenta de que lo importante en cada momento es entender dónde estás tú como profesional de un oficio y dónde está el público. He comprendido que en este momento estoy bastante distanciado. Bastante perdido.

F.C.—*Es evidente que nuestra generación formuló en los años sesenta un proyecto ético cuyos presupuestos han resultado más que cuestionables. La diferencia entre las expectativas y las realizaciones ha sido tan brutal que nos ha abocado colectivamente a la desesperación. Reproducimos un poco el ciclo típico del maníaco depresivo: a la euforia del sesentaiocho sigue la depresión de los años del desencanto. ¿En qué medida te ha afectado a ti el signo de los tiempos?*

J.C.P.—Yo no estoy desencantado. Todo esto me afecta, sin duda, pero sigo creyendo profundamente en los valores que teníamos. La situación ha hecho que estos valores no estén en alza, pero siguen siendo valores. Lo que pasa es que cuando tú entras en una sociedad de libre mercado, que es una decisión política muy grave, te encuentras, por ejemplo en nuestra profesión, que a un tío de 18 años se le hace actor, sin el más mínimo rigor, y no sólo por la preparación técnica, que me preocupa menos, sino de cargar, descargar, tener que irte a un pueblo a trabajar, saber que te pueden detener porque estás haciendo algo que molesta, tener conciencia de que eres un perturbador de una sociedad estática y adormecedora, vivir el teatro de verdad; es decir, un curtido mínimo... Cuando tú entras en el teatro como actor porque te has tomado una copa y porque en ese momento tu físico... cuando se crea ese clima en que lo que tú has hecho no importa... Mira, entre la gente que a nivel generacional nos sigue, encontrar un actor que tenga ganas de trabajar de verdad es muy difícil... Todo esto nos lleva a plantear cómo volver a poner en alza toda esa serie de valores, y cómo volver a acercar a un pueblo los valores sin tener que rebajar los valores para acercarlos a la sociedad... es un problema político, ¿cómo modificar la forma del Estado? Antes había una lucha contra un Estado totalitario. Ahora no. Y de este problema no te puedes evadir, a no ser que te margines totalmente.

F.C.—¿*No hay alternativa, entonces?*

J.C.P.—Creo que hay una exigencia de que el Estado se haga cargo de una serie de cosas, el problema de siempre. Creo que el teatro tiene que tener una infraestructura nacional, tiene que ser nacionalizado, creo que la gente que ha hecho teatro tendría que poder seguir haciéndolo dentro de una infraestructura que le tiene que dar el Estado... Eso es lo que yo pienso. Aparte de que se siga haciendo teatro comercial. Pero la gente de nuestra generación tendría que poder seguir haciendo el teatro con aquella exigencia personal que le daba su fuerza. Pero eso, en una sociedad como la nuestra, es imposible sin una ayuda exterior, de fuera de la profesión, me refiero al Estado, y también a los medios de comunicación más poderosos...

F.C.—*Que muchas veces también forman parte del Estado...*

J.C.P.—¡Ya lo creo! Y aquí viene muy al caso el ejemplo de **Las bicicletas**. Su éxito viene dado, entre otras muchas razones, porque Fernando Fernán Gómez ha estado saliendo todas las semanas en televisión con un programa propio durante dos horas.

190

Si la obra, por ejemplo, la hubieras firmado tú... aunque estuviese muy bien hecha, ¡creo que no hubiera ido nadie!

F.C.—*La calidad de una obra, ¿no influye cara al público?*

J.C.P.—Claro que influye, pero primero hay que conseguir que el público llegue a la taquilla, ¡ahí está el problema! Y en esto el mercado libre es implacable. Por lo tanto, mientras no dispongamos, mientras el teatro no disponga, de una infraestructura nacionalizada, iremos a peor. En la era de los satélites artificiales y de la informática, ¿cómo vamos a poder competir, por ejemplo, con la televisión?... Y así pasa lo que pasa, que para hacer teatro en condiciones rentables tiene que salir Concha Velasco, Fernando Fernán Gómez,... y además, que las funciones sean "muy divertidas" y todo eso... Y por favor, entiéndase bien que no me meto para nada con estos estupendos profesionales, trato simplemente de hacer un diagnóstico general, y estoy seguro de que todos estaremos de acuerdo en que el teatro es algo más que el género cómico, que el teatro no se detiene ahí...

F.C.—*¿Y* **Las bicicletas***?*

J.C.P.—**Las bicicletas** es una función simpática, encantadora, tierna... que no plantea, ni se lo propone, ninguna transgresión del orden, sino una especie de cosa dulce, bien hecha, desde luego... ¡pero es que sabemos hacer teatro! Es que ya está bien de sorprenderse de que haya cosas que salgan bien. ¡Los actores españoles son muy buenos, los directores no somos genios, pero lo sabemos hacer!... Volviendo al problema que tratábamos, la cuestión está en cómo, sin renunciar a la experimentación dramática, encontrar la vía para llegar al público, y creo que esta vía pasa necesariamente por la nacionalización del teatro.

F.C.—*Me parece que ahora has introducido un elemento nuevo en tu exposición del problema. Por una parte señalas el corte, la separación entre los creadores y el público, la pérdida de un punto de encuentro que parece que existía hace unos años. Podríamos decir que éste es un factor coyuntural. Y ahora añades un segundo factor, de tipo estructural, que es el cuestionamiento de la supervivencia del teatro como género, enfrentado a la*

competencia de otros medios más tecnológicos, si no te he enten-
dido mal...

J.C.P.—Sí, sí, creo que es muy claro, que basta tener los ojos
bien abiertos... El teatro está luchando hoy por su supervivencia.
Y punto.

F.C.—*Sin embargo, en otros países parece que no es así...*

J.C.P.—Yo hablo de aquí, de España.

F.C.—*No se trata, entonces, de un fenómeno universal, sino
particular... condicionado por nuestras estructuras de producción...*

J.C.P.—Es más complejo... hoy los límites del teatro se
hacen imprecisos, se difuminan... ¿quién dice lo que es teatro y lo
que no lo es?...

F.C.—*Quizá esa circunstancia, a la larga, sea beneficiosa
para el teatro, en tanto le obligue a indagar en lo específico
teatral, en tanto le someta a una tensión creativa, le obligue a un
mayor esfuerzo experimental...*

J.C.P.—Pero no nos engañemos... En España no puede
producirse esa situación, porque, ¿quién va a investigar? ¿Y
cómo, con qué medios? ...Fíjate en nuestra trayectoria: de un tipo
de teatro en el que más o menos intentamos experimentar y
desarrollar un serie de técnicas... esto era común a buena parte
del teatro independiente... ¿qué ha quedado de todo eso? ¿Y
cómo puedes integrarlo dentro del panorama teatral actual? Yo
me lo pregunto seriamente y no encuentro la respuesta. ¡Con los
medios actuales no tiene sentido! Por eso no me extraña que cada
vez haya menos gente que quiera dedicarse a ir por ese camino.

F.C.—*El problema se planteará gravemente, si las cosas no
cambian, dentro de unos años, cuando tenga que producirse el
inevitable recambio generacional. Porque ahora ese recambio lo
está permitiendo la existencia de una generación de teatreros que
han sostenido durante quince años el movimiento de los teatros
independientes y que, como tú dices, se ha curtido en esa experiencia. ¿Cuál crees que fue el factor de cohesión de todo ese*

movimiento, del que eres uno de los más veteranos? Y te pregunto
esto porque quizá reflexionando sobre las motivaciones del pasado
podamos encontrar algún sentido al presente.

J.C.P.—No sé... puede que tuviéramos más confianza en...
la racionalidad, dábamos mucha importancia a la preparación
personal, al sacrificio que supone todo aprendizaje... todo esto
forma parte de esos valores en baja... parece que la gente joven
hoy está menos estimulada en ese sentido... hay excepciones,
gente seria, muy seria... pero falta, desde luego, aquel espíritu
que teníamos entonces, te hablo de la época del TEM, cuando
éramos absolutamente jóvenes...

F.C.—*Tú fuiste uno de los primeros miembros del TEM,*
¿qué edad tenías?

J.C.P.—Dieciséis años... El año sesenta y uno...

F.C.—*Curiosamente, al igual que muchos de tus compañeros*
del TEM, Margallo, Llopis, Alonso de Santos,... que luego han
derivado hacia la dirección, tú empezaste como actor...

J.C.P.—Mi caso es un poco diferente... Entré en el TEM
para ser actor, y con todo entusiasmo, estudiaba como una bestia,
¡el que más!, pero en seguida me di cuenta de que no funcionaba,
que no era lo mío... lo que no quita para que estudiara durante
unos cinco años interpretación en el TEM... porque fue un proceso, evidentemente. Y en el TEM tuve, un poco por casualidad, mi
primera oportunidad de dirigir... Preparábamos un montaje y
ninguno de los directores podía hacerse cargo, por diversos
problemas, y de todos los actores, yo, que era un poco el empollon-
cete, el que tomaba notas en clase y esas cosas, y la verdad,
también el peor actor, pues, quizá por todas estas razones
sumadas, dirigí la función. Siempre muy apoyado por Layton, que
me animó desde el principio, me veía en condiciones de dirigir. Y
así empecé a trabajar, aunque luego siguiera interviniendo en
algunos montajes como actor. Ahora he oído que corre la voz de
que dirijo bien a los actores. Pues éste es el secreto. He estado toda
mi vida pendiente del actor. Estudiando interpretación y dando
clases. Te diré, además, que estoy orgulloso de algunos de mis

trabajos de interpretación, por ejemplo en **Historia del zoo**, que montó Layton y quiso que yo trabajara. Otras veces, por motivos internos de la compañía, he tenido que hacer algún papel, por ejemplo, recuerdo ahora el **Oh, papá**, de Kopitt... en fin, queriendo ser actor, he sido director, y a través de ser director, he sido actor.

F.C.—*Has hablado de Layton, ¿hasta qué punto ha influido en tu carrera?*

J.C.P.—Yo sin Layton no soy nada. Estoy absolutamente formado por él desde que tenía 16 años y sigo con él, estudiando y trabajando, y no sólo en el teatro. A mí este hombre, este admirable sabio, me ha enseñado muchas cosas, por ejemplo, me ha abierto los ojos a muchos problemas políticos y me ha transmitido algo de su enorme conocimiento de la vida y del ser humano. Si soy algo en el teatro es gracias a él. Me enseñó una técnica que aquí conoce muy poca gente... porque todo el mundo habla de Stanislawski y del método, pero exceptuando diez o doce personas creo que pocas más tienen derecho a decir una sola palabra sobre el tema en este país, y esas diez o doce personas han estudiado con Layton... y ya es método Layton, y no Stanislawski propiamente dicho, que ha pasado ya por tantas manos que... Layton nos aportó además un conocimiento del estudio del texto que a mí me parece fascinante, y además una ética sobre el teatro que a mí me ha resultado fundamental.

F.C.—*Entre la gente que os habéis formado en la escuela de Layton no ha habido después, y es algo que me parece positivo, uniformidad en los resultados estéticos. Cada uno ha seguido una línea personal de trabajo. Y tú mismo, aunque seas el más fiel escudero del maestro, supongo que habrás encontrado puntos de divergencia...*

J.C.P.—¡Tantos!

F.C.—*Es que tal como lo cuentas parece que eres un ortodoxo.*

J.C.P.—¡Qué va!... No, no,... te hablaba de mis bases, de mi formación básica... y ahí Layton ha dejado una huella imborrable... y el maestro y el ser humano... Pero lógicamente, yo he empezado a desarrollar mis propias conclusiones del método, a veces con peleas muy divertidas con Layton... Pero, a fin de cuentas, para mí es mucho más fácil trabajar con un alumno formado con Layton porque me puedo permitir la experimentación sobre una base... Por ejemplo, el concepto de organicidad, ¿cómo llegar a ella? que para mí es la base del teatro... La gran diferencia entre Layton y yo es la manera de conseguir la organicidad del actor, la manera de comunicar al público y la dinámica de los ensayos. Yo soy más disperso, menos sereno que él. Yo intento construir los personajes con elementos externos. Yo pongo al actor de pie antes que Layton, le hago moverse y proyectar y eso a veces da buenos resultados y otras no. Trabajo mucho con el texto, intento que el actor se enamore de lo que dice. Siempre quiero que juegue al teatro. Como los niños juegan a creerse policías o astronautas. A mí me encanta jugar y juego con los actores cuando me dejan, claro. Me encanta trabajar con y para el actor y creo que es el elemento esencial del teatro.

Pero todas estas diferencias son prolongación de Layton. Todo lo he podido ir haciendo gracias a su base. ¡Bueno, esto nos llevaría siglos de explicar! Estamos escribiendo un libro sobre eso, un libro que Layton quiere que se escriba... esto nos llevaría a hablar también de una cosa muy interesante, que es que te encuentras actores profesionales, como me ha pasado con Berta Riaza, por poner un ejemplo, que sin haber estudiado son puro método... y te preguntas cómo es posible... es decir, cómo una palabra provoca una emoción, cómo su comportamiento es consecuente, ella no puede dejar de mirar al compañero, cómo recibe ¡con la espalda!, cómo hace acción-reacción inmediata... bueno... Y Berta Riaza no ha estudiado método... Para mí es sensacional cuando me encuentro con un actor que tiene esa organicidad, ya sea por sí mismo, como un talento natural, o porque ha estudiado con Layton, y sólo entonces puedo permitirme llegar a resultados que busco a través de la experimentación con el actor. Sólo así se puede experimentar, porque estamos apoyados en un terreno común, que es el de la organicidad.

F.C.—*Podrías hacer una definición breve de qué entiendes por "organicidad".*

J.C.P.—Una definición... Organicidad es un concepto ético, una forma de enfrentarse con la interpretación que hace que el actor no tenga que salir a mentir al espectador. No quiere decir eso que el actor tenga que salir con la cabeza baja y hablar en un tono inaudible para que suene "natural". Se nos ha reprochado a menudo que el método sólo sirve para hacer naturalismo... Y siempre tengo que recordar que en el año 72 hacíamos cosas como **Oh, papá** que están muy alejadas de ese estilo... Había plantas carnívoras en el escenario, y un señor que hacía de señora, maquillajes expresionistas... Ese sambenito del método, de la organicidad, como algo interior, psicologista, pequeño burgués, que he oído tantas veces, me hace reír. ¡Eso es algo que está abandonado desde el año en que se concibió! Yo he trabajado con el método cosas tan divertidas como Brecht o el psicodrama... La única vez que hemos llegado a ese tipo de trabajo de una forma, digamos, pura ha sido con el **Tío Vania**. Un montaje de Layton, claro. Y el resultado fue rotundo: barrimos. Creo que nadie ha podido escribir una palabra contra el **Tío Vania**... No sé si al decir esto resulte pretencioso, pero es que lo siento así... el trabajo de Layton siempre me fascina. Pero ésa es sólo una de las posibles vías de expresar la organicidad. Hay otras muchas: uno de los actores más orgánicos que conozco, y te vas a reir, es Juan Margallo. Yo lo he visto salir al escenario a hacer esas cosas tan maravillosas que hace, por ejemplo aquel personaje mudo que hacía en el **Robinson** de Tábano, eso para mí es pura organicidad: ¡es Juan dando una parte de sí mismo al público! Otro ejemplo, y te hablo siempre de gente que considero muy alejada de nuestra escuela: el trabajo de Santiago Ramos en **La rosa de papel** o el de Angel de Andrés en el **Sweick**... o el que hace en el Fo, mejor dicho, uno de los dos que hace, concretamente el millonario. Para mí es impecable. Del otro se podrían decir otras cosas, pero no voy ahora a criticarle... Es decir, hay algo en él, no sé si su sentido del humor, esa cosa histriónica,... pero que es "él"... Cada actor, en cada papel, necesita un trabajo diferente, ésa es mi experiencia; pero todos los papeles se pueden abordar desde el método. Y esto es tan válido para actores que trabajan del interior al exterior, como para aquellos otros que trabajan de fuera a dentro.

F.C.—*Una de las viejas oposiciones de los sesenta parecía enfrentar lo orgánico con lo histriónico. Me da la impresión de que había un menosprecio general de los actores de otras escuelas por parte de los que estaban formados en el "método". Y quizá ocurriera lo mismo en la dirección contraria... Recuerdo que me sorprendió enormemente oír afirmar a Layton que Gloria Muñoz, que estaba entonces en Tábano, era un modelo de organicidad...*

J.C.P.—Había un enfrentamiento, es cierto... por una parte vosotros, por otra la gente que trabajábamos con el método... Un enfrentamiento a veces apasionado y claro, lógicamente no siempre objetivo... Pero, te digo la verdad, a mí ese enfrentamiento me parece estupendo... Es algo que hoy se ha perdido. ¿Quién se apasiona hoy discutiendo de interpretación teatral? ¿Quién se apasiona hoy por el teatro como entonces lo hacíamos?... Me acuerdo de aquellas polémicas de la época en que los del TEI hacíamos **La sesión**, frente a **Castañuela 70** que hacía el Tábano... Aquello estaba vivo... actores que iban de un lado a otro... ¡cuánta gente del TEI ha trabajado con otros grupos!

F.C.—*La ebullición que había entonces entre los actores jóvenes, los grupos, nuevos directores, etc., se ha perdido. Hoy mira qué gente está trabajando por debajo de los treinta años y es muy poca cosa en comparación con los tiempos dorados. Y sin embargo abres La Guía del Ocio y te encuentras con un montón de cursillos, academias, expresión corporal, danza, interpretación, etc., clases de todo tipo que parece que están frecuentadas... Entre ellas el Laboratorio vuestro, que ha continuado sobreviviendo a pesar de la crisis. ¿Cómo valoras este fenómeno?*

J.C.P.—Es muy desigual. Por una parte está la oleada argentina, que, entre mucho bueno, que lo hay, ha metido mucho del estilo **Selecciones del Reader's Digest**... cuatro conceptos esbozados sin el menor rigor... Tampoco es comparable esto con lo del teatro independiente, que exigía un compromiso mucho mayor, sin lugar a dudas... Por otra parte, sigue habiendo insuficiencias fundamentales... ¡la única clase de dirección teatral es la que damos nosotros en el Laboratorio! Ni siquiera se enseña dirección en la Escuela de Arte Dramático... bochornoso...

197

F.C.—¿Y en el Instituto del Teatro?

J.C.P.—No lo sé, la verdad... Lo que pasa en Barcelona... Me entero poco. Son tan suyos y tan autonómicos... Es broma. Te hablo básicamente de Madrid, que es lo que conozco. Y no creo que sea muy diferente el resto de España. Y en todo caso para peor. Y en cuanto a los actores, a esos chicos jóvenes que se meten en un sitio a estudiar, yo creo que en el 95% de los casos a lo que van es a que los vean un poco y, en cuanto pueden, a meterse en el teatro comercial. No les puedes pedir que hagan lo que nosotros... que la verdad es que no sé cómo sobrevivíamos. ¡Pero el caso es que sobrevivíamos! ...Y volviendo al tema de las escuelas, creo que hay muchas para tan pocos resultados. Y es que ahora prolifera el cursillo de veinte días, de un mes... Cuando la formación del actor debería ser cosa de años...

F.C.—*En la Escuela de Arte Dramático son tres años...*

J.C.P.—No me parece suficiente... He visto muchos alumnos de la Escuela que salen *in albis*...

F.C.—*Sin embargo en la Escuela está Layton y otra gente del "método".*

J.C.P.—Reconozco que la Escuela está mejorando paso a paso, pero a juzgar por los resultados... Por ejemplo, en un montón de años de la Escuela no ha salido ningún grupo... exceptuando Ditirambo...

F.C.—*Bueno, salió Bululú también, con Malonda, Sastre, Cuesta...*

J.C.P.—Pero de eso hace ya años...

F.C.—*...Y ahora ha salido un par de grupos de gente nueva: el Teatro 80, que es muy prometedor, y Zascandil, que no está nada mal... Muy apoyados en el profesorado de la Escuela, eso sí, a diferencia de nosotros que nos lo hacíamos todo con el mayor desparpajo... pero ahí están.*

J.C.P.—De todas formas me parece poca cosa para lo que podía esperarse de la Escuela.

F.C.—*Quizá ahora para la gente que empieza el concepto de grupo esté menospreciado. Por lo menos no goza de la prevalencia que tenía hace quince años. Esto plantea un nuevo tema interesante: para ti, José Carlos Plaza individuo, que durante la mayor parte de tu vida has formado parte de uno u otro colectivo, ¿qué efectos puede tener la situación actual que te empuja a hacer tu carrera en solitario?*

J.C.P.—Yo he sido toda mi vida un hombre de grupo. Con un status especial, el de líder, que te obliga a pagar un precio, pero en definitiva un hombre de grupo. Y aunque ahora las circunstancias me obligan a trabajar de otra manera, mi ideología teatral no ha cambiado. Sigo pensando que lo ideal es el trabajo en equipo. Cuando esto se consigue, funciona bien, y cuando no... funciona mal. Por otra parte llevo veinte años trabajando en esa línea y me parece que ahora es un poco tarde para cambiar...

F.C.—*Veinte años de trabajo que pueden repartirse en tres períodos muy diferentes: el Teatro Estudio de Madrid (TEM), el Teatro Estudio Independiente (TEI), y el Teatro Estable Castellano (TEC). ¿Cuáles eran los planteamientos que te hacías en los tiempos del TEM? ¿Por qué razón te separaste del proyecto?*

J.C.P.—Ya te he hablado de cómo llegué a dirigir... Mi primer trabajo fue **Proceso para la sombra de un burro**, de Dürrenmatt. Tenía 22 años y al igual que mis compañeros, los actores, creo que éramos gente fresca, rompíamos un poco los esquemas teatrales al uso... El caso es que la función fue un éxito y nos animó a continuar. Monté un segundo espectáculo, **Electra**, un texto que nos interesaba mucho. Yo pensaba, a diferencia de la mayoría de los grupos independientes, que preferían una acción política directa, que si un individuo no había hecho la revolución dentro de sí mismo, era muy difícil que la hiciera a nivel colectivo. El tema de **Electra**, un personaje que basa su vida en la dependencia de un ser superior, me permitió tocar esto. Despues me planteé el montaje de **Terror y miserias del Tercer Reich**, y surgió el problema con la escuela, con el TEM. La dirección se opuso a que montáramos la obra y nos fuimos.

F.C.—*¿Qué tipo de motivos ocasionaron el enfrentamiento?*

J.C.P.—Motivos políticos. En aquella época hacer una obra así... les parecía peligroso, podía comprometer la existencia de la escuela... y eso a pesar de que había un apoyo de Cultura Hispánica. Eran tiempos muy brutos, el sesentaitantos...

F.C.—*Y así nació el TEI.*

J.C.P.—Pues sí, fue un desgajamiento del TEM, que continuó por su cuenta algún tiempo, y desde el principio nos constituimos como grupo independiente, pero con una particularidad: que todos los días dábamos clases. Siempre he pensado que el teatro más revolucionario es el mejor hecho. Esta era una idea compartida por la gente que estaba conmigo entonces. Por eso dedicábamos tanta atención a la técnica. Con Layton, con Arnold, y conmigo, que me atreví a dar clases de interpretación para cubrir una laguna de Layton que era el lenguaje. Al principio con miedo, pero poco a poco parece que las cosas iban bien, y he seguido toda la vida dando clase. Y esa dicotomía director-profesor luego me ha venido muy bien, porque me ha permitido experimentar en clase cosas que luego aplicaba con los actores. Fue una época muy buena, hicimos la obra de Brecht causante de la discordia, hicimos también un Synge, y la cosa se consolidó... Era un equipo excelente: Juan Margallo, Trini Rugero, Gonzalo Tejel, Gloria Berrocal, Petra Martínez... gente estupenda, con un entusiasmo... Pero a mí, poco a poco, me fue entrando una obsesión: el problema interior del ser humano... Y por otra parte, siempre he pensado que lo importante no era hacer un panfleto político sino ir contra el individuo "dependiente" y de ahí parte el montaje de **La sesión**. Me metí a trabajar con Pablo Población, un psiquiatra, que trabajaba en Ciempozuelos que aplicaba técnicas de psicodrama para la terapia de algunas enfermedades mentales y para ello necesitaba unos actores y allí empezó a surgir el espectáculo, que resultó fundamental para nosotros. Estaba basado en la improvisación y realmente los actores improvisaban con el director incluido en el escenario. Yo entraba como médico y dirigía las improvisaciones. Fue una experiencia apasionante, que no he vuelto a repetir, pero que repetiré algún día. Las interpretaciones eran excelentes, sobre todo la que hacía Trini Rugero, una de las mejores que he visto en mi vida. Y curiosamente esa función,

200

que yo creo que era una de las más revolucionarias que hemos hecho, pero que parecía una cosa "de enfermos", nos permitió conseguir lo que tanto deseábamos: un local para representar y ensayar. Una serie de gente de la "High-society" que había visto la obra por causalidad en un colegio mayor universitario, quedó encantada por aquel viso de *calité* freudiana que tenía **La sesión**. Vimos la posibilidad de que nos financiaran. Representamos la obra en dos o tres casas de gente de dinero y sacamos lo suficiente para abrir el Pequeño Teatro. Se inauguró el año 71 y por él pasaron prácticamente todos los grupos, aparte de los montajes que nosotros hacíamos. Hacíamos tres funciones diarias y manteníamos al mismo tiempo el laboratorio, y muchas reuniones políticas. Pero la situación política se fue poniendo cada vez más caliente, sobre todo cuando apareció la Junta Democrática, y hubo varios intentos de cerrarlo que no sé por qué razón no cuajaron. Aunque al final lo que más pesó en el cierre definitivo del local fue la propia dinámica interna del grupo. Los primeros años la asistencia de público fue buena y constante y nos permitió desarrollar un trabajo continuado. Luego llegó un momento en que, en parte por la ideología de entonces, de ir a buscar un nuevo público y hacer un teatro más popular, y en parte también porque sentíamos que el local se nos iba quedando pequeño, empezamos a salir de gira y el éxito nos animó a seguir intentándolo. La primera gira importante fue con el **Oh, papá, pobre papá...**, de Kopitt y después ya continuamos haciéndolo ininterrumpidamente. El **Terror y miseria del tercer Reich**, que volví a montar, se hizo ya fuera de nuestro local incluso en Madrid, que se puso en el Benavente y a partir de eso el Pequeño Teatro se nos fue muriendo.

F.C.—*¿Hasta qué punto influyó en ello la descomposición del equipo inicial del TEI? Porque en esa época ya no queda ninguno de tus compañeros del principio...*

J.C.P.—Eso no quiere decir que estuviera solo. Por el TEI, como por todos los grupos, ha ido pasando una serie de gente. Gente que se ha ido formando en el laboratorio y luego en el grupo, y que en un momento determinado han seguido su propio camino. A mí esto siempre me ha parecido positivo. Al menos yo lo he vivido así.

En cuanto a la gente del primer momento ha ocurrido lo mismo. Cada uno ha ido encontrando su sitio. Es el caso de Juan Margallo, que después de un par de montajes con nosotros, se separó cuando **La sesión** para montar **Castañuela** y creo que fue muy positivo porque abrió toda una manera de hacer teatro que ha sido enriquecedora. También Antonio Llopis, que desde el primer momento tenía una gran preocupación por las relaciones del teatro y la danza y eso le ha llevado a realizar una investigación riquísima en ese terreno, y lógicamente, a constituir su propio equipo. Paca Ojea sería otro caso, aunque fuera más bien una colaboradora, nunca formó parte del grupo en sí. Ella se ha dedicado más a la formación de actores, ha seguido trabajando con Layton en la Escuela oficial... Pero el verdadero grupo del TEI es el que va desde el año 70 hasta 77: Begoña Valle, José María Muñoz, Pepe Vidal, José Pedro Carrión, etc... son los que realmente mantuvieron la continuidad durante todos esos años. Tampoco te voy a negar que a veces ha habido situaciones dolorosas, crisis personales, por ejemplo la marcha de Trini Rugero y Gonzalo Tejel en la época en que estábamos poniendo en marcha el Pequeño Teatro. No quisieron entrar en ese mundo, fue una decisión muy personal, tenían un temor lógico ante todo aquello que mostraba un caparazón chorra...

F.C.—*Perdona, ¿qué es lo que tenía un caparazón chorra? ¿El Pequeño Teatro?*

J.C.P.—Sí, sí, puedes ponerlo tal como te lo digo. Tenía todo un caparazón chorra, parecía que aquello iba a convertirse en un lugar para la élite de una determinada sociedad madrileña... Luego se vio que no era así, pero hubo que aceptar ese aire al principio...

F.C.—*Como un sacrificio...*

J.C.P.—Hicimos muchos sacrificios por el Pequeño Teatro. Como por ejemplo, dirigir **Una noche en su casa, señora.** Hubo que dirigirla y la dirigí...

F.C.—*Parece que los sacrificios dieron buenos resultados y que encontrasteis una financiación generosa. Se hablaba de que teníais detrás al Banco Urquijo...*

J.C.P.—¡Qué va, qué va, eso fue una mentira del señor Salvat! Hubo aportaciones personales de gente, hicimos una S.A. con acciones pero nunca un crédito bancario. Y además el dinero se acabó a partir del segundo montaje, en cuanto vieron el camino que tomábamos... Como comprenderás, si hubiéramos tenido dinero detrás, no se hubiera cerrado nunca el local... o se hubiera abierto otro mejor...

F.C.—*Tras el cierre del local, continuasteis trabajando como TEI un par de años. Las nuevas condiciones ¿alteraron el planteamiento de vuestro trabajo?*

J.C.P.—No, el cierre en sí, no. Pero hubo cambios en esa época: lo que ya hemos comentado de las giras y de búsqueda de un público más amplio, y también la incorporación de la música a nuestros espectáculos. En este aspecto seguimos una línea muy diferente a la de Tábano, que la utilizaba como un acompañamiento circense y jocoso; nuestra investigación, muy al contrario, iba hacia la música como ritmo interno de la función.

F.C.—*¿Cuál fue la aportación de Arnold Taraborelli en ese sentido?*

J.C.P.—Bueno, Arnold ha trabajado con nostros desde el principio hasta... hasta ahora mismo... y su labor de formación técnica ha sido indispensable para el actor del TEI.

F.C.—*Incluso ha llegado a plantearse hacer algún espectáculo dirigido por Arnold...*

J.C.P.—Y lo ha hecho... Hizo **Danzas urbanas** en el Pequeño Teatro...

F.C.—*Pero no con el grupo...*

J.C.P.—Con gente diversa... mezclada... pero que habían estado en el TEI o en el laboratorio: Llopis, Juan Pastor, etc... Y luego en algunos montajes ha colaborado de forma fundamental... especialmente en el **Cándido**, que fue dirigido por mí, pero montado por Arnold... Y en **Preludios para una fuga** había partes que eran puro Arnold... Hemos trabajado muy juntos y aunque él

203

figurara como director de expresión del cuerpo y yo como director del montaje, lo cierto es que era un equipo... Cuando hemos trabajado juntos como equipo de dirección Layton, Arnold y yo, creo que han sido los mejores resultados del TEI.

F.C.—*Y, hablando de influencias, ¿de qué manera ha podido influir tu militancia política, tu ideología, en tu teatro?*

J.C.P.—No he militado hasta muy tardíamente. Cuando entré en el TEM puede decirse que era una persona de derechas, un joven de clase media... Enseguida cambié, naturalmente, porque mis convicciones en este sentido no eran profundas. Pero militar, lo que se dice militar, tardé años en aceptarlo. He participado en todas las luchas sindicales del franquismo, por supuesto, y he hecho un teatro antifascista... supongo que llegó un momento de mayor radicalización del país y que nos afectó a todos... y, bueno, de todas las organizaciones políticas que conocía, con la que me sentía más de acuerdo era con el Partido Comunista, de modo que hice mi seminario, y entré... y ahí sigo. ¿Que si esto me ha influido a la hora del trabajo artístico? Pues creo que me ha dado, contra lo que la gente suele pensar, una mayor flexibilidad. Yo era muy rígido y ahora tengo mayor libertad. Porque la seguridad proporciona mayor libertad y al contrario, la inseguridad la quita.

F.C.—*El conocimiento es liberador.*

J.C.P.—Claro. Por ejemplo cuanto más sepas del método, más te alejas del método. No hablo tampoco de una total seguridad que eso también suele ser contraproducente, pero sí de ese poco de seguridad que te permite arriesgar. Y esto luego se plasma en la creación artística, por ejemplo, en **Preludios para una fuga**, en el arranque, donde se plantea el problema del trabajo, en vez de partir de la idea de la explotación del trabajador, para mí el tema era la explotación del tiempo del trabajador y yo me permití investigar por ahí en ese espectáculo que creo que es uno de los más hermosos que he hecho...

F.C.—**Preludios para una fuga** *fue precisamente el último espectáculo del TEI. El año 77 es también el de las primeras elec-*

ciones libres y el de la reorganización del franquismo institucional después de los dos años de agitada transición política. Entre los albores del desencanto y la ofensiva autoritaria de la administración, el teatro independiente inicia la cuesta abajo... ¿la desaparición del TEI puede deberse en parte a este fenómeno?

J.C.P.—En todo esto la Administración ha sido muy muy culpable. La liquidación del teatro independiente ha sido un crimen y sus consecuencias serán nefastas para el teatro español. El otro día, a raíz del estreno de **Las bicicletas** en el Español, una persona de las más lúcidas que conozco, Isabel Navarro, le decía a algunos miembros de la Administración: "¡Esto es el teatro independiente. Esto es lo que no habéis querido escuchar. Esto es lo que habéis hundido!" Y estoy totalmente de acuerdo con ella. En **Las bicicletas** hay mucho fruto del teatro independiente... De todas formas la desaparición del TEI fue relativa, porque ya te he dicho que fue una transformación más que otra cosa. Nos constituimos, junto a otros profesionales, en un colectivo más amplio, el Teatro Estable Castellano. Y en ese proyecto se nos unieron algunas personas con las que habíamos trabajado antes, en el TEI o en el TEM, por ejemplo, Miguel Narros, Ana Belén, Enriqueta Carballeira... y María Navarro para atender la producción, que era algo que nos había fallado siempre.

F.C.—*Y Enrique Llovet, ¿no?*

J.C.P.—Sí, como dramaturgo. Llovet ha estado siempre metido en toda esta historia. En el TEM nos daban cursos de dramaturgia y ha seguido haciéndolo en el TEI y en el Pequeño Teatro. Y sigue con nosotros de hecho, porque en el TEC ahora quedamos sólo tres personas y una de ellas es Enrique.

F.C.—*En el curso de esa transformación del TEI en TEC, ¿qué quedó de la estructura originaria del grupo?*

J.C.P.—Lo fundamental. Por ejemplo la forma cooperativa en cuanto a lo económico. Todo el mundo cobraba lo mismo, desde Ana Belén a Miguel Narros o el último actor del TEI. ¡Pero éramos treinta y cinco personas! Ahí nos equivocamos.

F.C.—*El modelo que seguía el TEC era, en líneas generales, el del Teatre Lliure de Barcelona, pero con la diferencia de que el TEC no disponía de un local propio. ¿No fue ésa la principal dificultad para la consolidación de vuestro proyecto?*

J.C.P.—Sí, seguramente. Nosotros queríamos tener un local propio. No pudimos conseguirlo y la cosa se vino abajo porque tampoco recibimos el dinero que esperábamos de la Administración. Porque lo que ha fallado es la valoración de los teatros estables. ¿Cómo es posible que no haya una compañía en el Español o en el María Guerrero? Hay un derroche de dinero tremendo y hay que decirlo. ¿Por qué se monta **Las bicicletas** y luego no se saca de gira por provincias? Es algo desmoralizador...

F.C.—*¿Tiene que ver esta desmoralización con el desamparo anímico que pareces estar atravesando?*

J.C.P.—No, no, son cosas distintas. Mi desamparo anímico es consecuencia de mi experiencia en **Preludios** y en **Don Carlos**, que han sido mis dos montajes anteriores a **Las bicicletas** y mis dos grandes fracasos personales... Fracasos en relación al público, entiéndase bien, porque en cuanto al resultado artístico estoy satisfecho. Y consecuencia también de mis dos montajes posteriores, que son **Los monólogos** que monté para el TEC y ahora **Las bicicletas son para el verano**, que representan justamente una forma de hacer teatro con la que no me identifico totalmente.

F.C.—*¿Por qué razón lo has hecho, entonces?*

J.C.P.—Por imperativos económicos. Los primeros montajes del TEC fueron bien de público y además contamos con una ayuda importante de la Administración, pero a partir del **Don Carlos** tuvimos muchos problemas y perdimos dinero una y otra vez. No encontramos local para **La dama boba** y tuvimos que abrir uno nuevo, el Espronceda; para colmo volvimos a sufrir esa experiencia con **El cero transparente** de Vallejo, con el que inauguramos el Círculo de Bellas artes, que antes de llegar nosotros ni siquiera tenía escenario. También fracasamos con la obra de Nieva, **La señora Tártara** y las deudas se acumularon. Por su parte la Administración nos fue reduciendo la subvención año tras año.

206

Tuvimos que renunciar a la compañía estable y no fue suficiente, así que tuvimos que tomar una resolución drástica y terrible: hacer teatro abocado al éxito, que es la peor de las dictaduras. Con **Los monólogos** hemos recuperado algo de la deuda acumulada, y ahora pensamos seguir con un Fo, **Aquí no paga nadie** que ha funcionado muy bien en todas partes y que esperamos que aquí no sea la excepción.

F.C.—*El caso de* **Las bicicletas**, *¿no es un poco distinto?*

J.C.P.—Hablemos de **Las bicicletas**, de acuerdo... Mucha gente dice que es mi mejor trabajo de dirección. Yo no estoy conforme, por supuesto, pero es una opinión generalizada. Lo único que he hecho en este montaje es aplicar mi oficio. Que lo tengo, como lo tenemos la gente del teatro independiente después de tantos años de trabajo. Para mí ha sido un trabajo de encargo. Yo atravesaba una situación de compás de espera, típica de nuestro teatro, es decir, estaba a la espera de qué pasaba con las subvenciones del ministerio y, en consecuencia, qué pasaba con el TEC y sus deudas, y en ese momento me llamó José Luis Gómez y me ofreció montar **Las bicicletas**. Leí la obra y me pareció un texto respetable, lleno de ternura, pero un texto con el que cuesta identificarse, sinceramente, sobre todo desde un punto de vista político... aunque tampoco creo que sea necesaria una perfecta identificación política para dirigir... Dudé antes de aceptar, pero además de mi situación económica comprometida, pesó en mi decisión la actitud de Gómez que es una persona que ha confiado en mí una de las pocas personas de fuera que ha confiado en mí y la primera que me ha ofrecido hacer algo... porque hasta ahora todo lo que había hecho era porque yo me había propuesto hacerlo... Acepté y lo hice lo mejor que pude, pero no apliqué mi corazón, sino mi técnica. Y el resultado ha sido un éxito del cual, naturalmente, me alegro.

F.C.—*Pero que te sume en la confusión al compararlo con tus proyectos más personales, que han tenido el público en contra...*

J.C.P.—En efecto, en **Preludios** y en **Don Carlos**, cuando he tratado de sacar mi mayor organicidad, mi mayor verdad como

207

director, el resultado ha sido desastroso... pero no tanto frente al público, quiero decir... no creo que sea cosa del público... Hay dos aros de hierro en el teatro que oprimen la creación innovadora, uno es el de la crítica, del que se ha hablado ya mucho, y otro más desconocido pero importantísimo, que es el de la profesión. Tengo comprobado que cuando la profesión acepta un espectáculo, va para arriba, y cuando lo rechaza, fracasa. ¿Cómo se produce ese fenómeno? No lo sé, pero es un hecho. La noche del ensayo general de **Las bicicletas**, ¡del ensayo general, ni siquiera del estreno!, el teléfono de mi casa no dejó de sonar: se había corrido la voz y ya se sabía que era un éxito. Y la noche del estreno yo estaba tranquilo. Sabía que iba a funcionar y así fue.

F.C.—*Hay un sector de la profesión, y de la crítica, de talante conservador, que no apoya, porque no lo entiende, un teatro innovador. Pero el éxito de tu montaje permite cierto optimismo. A mí no me ha parecido un trabajo conservador. Excepto en una cosa: has conservado la vieja fórmula del éxito. "Un buen texto, bien dirigido y bien interpretado".*

J.C.P.—Es un montaje correcto... Está muy bien interpretado... porque he trabajado con algunos de los mejores actores españoles. He tenido la suerte de que los 23 que hay son una maravilla. Las luces están bien colocadas... ¡normal!... Hay unas escenas que me he inventado, de unión, porque el texto me parecía más próximo al guión cinematográfico... Pero todo ello es muy obvio, ¡y mucho más fácil que cualquier cosa que hayamos hecho nunca en el teatro independiente! Entiéndase bien, no desprecio en absoluto ese trabajo, simplemente quiero ponerlo en su lugar: la aplicación pura y simple de las reglas del oficio.

F.C.—*Quizá en tu teatro ha habido un distanciamiento estético con respecto a la sociedad que puede ser revisable. ¿Has pensado que a lo peor no tienes razón, que puedes estar equivocado?*

J.C.P.—¿Cómo no voy a pensar en ello? Constantemente. Y de ahí nace mi confusión... Porque el teatro no lo haces tú solo. Llevas un montón de personas detrás... Todo esto es doloroso, pero lo peor no es esto, lo peor es que estoy ahora perdido, que no tengo ningún baremo donde apoyarme, que no sé dónde puedo encontrar un nuevo punto de partida...

F.C.—*Visto desde fuera, si me permites una apreciación personal, te diría que encuentro que uno de los mayores obstáculos es que pareces carecer de una dramaturgia personal. No hay unidad entre tus montajes...*

J.C.P.—No estoy de acuerdo. Creo que en todos mis montajes hay una línea estética y sobre todo ideológica. Puede que todavía no sea un buen, ni siquiera mediocre, dramaturgo, pero desde **El proceso por la sombra de un burro** hasta **Don Carlos** todos mis trabajos son coherentes, buenos o malos. El trabajo sobre el actor primordialmente y un pensamiento más o menos profundo sobre la libertad individual y la necesidad de cambio. Y en estos momentos lo que me ocurre es que no sé qué debo hacer... Tampoco quisiera convertirme en un creador solitario, de espaldas al público... Me planteo el próximo espectáculo y me digo: ¿debo darle al público lo que quiere? Pero es que también dudo que el público sepa lo que quiere...

F.C.—*A mí no me extraña que el público no respondiera en* **Preludios,** *pongo por caso. Creo que había un rompimiento dramatúrgico muy fuerte, que el espectáculo era muy críptico, que el signo escénico no era descodificable salvo para una pequeña élite y creo también que todo eso tiene un precio...*

J.C.P.—No digo que no, pero es que eso nos lleva a otro problema apasionante, ¿por qué el entendimiento es indispensable en el teatro? Porque en las demás artes no lo es. Es decir, yo no me siento ante un Chagall para "entenderlo", o ante un Mondrian... Un ser humano no se pone delante de un cuadro diciendo: "esa línea roja significa: Franco está muerto". No. Es simplemente una línea roja. Tampoco digo que todo el teatro haya que hacerlo así, pero en **Preludios** ese lenguaje para unos pocos no era un lenguaje para nadie. Nuestro proyecto era "impresionar" no "decir". ¡Reivindico el derecho a hacer algo que a lo mejor no se entiende por la razón, pero se entiende por otros vínculos! No sé si me explico...

F.C.—*A través de la emotividad...*

J.C.P.—De la emotividad, de la imagen, de los espacios, de la belleza estética... o de la inquietud que provoca la omisión del entendimiento. Ese era el camino que se castró pero que intentábamos en **Preludios**.

F.C.—*Conectas en esa investigación con algunas tendencias del teatro moderno, la* **performance**, *Bob Wilson...*

J.C.P.—Exactamente, Bob Wilson... Yo soy un enamorado del trabajo de Bob Wilson. Bueno, yo creo que aquí viene Bob Wilson y le matan... Me alegro de que hayas sacado este tema. Muchas cosas de **Preludios** venían de un estudio sobre las obras de Bob Wilson. Sobre todo el estudio del tiempo...

F.C.—*Lo que a mí me resulta un poco incompatible es pretender trabajar en la vanguardia y tener, digamos, unas expectativas comerciales...*

J.C.P.—Sí, pero tampoco se puede generalizar esto que puede ser válido para **Preludios**, un espectáculo que hay que entenderlo en su contexto. El **Cándido** era un cuento para toda la gente... En cambio en el **Don Carlos** la cosa era muy distinta. No pretendíamos volar, simplemente trabajar con un concepto distinto del espectáculo, que no se aceptó... Creo que mi error fue olvidarme de que el **Don Carlos** no se ha visto todavía en España, y que la gente probablemente lo que quiere ver es el **Don Carlos** con los decorados de **Don Carlos**, es decir, el salón del trono... pues que sea un salón del trono... ¿Entiendes? Yo, por ejemplo, una de las ideas que quisiera hacer es un **Hamlet** con cinco Hamlet...

F.C.—*Me pregunto si no te ayudaría intentar trabajar directamente con materiales nuevos, desde un punto de vista dramatúrgico...* **Don Carlos, Hamlet**... *¿no es un poco meterse en la boca del lobo?*

J.C.P.—Eso es precisamente lo que hicimos en **Preludios**... La dificultad está en que en este país no hay muchos autores, por lo menos no hay lo que pudiéramos llamar dramaturgos...

F.C.—*¿Dramaturgos en el sentido alemán del término?*

J.C.P.—El señor que está en un equipo de trabajo, que conoce perfectamente las necesidades de ese equipo, que se entiende con los actores, con el director, y que sabe cómo estructurar espectáculos... A nosotros se nos ha acusado mucho, hubo dos autores, Martín Recuerda y no sé quién, que llegaron a decir públicamente que jamás permitirían que pusiéramos un texto suyo en escena... aunque luego no dejan de mandarte obras, pero bueno,... y que no es cierto. Mira, nosotros hemos hecho a lo largo de estos años un montón de textos españoles: una **Electra**, nuestra, en colectivo, claro que esos señores sólo consideran español lo suyo; hemos hecho **La sesión**, de Pablo Población, que como es un médico y no un literato, tampoco cuenta; **Prometeo**, a base de improvisaciones, no te digo más; **La legal esclavitud** de Martínez Ballesteros... También **Preludios para una fuga**... era colectivo. Creo que al autor español le ha pasado un poco lo que al teatro independiente... Y hablo incluso de autores consagrados. Fíjate los dos espectáculos de Paco Nieva, que a mí me parecían dos textos espléndidos y que no han funcionado, ni la **Coronada**, ni la **Tártara**, y es que están... muy alejados... están...

F.C.—*¿Quizá porque los ha montado él?*

J.C.P.—¡No sólo por eso! Es que le falta concatenación con un equipo de gente... y por eso lo tiene que hacer él solo... porque no confía en los demás. Y a mí eso me preocupa.

F.C.—*¿El autor debería integrarse también en el equipo de montaje?*

J.C.P.—Naturalmente. El teatro sólo puede hacerse en equipo. Y dentro del equipo es muy importante que haya un autor. No digo que no puedan haber autores maravillosos que escriban aparte, pero eso es como los actores. Por ejemplo, yo estoy convencido de que en cada generación puede haber una Berta Riaza, o un García Lorca... pero una vez cada cincuenta años... y mientras tanto, ¿qué hacemos los demás, los que no hemos nacido genios? Porque tendrá que seguir habiendo teatro, ¿no?... Y entonces es cuando te das cuenta de que eso hay que suplirlo con trabajo en equipo, con una comunión necesaria que facilite el entendimiento... el encontrarse en una misma onda...

Cuando yo tenía que elegir textos, y digo tenía porque entonces era libre y no estaba condicionado por tener que buscar el éxito, siempre llegaba a punto de desesperación al no encontrar algo que nos pudiera servir... y terminábamos por hacer nuestros propios textos... con todas las limitaciones y dificultades que eso pueda suponer... ¡pero es que nos compensaba mucho más! ¡podíamos trabajar sobre lo que queríamos!... Y esto que digo ahora del dramaturgo, es aplicable a todos los aspectos del trabajo teatral: a la dirección, la plástica, la escenografía, la música... Por encima de las valoraciones personales, el teatro es el resultado de un trabajo en equipo, y si hay algo que resuma mi actitud, mi ideología teatral, está en ese convencimiento.

LLUIS PASQUAL

LLUIS PASQUAL.—Como casi todo el mundo, yo empecé como actor en un grupo independiente, en Reus, que es donde nací y donde hice el bachillerato. Luego vine a Barcelona a estudiar Filosofía y entré en el Grup d'estudis teatrals d'Horta, que dirigían Montayes y Segarra. Hice unos cursos de voz y entré, primero como profesor y después como alumno, en el Institut del Teatre. Aparte del Institut, daba clases también en la Escuela de Teatro de Sans y allí me pidieron si les quería dirigir un montaje con los alumnos de la escuela. Yo nunca había dirigido y no sabía lo que podía pasar, pero tenía en la cabeza la idea de hacer un montaje sobre la Semana Trágica, la revuelta popular de 1909 en Barcelona. Como no había ningún texto ya escrito del que pudiéramos partir, y tampoco me atrevía a pedírselo a algún autor de los que conocía, tuve que hacerme cargo de escribirlo yo mismo. Empecé con improvisaciones con los actores, grabándolas y reescribiendo los textos con ayuda de un historiador y persona de teatro, Guillén Jordi Graells, que se prestó a colaborar en el asunto y el resultado fue **La setmana trágica,** que contó también con la suerte de que Fabiá Puigserver hiciera la escenografía (ése fue nuestro primer trabajo juntos). Luego la cosa fue bien y así, un poco por casualidad, me convertí en director.

FERMIN CABAL.—*¿No tenías, entonces, un proyecto previo de dedicarte a la dirección?*

L.P.—Bueno, yo tenía ganas de dirigir desde antes. De hecho, la escusa de estudiar Filosofía era un motivo para estar en Barcelona y poder hacer teatro. Y nunca me había visto como actor, porque lo pasaba muy mal, muy mal, aparte de que creo que era muy malo. Las ideas que se me ocurrían eran mucho más de director que de actor, de modo que cuando me sugió esa oportunidad la cogí, aunque muerto de miedo. Y la verdad es que me pasó una cosa curiosa y es que desde el primer ensayo me sentí comodísimo, como si me hubiera encontrado el molde... Se me ocurrían cosas buenas y malas, pero que eran de director exclusivamente... y desde entonces supe que podía plantearme muchas dudas sobre esto o lo otro, como todo el mundo, pero que tenía una cosa clara y es que era director, y no actor o cualquier otra cosa.

F.C.—*¿Y el tema de la dramaturgia? Porque inmediatamente después de* **La setmana trágica** *te pusiste con el* **Camí de nit**. *¿Has abandonado definitivamente tu faceta de escritor?*

L.P.—Sí, empecé dirigiendo y escribiendo mis textos... Pero creo que no eran textos de autor, sino de director que necesitaba solucionar unas escenas, crear unos textos. Tal vez por los estudios de literatura en la Facultad, o porque el teatro me ha gustado siempre leerlo, o por tener una idea un poco global del espectáculo, creo que sabía bien lo que quería y tenía la suficiente insensatez o temeridad para escribirme mis propios textos. Luego lo dejé, efectivamente... Creo que también había un poco de miedo a montar un texto de autor, ya construido, quizá inconscientemente me protegía... y hubo un momento en que ya no necesité de esto.

F.C.—*En esos momentos se observa en tu teatro un innegable distanciamiento del modelo del Teatre du Soleil, que había inspirado* **La setmana trágica**...

L.P.—No he negado nunca esta influencia de Arianne Mouchckine, incluso lo he dicho en el programa. En aquel momento yo estaba realmente impresionado por sus espectáculos y eso se notaba. Luego, de una forma natural, he ido encontrando mis propias soluciones... En cuanto al resultado de **Camí de nit**... Creo que había efectivamente en mí un divorcio entre el autor y el director, del que salía siempre triunfante el director. Cuando escribí este segundo texto, lo hice solo, en mi casa, con una idea previa al montaje, a diferencia del trabajo de creación de **La setmana trágica** y creo que esto se refleja en el texto... Y sin

214

embargo, como montaje, yo prefiero **Camí de nit**. Hoy está mucho más cercano a mí, podría incluso volverlo a montar, cosa que me sería imposible con **La setmana**. Y es que en **La setmana trágica** me pasó eso que sólo una vez cada diez años puede pasarle a un director... si es que le pasa... y es esa comunicación especial que se establece con el público en determinados espectáculos que es como si llegaran, por así decirlo, a su hora. Es lo que está pasando ahora con **Las bicicletas son para el verano**, la obra de Fernán Gómez. Al margen de la calidad intrínseca del trabajo, es como si se juntaran las estrellas. Hay en el público como una necesidad de recibirlo, como una comunión que se establece con el escenario. Es un espectáculo necesario. Como el agua corriente. Esto ocurre muy pocas veces en el teatro y a mí me pasó con **La setmana trágica**. Pero yo ahora, al paso del tiempo, lo veo como algo muy ingenuo.

F.C.—*Y lo era sin duda, y ahí radicaba gran parte de su encanto. Esa frescura que ofrecían los actores, que se respiraba en la representación; esa pasión del teatro, esa entrega... esa comunión, como tú dices, que allí se establecía, tenían un gran poder de convocatoria. Claro, era la obra de un grupo de veinteañeros, erais todos muy jóvenes...*

L.P.—Sí, yo tenía veintiún años...

F.C.—*...Y en un contexto político mucho más exultante que el de ahora... Esto me plantea una reflexión sobre tu trabajo actual ¿la pérdida de esa ingenuidad no habrá ido en detrimento de la capacidad de comunicación de tus puestas en escena? Tu teatro ha ido perdiendo pasión para hacerse más contenido, más frío... Yo echo de menos algo en las últimas cosas que he visto tuyas, y es... "verdad", no sé si me explico bien... Igual que hay una comunión entre el espectáculo y el público, hay también una entre el espectáculo, el material de este espectáculo en bruto, y el artista... Mientras que en **La setmana trágica** yo sentía que por parte del artista había también esa comunión, que se manifestaba en la entrega del mismo, que se decía "éste es mi cuerpo y ésta es mi sangre", en **La hija del aire**, por ejemplo, eso está ausente. Yo veo una estilización, un buen gusto, cierto sentido común in-*

negable en las soluciones escénicas... Veo un espacio escénico sugerente, veo a Ana Belén, lo hace muy bien, la gente lo aplaude... Salimos y me pongo el abrigo con esa sentación como cuando has estado en una casa confortable, maravillosa... y sabes que no vas a volver, porque el dueño es un plomo... ¿Cuál es tu relación con ese material dramático? ¿Te pasa algo o lo montas, como un trabajo "de encargo"?

L.P.—Esa pérdida de capacidad de comunicación que señalas, yo no puedo decirla porque estoy dentro y no tengo la perspectiva que tiene el crítico... Lo que sí te puedo decir es que yo he estado siempre, y estoy, obsesionado por el aprendizaje del oficio. Dirigir es un oficio, un oficio como cualquier otro, que no se sabe dónde se aprende, quizá robando un poco de todos, es decir de los actores, de la vida, del arte, de... de todo... Precisamente por esa obsesión, tal vez llega un momento en que hasta que no te ves sólido en el oficio, eres menos temerario de lo que podías ser con **La setmana trágica...** Bueno, sí, tal vez en **La hija del aire** haya mucho oficio y menos frescura... Es posible, pero yo no lo sé...

F.C.—*A partir de* **Camí de nit,** *que inaugura precisamente vuestro local, empiezas a trabajar de una forma continuada como director de la casa, con ese planteamiento de equipo que os caracteriza y que han explicado algunos de tus compañeros en esta revista, y al mismo tiempo, no renuncias a trabajar fuera, con Nuria Espert, o con el Centro Dramático, es decir con otros sistemas de producción más convencionales. ¿Qué lugar ocupa lo uno y lo otro en el conjunto de tu carrera? Recuerdo que Fabiá Puigserver decía en una entrevista que tú no hubieras dirigido* **Una alta Fedra, si us plau,** *la obra de Espriú, si hubiera sido una propuesta para el Lliure, porque no hubiera interesado, y que la habías dirigido como un trabajo de encargo, como un trabajo más de un director profesional...*

L.P.—Bueno, como tú has dicho, en el Lliure hay una doble actividad, por una parte programar y dirigir teatro, que lo hacemos de hecho tres personas, Fabiá, Carlota y yo, y después, por otra parte, mi actividad como director. El Lliure es, digamos, mi casa, hasta que deje de serlo, y es, sobre todo, el lugar donde se

216

produce con un sistema de producción que es el que yo creo más idóneo, es decir, la concepción del teatro como un servicio público y la creación de un equipo con una línea de trabajo y un lenguaje, que permita que eso pueda llevarse a cabo. Lo que pasa es que todo no puedo hacerlo en el Lliure. Yo trabajo por impulsos, con una constante sobreexcitación, necesito trabajar mucho... No me preguntes por qué, no lo sé... Yo envidio a la gente que hace dos montajes al año, a veces uno, que se pasa meses madurándolo y pensándolo,... También yo paso tiempo madurándolo y pensándolo, pero debo ir, a mi tiempo, a muchas revoluciones por minuto... Es precisamente ahora la primera vez que he parado seis meses porque durante el último año y medio hice cinco cosas, y me he dicho: ¡basta! Es como si tuviera una sobrecarga de hijos; dicho en términos normales, que estoy cansado... Y sí, pasó eso con **Fedra,** pasó con **Medea,** pasó con **La hija del aire,** especialmente con **La hija del aire...** también pasó con **Sansón y Dalila...** Son cosas que no hubiese hecho en el Lliure, pero también son cosas que me ha gustado hacer, porque en el Lliure no hubiera nunca podido hacer una ópera, que me interesa mucho... Lo simultaneo cuando realmente las cosas del Lliure están solucionadas, cuando está la temporada resuelta, cuando están los huecos para que dirija otra gente, otros proyectos... Pero, naturalmente, como todos siempre intento escoger una cosa que me guste... No hay entonces un divorcio entre Lliure y no Lliure... yo hasta ahora, quizá porque soy trabajador, no me siento extraño trabajando con la compañía de Nuria Espert o con la Zarzuela o con el Centro Dramático. Dirijo exactamente igual en un sitio o en otro y no tengo demasiados problemas.

F.C.—*¿Entonces, ¿la influencia del trabajo en equipo se limita más a una relación de tipo personal que estética?*

L.P.—Hombre, lo que sí es cierto es que hay un entendimiento del lenguaje con los actores del Lliure que se va moldeando poco a poco. A veces con un actor del Lliure no hacen falta casi ni palabras. Saben inmediatamente lo que pide el director y éste también entiende lo que el actor propone y ya es una disposición, una manera de hacer... que también puede convertirse, de repente, en un factor negativo. Como uno de esos matrimonios que al cabo de

217

seis años ya se lo han dicho todo, y eso se vuelve del revés.

F.C.—*¿Y cuál ha sido tu evolución a lo largo de estos años de trabajo en el Lliure? Entraste muy joven y desde entonces te has sometido a un ritmo intensísimo de trabajo, con varios montajes al año. ¿Cómo ha sido ese aprendizaje del oficio, del que hablabas antes?*

L.P.—Con el tiempo he ido perdiendo fuerza, me sentía más fuerte al principio, por un problema de insensatez, de temeridad... Desde luego, he trabajado mucho y eso ha tenido que influir en mi aprendizaje. Pero, ¿qué es un director de teatro? ¿Qué tiene que ver gente tan diversa y tan maravillosa como Peter Brook y Víctor García? Los dos son creadores, directores... En mí el aprendizaje del oficio ha actuado como un estímulo. Me subyugaba, por ejemplo, el trato con los técnicos, con los electricistas, con los que curiosamente siempre me entiendo bien... hay un conocimiento que me interesa. En los sitios donde el teatro está más institucionalizado, donde tiene una presencia más sólida, también encuentro estímulos. Para mí ha habido un par de salidas que han sido decisivas. De una parte mi estancia en el Nacional de Varsovia, con Hanuszkyewiz, donde pasé tres meses el año 76, después de montar **Camí de nit**, y el segundo fue Strehler, en el Piccolo donde estuve cuatro meses, y donde he vuelto varias veces en busca de consejos, esa cosa tan renacentista, porque para mí Strehler es un maestro... y no es tanto porque sea un buen director, sino porque es alguien del cual tú puedes aprender no sólo como profesional, sino como visión del mundo, y del papel del teatro en ese mundo.

F.C.—*Y hablando de influencias, me imagino que una de las más importantes en tu formación habrá sido la de Fabiá, con el que has trabajado ininterrumpidamente desde tus comienzos, ¿no es así?*

L.P.—Desde **La setmana trágica**. Fabiá creo que es un gran profesional. Bueno, un gran profesional no, llega un momento en que eso no quiere decir nada. Un gran creador. Hay una cosa que a mí siempre me preocupa en los espectáculos, y es su dimensión plástica. El teatro tiene la obligación de darla a un nivel u otro. Con mucha o poca escenografía, no es un problema de cantidad. Y con Fabiá tengo una especie de interacción plástica, de

218

comprensión, que se produce desde un principio, y un intercambio dialéctico muy bueno, un lenguaje común, podemos estar hablando durante una hora de un traje y sabemos perfectamente lo que el otro quiere decir... y eso desemboca, indudablemente, en una influencia, porque es alguien fuerte, desde ese punto de vista. Y sin embargo, a la hora de dirigir, no tenemos nada que ver, aunque por supuesto hay un respeto absoluto por su sistema.

F.C.: *Al cabo de estos nueve años de trabajo, de aprendizaje del oficio, y de distintas influencias, ¿encuentras que se van definiendo tus opciones estéticas? ¿O participas, como Fabiá Puigserver, de esa idea, tan cómoda por otra parte, de definirse como un ecléctico por encima de todo y a partir de ese eclecticismo estar siempre empezando desde cero?*

L.P.—Yo creo que estar siempre partiendo de cero no es nada cómodo, más bien todo lo contrario, me parece terrible. Yo creo que esto lo puede hacer Fabiá porque él es Escorpión y los escorpiones se clavan el aguijón de vez en cuando y cuando están a punto de morirse salen otra vez... Como le pasaba a Picasso, que de pronto decía: ¡Nada, se acabó el cubismo!... y a otra cosa... Yo necesito, aunque sea imperceptible, interior, una especie de hilo conductor de un montaje al siguiente. Creo que no soy nada ecléctico. En realidad estoy siempre contando la misma historia. Más o menos enriquecido con un oficio, con mayor o menor acierto o con mayor o menor implicación de experiencias personales pero siempre lo mismo... Trato de explicarme los porqués... del mundo... de la vida... de cada momento y de cada edad... No me gusta nada utilizar estas frases, pero no sé cómo decirlo... Por eso no me gusta nada de lo que hago, porque si una obra ya sé cómo hacerla, cuando lo leo, pues no lo haría... porque deja de atraerme. Yo necesito ante cualquier proyecto tener una serie de interrogantes por contestar. Durante el proceso de trabajo encuentro algunas respuestas, muchas o pocas en función de cómo vaya el trabajo y hasta dónde sea uno capaz de ir lejos... Y el día del ensayo general, despejados esos interrogantes, deja de interesarme... Voy como de paso por los espectáculos, de camino, es decir, paso por un espectáculo para dirigirme a otro, pero sin quedarme quieto en ninguno.

F.C.—*Sin embargo ese hilo conductor se enrollará en alguna madeja, estará hecho de algún material, vendrá de alguna parte...*

L.P.—Sí, me imagino que debe haber algunas constantes... pero yo no las sé. No las sé y prefiero no saberlas. Cuando dirijo lo hago por impulsos, muy... muy... Hay un trabajo intelectual que yo intento asimilar y asumir, pero que procuro no llevarlo al teatro... Porque no creo que la interpretación o la dirección de actores sea un proceso intelectual. Me parece que esto me ha quedado muy tajante y que debería matizarlo... El caso es que me siento más visceral que intelectual en el momento de dirigir... Y en estos momentos estoy en eso que llaman la crisis de los treinta, que es el número que he empezado este año. Y me parece que nada sirve, que ¡tengo que empezar de cero!... pero tampoco eso me sirve, porque no soy Escorpión, soy lo peor que se puede ser, Géminis (risas). Pienso que una cosa que me hará plantear interrogantes de nuevo es el trabajo de **Ederra**... y si se producen constantes, ya lo dirá alguien... **Ederra** es una cosa completamente distinta a lo que he venido haciendo... Hace tiempo que tengo ganas de hacer un espectáculo contemporáneo, con la gente vestida normal, sin capas, sin sombreros, sin disfraces... al uso... un tema de ahora... Luego hay otra cosa, parece que yo expreso muchísimo a través de actrices... **La hija del aire, Medea, Fedra, Las tres hermanas, El balcón, Rosa i María**... y ahora **Ederra**... estoy constantemente dándole vueltas... debe ser por aquello del mito de la Madre Tierra... pero esto también tiene que decirlo alguien, yo no lo sé... Ayer, en el estreno de **Esther**... ¡Otra mujer, fíjate, no lo había pensado... ayer, alguien me señaló que otro elemento que se reitera en mis montajes es el contraluz... y es posible, pero también inconsciente. No lo hago por un motivo determinado, es algo que se me ocurre en el momento y que no puedo explicar...

F.C.—*Antes has dicho que en el montaje encontrabas alguna respuesta a los interrogantes que te planteaba la obra. De ahí deduzco que, por muy elemental que sea, tiene que haber algún atisbo consciente de comunicación en tu práctica artística... y seguramente ese algo tendrá mucho que ver con tu estilo...*

L.P.—Si hay algo que yo quiera hacer con mi teatro, es poesía. Que el espectador pueda sentir en su butaca algo parecido a lo que se produce cuando coge un libro y lee un poema. Esto es un acto emocional e intelectual. Si hay algo que yo busco, que persigo, es esto.

F.C.—*Acabamos de ver en Madrid* **Historia de Esther** *que es un espectáculo representativo de tu última producción...*

L.P.—Es lo último que he hecho para teatro. Después he hecho sólo una ópera.

F.C.*Encuentro que este espectáculo resume un poco dos líneas tuyas... Por una parte está ese plano de los habitantes del pueblecito de Sinera y por otra el de los habitantes de la fábula persa... dos planos que se funden, se mezclan, son permeables... pero que la mayor parte del tiempo están, incluso, separados en el espacio escénico. Para mí hay un doble tratamiento de estos elementos. Uno intimista, muy lírico, con pretensiones, digamos, strehlerianas, que reposa sustancialmente en los personajes del pueblo... Hay momentos muy bellos, por ejemplo el ciego, que está cantando con la estufita de cisco, con ese humo que se eleva, ocupando el ángulo, la esquinita... muy sencillo... y muy potente... Y junto a éste, otro tratamiento que contrasta totalmente, muy histriónico, compuesto, retórico, que se apoya en los personajes de la corte persa, los ministros, el rey, el judío... de pronto todo se hace operístico, se deshumaniza, se hace de cartón y colorinchi, el trabajo de interpretación muy exterior... Y no creo que sea inconsciente, porque hay un momento en el espectáculo, cuando Lluís Homar se quita el peluquín y aparece... no sé quién aparece...*

L.P.—El actor...

F.C.—*¿El actor?... o quizá otro personaje... yo creo que otro personaje que es un sosias del autor, que nos cuenta el fricandó que hacían en su pueblo, lo rico que le sabe ahora que no lo puede comer... y de pronto cambia la voz, cambia el gesto, la luz, todo... Esto es deliberado... ¿Por qué ese vaivén del histrionismo al momento poético?*

L.P.—Es que a mí lo que me gusta es o la ópera o Chejov (risas). Siempre me caen encima, puede que a veces lo provoque yo, espectáculos grandes, de muchos actores, de música, de decorados... y yo siempre digo, y la gente se ríe, veo que no me lo cree nadie, que lo que me gusta es el trabajo con tres actores y punto, muy humano, muy así... yo intento buscar, como todos, siempre la verdad, la verdad del teatro. ¿Cómo se entremezclan los dos planos, me preguntas? Bueno, hay una lectura muy íntima y muy personal en **La primera historia de Esther,** al margen de que el texto siempre condiciona muchísimo, y es... Uno de los motores que me han servido para dirigirla es una especie de adiós a un cierto tipo de teatro. Me he vomitado en cierto modo a mí mismo dentro de la **Primera historia de Esther...** cogiendo ese histrionismo que es el histrionismo de muchos personajes de teatro en Cataluña, de los **Pastorets** y de la **Passió...** Esto es muy divertido, porque venía gente de Esparraguera, que hacen la **Passió** y se reconocían: "Es como el carpintero que no sé qué, etc.!" ...Hay una gran dosis de amor hacia esos personajes, pero yo creo que ése es un teatro que... que ya está desapareciendo, que para bien o para mal ya no está, aunque queden una especie de restos... Y yo, en este montaje, es como si me estuviera diciendo... Pero ya te digo que esto es muy íntimo y que seguramente no se traduce en forma directa en los signos del espectáculo ...Pero sí, hay una especie de adiós a un mundo, y a una forma de teatro... Si esto es verdad, y me he ahorrado a su costa unas sesiones de psiquiatra y lo he podido hacer desde un punto de vista teatral... pues mejor... Creo que estoy en un momento de cambio importante para mí, de cambio teatral, de quitarme de encima unas determinadas influencias, de coger una poética más propia y... no sé, esos dos planos que te he dicho, la ópera y Chejov, que se ven entremezclados... quizá deba separarlos... Y digo Chejov porque a mí no me parece en absoluto un realista, un naturalista, sino otra cosa, un señor que hace un texto enormemente poético, que no tiene nada que ver con el realismo...

F.C.—*Bueno, eso nos llevaría a una discusión... que no ha lugar en esta entrevista, el tema de los contenidos del realismo...*

L.P.—Y qué es el realismo en el teatro, qué quiere eso decir...

F.C.—*Porque para mí Chejov sí es un autor realista.*

L.P.—Pero que sobrepasa los niveles habituales del realismo...

F.C.—*Porque es un gran artista y los grandes artistas, por definición, sobrepasan los niveles habituales. Pero no discutamos en el aire... Antes has hablado, a propósito de la obra de Amestoy, de tu deseo de trabajar con los materiales de la actualidad, sin los disfraces del teatro, has dicho... has hablado también de una forma de hacer teatro que se muere, al menos dentro de ti... ¿Es previsible una oscilación hacia tu faceta chejoviana, le llames o no realismo?*

L.P.—Reconozco en mí como un deseo fuerte de hablar... Creo que si no hiciese teatro sería periodista porque, de alguna manera, necesito dejar... no, no es dejar la palabra, añadir, añadir a lo que me sirve de la historia del teatro, lo que sigue siendo válido para nosotros ahora, para contarlo ahora, una visión más contemporánea, y también más arriesgada, porque es hablar en tiempo presente... y tampoco estoy seguro de que el teatro pueda hacerlo, quiero decir, pueda hacerlo a por todas, cuando hay otros medios como la prensa o la televisión... A lo mejor lo que era el teatro en el siglo de oro es ahora la televisión. Todo esto son cuestiones que no tengo contestadas pero que quiero, que me atrae intentarlo. Por otra parte, la obra de Ignacio no es absolutamente realista, o sea, es como un espejo que se hubiera caído al suelo, roto en mil pedazos, y como dice Espriú, cada pedazo refleja un trozo de realidad. Son trocitos sueltos que hay que recomponer luego en la mente y en la sensibilidad. Desde que la leí me viene a la imaginación el **Guernica**. Tiene muchos interrogantes y eso debe ser lo que me atrae.

F.C.—*Y ese hilo que da continuidad a tu trabajo, ¿de dónde va a tirar esta vez? ¿De esos personajes míticos de la tragedia clásica, **Fedra**, **Medea**, con los que quizá **Ederra** esté emparentada?*

L.P.—No. De Genet. Del **Balcón** de Genet. Con lo que me planteo hacer **El Balcón**, que para mí ha sido el trac más grande de mi carrera. Es una obra donde no hay una línea de palabra, un lenguaje, fácil. Cuanto más contemporáneo es más difícil el reflejo del espejo.

F.C.—*¿Cuanto más contemporáneo es más difícil el reflejo del espejo?*

L.P.—Sí, eso es.

F.C.—*¿Por qué?*

L.P.—Porque no hay una tradición cultural donde cogerse. Porque uno entonces tiene que ser muy valiente. Cuanto más cerca tienes el toro...

F.C.—*En tus presupuesto estéticos, y en los de tus compañeros del Lliure y, en general, en todo ese sector del teatro español contemporáneo que está en una línea parecida, más atenta a la composición global del montaje, a una búsqueda de caligrafía nueva que a la verdad interior del personaje, muy influenciados por el teatro, la tradición teatral centroeuropea, detecto un peligro que me parece.bastante amenazador. Es como si la realidad circundante, la vida cotidiana, hubiera dejado de nutrir vuestra producción artística, hubiera dejado de interesaros como material, y se produjera entonces un incesante y reiterado ir y volver a "las fuentes", a "los mitos y arquetipos de nuestra cultura", etc., es decir, que la vida se ve substituida por el teatro, por la cultura... Y en contraposición a eso podría ponerte el trabajo de un Fassbinder, uno de los grandes artistas contemporáneos, que parte de esa misma tradición centroeuropea y comparte esos presupuestos estéticos, y que además yo veo en tus montajes ecos de sus planteamientos, por eso te lo cito...*

L.P.—Pues sí, es posible... Para mí Fassbinder es también uno de los grandes talentos de hoy. Me ha hecho pensar mucho, mucho, como creador...

F.C.—*Y sin embargo, Fassbinder trabaja casi exclusivamente con los materiales de la realidad más inmediata...*

L.P.—Lo que pasa es que yo creo que hay una diferencia histórica importante, que por otra parte creo, o espero, que yo

224

pueda empezar a barrer, a quitarme de encima, en adelante. Y es que Fassbinder se encontró con una cosa construida... Yo siempre digo que nosotros no hemos tenido, por no tener, ni la revolución del 68, con todo lo bueno y todo lo malo, porque estábamos, yo por lo menos, obligados a conservar para poder construir otra cosa... Una situación un poco traumática... Uno puede prescindir de esa tradición, dejar atrás a Calderón, a Espriú... cuando eso está hecho, pero si no es así, se te crea la obligación de hacerlo y doblemente cuando uno está en Cataluña... Es un peso grande y uno tiene la necesidad de... de ser normal... La gente de mi edad en Alemania, en Polonia, en Francia... están realmente en otro momento porque ya han pasado por donde yo no he pasado... Eso crea realmente una tensión interna muy grande... Y Fassbinder, cada vez que veo una película, me hace salir mal del cine, y muy bien al mismo tiempo, es decir, me entusiasma el producto pero me hace pensar en el individuo, porque detrás de Fassbinder hay una Alemania y todo lo que eso significa, que no tengo yo... que quisiera quitarme de encima todas las auto-obligaciones que no sé por qué me impongo... o me las imponen... Por todas estas cosas me atrajo enormemente el proyecto de **Ederra**... Es una oportunidad para romper con esa especie de tensión... que es característica de los Géminis, donde están dos hermanitos que tiran... y si esa parte de mí que quiere atreverse, que quiere romper con esa comodidad,... relativa comodidad porque tampoco es tan cómodo hacer Marlowe en el año 78... Pero en estos momentos voy a intentar coger el otro aspecto... sin renunciar a lo otro, porque también es mío y lo que no puedo hacer es cambiarme. Pero de entrada **Ederra** me plantea un setenta por ciento de cosas nuevas, donde no voy a poder echar mano de recursos, lo cual está muy bien, porque ir adquiriendo oficio está muy bien, pero también puede estar muy mal si se convierte en un freno, en un stop... Y mira, creo que en eso del peligro de dar la espalda a la realidad... creo que tienes toda la razón. Lo pienso así yo también.

F.C.—*Hemos hablado de la influencia en tu teatro del aprendizaje del oficio en el Lliure y fuera del Lliure, y de algunos maestros extranjeros. ¿Te sientes también influenciado por los colegas de tu generación, lo que vendría a ser tu grupo de iguales? Dicho*

de otro modo, ¿cómo te sitúas en relación al teatro de tu genera-
ción en España y, por supuesto, en Cataluña?

L.P.—¡Uf!... No sé, no me sitúo... Tengo influencias de
Fabiá, tengo influencias de Nuria Espert, son dos personas que
me han influido muchísimo... también de algunos actores del
Lliure, de Lluís Homar, de Ana Lizarán, de Rosa María Sardá...
pero la relación más grande la tengo siempre con gente de otros
medios, con músicos, con pintores, con arquitectos, con gente de
otros campos. Por ejemplo, tengo una relación muy distanciada
pero intensa, por edad, por concepto, con Federic Amat, que es
un pintor catalán que trabaja en Nueva York... gente de otras
disciplinas, más que del teatro... y a veces con gente de cine. Tal
vez por falta de tiempo. Trabajo constantemente... Lo que sí me
encuentro a veces es con esa especie de búsqueda de... de verdad
escénica, incluso con gente tan distinta como... Bueno, yo no la he
visto, pero cuando me cuentan el planteamiento de **La Celestina**,
de Angel Facio, tengo la sensación de que es algo que me es próximo. Claro que las cosas contadas, luego no tienen que ver, pero...
La verdad es que yo suelo pasarlo muy mal viendo teatro, casi te
diría que no me gusta. En cambio disfruto mucho viendo ensayos,
aunque ese día sea un mal ensayo, por poco que tengan... puedo
pasarme horas viendo... Pero en la representación lo paso mal,
estoy tenso, pendiente de otras cosas. Lo único que consigue
hacerme salir de eso y convertirme en público ingenuo es siempre
un actor. Siempre un actor. Luego puedo razonar y emocionarme
con la inteligencia de un director, de un dramaturgo, pero en el
momento sólo me interesa el actor. Después sí, sobre todo en
conversaciones, tengo intercambio con gentes de mi generación,
pero no creo que la influencia pueda ser grande. Pienso que al
final, el acto de creación es un acto individual.

ANGEL FACIO

ANGEL FACIO.—En contra de la opinión general, creo que el movimiento del llamado teatro independiente ha sido un movimiento estrictamente teatral. Se le ha querido presentar más bien como un movimiento político, y es indudable que había un componente ideológico importante, pero esta ideología se canalizaba en unas formas muy concretas. En lo que a mí se refiere, traté de explicar un poco por dónde iban los tiros en aquellas "Notas anárquicas a la caza de un concepto", que publicó **Primer Acto**. Si me embarqué en Los Goliardos fue porque el teatro que entonces se hacía no me gustaba nada. Y me refiero al teatro en su conjunto, a toda la actividad teatral, no a una u otra obra, incluyendo el teatro que entonces se llamaba "de cámara y ensayo", que a lo más que llegaba era a cuidar un poco los ensayos durante quince días y soltar el rollo después, un par de sesiones en el Bellas Artes, o así... Esa era por entonces la única forma de dar otro tipo de teatro, entendiendo por supuesto el teatro desde una base textual. Yo necesitaba encontrar otra forma de trabajar, fuera del mundo del teatro habitual, un mundo paralelo con otros valores, otras apetencias, otra concepción tanto estética como ideológica, que rompiera con la férula de la literatura, que estaba ahí jodiendo, imponiendo que el teatro es lo mismo que la literatura dramática. Y esto fue lo verdaderamente importante en el nacimiento del movimiento de teatro independiente. Y luego está, naturalmente, el asunto del puño en alto, inevitable en una circunstancia sociológica como el franquismo, con toda su basura intrínseca. Pero el punto de partida, insisto, no era una ideología política, sino una necesidad profesional.

FERMIN CABAL.—*Pero quizá esa necesidad de ruptura*

con lo existente de la que estás hablando sea un síntoma, una forma de manifestarse, de una ideología. Porque la ideología abarca más que lo político. Me parece, además, que no es un fenómeno exclusivamente español, una reacción contra lo que teníamos aquí, sino que forma parte de un movimiento internacional que se manifiesta en otros países de nuestro área cultural.

A.F.—Creo que hay un elemento claramente diferenciador: la itinerancia. Que venía impuesta, también es verdad, por circunstancias un poco de tipo político. Por ejemplo, favorecía la itinerancia la existencia de la censura. No sé si te acuerdas de cómo era el sistema de la censura...

F.C.—*No creo que se me olvide en muchos años...*

A.F.—No, es que hay mucha gente a la que ya se le ha olvidado... Se presentaba primero el texto, y si se autorizaba, entonces convenía estrenarlo fuera, y darle varias representaciones en sitios diversos. Así, los delegados de Información y Turismo ya ni lo miraban. Si se había hecho ya en otros sitios...

F.C.—*Bueno, pero habría otros motivos...*

A.F.—Es que uno no podía encerrarse en las grandes ciudades, en Madrid o en Barcelona, porque no exisían locales donde hacer las representaciones. Lo más a lo que se podía aspirar era a la sesión en el Beatriz. Y trabajando sólo en los Colegios Mayores no se podía vivir del teatro. Si uno tenía realmente una voluntad profesional, tenía que ir a la itinerancia.

F.C.—*Es curioso que* Los Goliardos, *que fue el grupo pionero y protomártir...*

A.F.—¡Sobre todo protomártir!

F.C.—*...Del independiente, el primero que empezó a abrir un nuevo circuito, desaparezca precisamente a principios de los setenta, que es cuando el circuito se consolida.*

A.F.—Hay dos razones básicas que lo explican. Una, el cansancio del personal. Cinco o seis años trabajando en esas condiciones, son muchos años. Conseguimos, sí, un pequeño local

228

para ensayar, un mínimo equipo técnico, una furgoneta propia de segunda mano... pero en todo ese tiempo, en Goliardos, nadie cobró un duro. Incluido el director, o sea, yo, que se me debían un montón de pelas, ciento y pico mil pelas, de aquéllas de entonces... tirábamos a base de miseria y bocadillo... Nos dábamos a modo de dieta, para comer y cenar, doscientas cincuenta pesetas, y el grupo pagaba las pensiones, nada de hoteles...

F.C.—*Pero el grupo se disuelve, precisamente, en un momento en que se empieza a ganar dinero...*

A.F.—Sí, cuando Collado contrata **La boda de los pequeños burgueses** y la empieza a mover por ahí... Pero el grupo, en realidad, ya estaba disuelto. Se había disuelto y vuelto a unir para explotar comercialmente el montaje... Y además estaba la segunda razón, que para mí es clara, y creo que también influía en los demás: la imposibilidad de crecimiento. Es decir, estábamos hasta los huevos de hacer "teatro pobre", pero no el de Grotowski, que es el más caro que hay, sino el de bocata. Un teatro asfixiado por los condicionantes económicos, condenado a la cámara negra, a las mallas, a los actores jóvenes, que te obligan a trabajar en un sólo estilo, la farsa... no porque lo elijas como expresión, sino porque no queda más remedio. Una chica de veinte años no puede hacer una señora de ochenta si no recurre a la farsa. De forma que si encima de no cobrar y pasarlas negras, va a resultar que tampoco puedes hacer lo que quieres, pues te quemas y te quemas, y eso fue lo que nos pasó.

F.C.—*En unas declaraciones tuyas de entonces a la revista* **Pipirijaina**, *recuerdo que arremetías contra los ingenuos que querían hacer "teatro popular", decías que el pueblo no existe, que era un concepto decimonónico... y todo esto aparecía como sustentando en cierta manera el abandono, la disolución del grupo. ¿Existía realmente este componente ideológico?*

A.F.—Sigo pensando que el teatro popular no existe y que el "pueblo" es un concepto inventado por la burguesía del XIX. Se puede hablar de clase, se puede hablar de lo que quieras, pero el término popular lo ha acuñado la ideología de derechas... No se nos olvide que había una Dirección General de Cultura Popular y

Espectáculos... Así que pretender llevar al señor de la boina a ver una función de teatro, que parte de unos baremos absolutamente distintos es... una tontería. No quiere decir eso que nos arrepintamos, por lo menos yo, de haber ido a hacer funciones en tablados de madera, o sobre ataúdes, como una vez en Rivadabia, o en jardines, en boites, en la playa... donde se pudiera. Pero la forma de encajar al público como vehículo cultural, y hablo de cultura en sentido serio, no en plan Menéndez Pelayo y sus muchachos, como algo vivo entroncado en un grupo social... Si llegábamos a un pueblo de tres mil habitantes, nos encontrábamos con que la gente que iba era la burguesía de la localidad: el alcalde, el secretario, el cura... que luego podían acabar rasgándose las vestiduras y diciendo que éramos unos sinvergüenzas, pero ése era el público que iba, y al otro no lo encontrabas, y cuando lo encontrabas tampoco tenía que ver con la función. Porque nosotros trabajábamos, aun sin quererlo, desde una óptica burguesa, con una comprensión del mundo y un código expresivo burgueses, porque al fin y al cabo, todos éramos hijos de burgueses... De alguna forma, el teatro es un fenómeno urbano, la ciudad va unida a la burguesía, son conceptos éticos, conceptos existenciales que están muy lejanos de la imagen convencional de lo popular, a nivel del señor con la boina o el agricultor. Y en cuanto a la capa más ilustrada del trabajador industrial, que podía haber sido un potencial espectador, era realmente difícil acceder, porque no salían funciones, lo tenían mucho más controlado, no había quien te contratara en fábricas, o en barrios obreros, y además, ahí sí que había inmediatamente intervención, más que del Estado, de los elementos locales, caciquiles, del poder. Recuerdo funciones, por ejemplo en Llodio, donde la reacción era inmediata, las funciones se prohibían *a priori*, se nos extirpaba antes de que pudiéramos actuar.

F.C.—*Junto a estos factores políticos, estéticos, ideológicos, de los que estamos hablando, ¿no hubo también un elemento más de tipo personal? Todo esto influyó también en otros creadores, cada uno a su manera lo sufrió y lo sorteó, pero en Angel Facio, visto desde fuera, se da por entonces, si me lo permites decir así, una especie de estancamiento creativo, que coincide, quizá casual-*

mente, con la liquidación del grupo. *Con datos concretos, desde el montaje, en el año 71, si no me equivoco, de* **La casa de Bernarda Alba**, *en Oporto, hasta el montaje de* **Las bragas**, *en el María Guerrero, del año 79, todo lo que has hecho ha sido repetir los montajes anteriores:* **La boda** *(1973),* **Juan de Buenalma** *(1975),* **Bernarda Alba**, *(1977)...*

A.F.—Es que tú tienes una perspectiva española de mi trabajo. De ese tiempo que me nombras, te recuerdo que yo he estado dos años en Portugal y otros dos en América Latina. Cuando se disolvió Los Goliardos, yo di por cerrada una etapa, y si remonté **La boda** o el **Buenalma** fue porque vimos la posibilidad, que luego se demostró remota, de crear una compañía estable, con un repertorio, con otras condiciones de trabajo, similares a las que luego se reivindicaron desde el teatro independiente, así que también en eso fuimos un poco adelantados. El proyecto, que estaba promovido por Manolo Collado, no salió y la cosa no tuvo más continuidad. Pero empezamos, incluso, a montar un **San Juan**, un espectáculo más ambicioso, que rompía con las servidumbres del independiente...

F.C.—*Y que era, también, un antiguo proyecto de Los Goliardos...*

A.F.—Sí, es que era de eso de lo que se trataba, de poder transformar el grupo en una compañía estable y poder hacer un montaje grande, no el montaje chiquitito de costumbre. Pero como esto no salió, y como para mí, ya te digo, era una etapa cerrada, continué trabajando donde pude y como pude. Fui a Portugal otra vez y monté **La noche de los asesinos**, de Triana, en Lisboa...

F.C.—*Que habías montado antes con Los Goliardos...*

A.F.—También, pero en otro contexto. Además apenas se pudo representar por problemas con la Sociedad de Autores, bueno, que la prohibió el autor porque se la iba a hacer Tamayo. Y sólo pudimos hacer una representación para un festival y no se hizo nunca más. Era un texto que me gustaba mucho, y que realmente estaba sin hacer, y en cuanto tuve ocasión, pues me lancé.

231

F.C.—*Y luego te decides a trabajar desde dentro del teatro comercial, y remontas el espectáculo de García Lorca, en Madrid...*

A.F.—Yo del teatro comercial sólo conocía los camerinos, de ir a saludar alguna vez a un amigo. Como casi todos los que estábamos en el independiente, del comercial hablaba de memoria, de cosas que había leído u oído. Y que eran bien ciertas. Pero en este momento, al encontrarme con un empresario como Manolo Collado, que me ofrecía unas condiciones muy aceptables de trabajo, es decir, todas aquellas cosas que pudieran ser óbice para trabajar en el comercial, me las solucionaba: me daba dos meses para montar, me dejaba elegir el reparto, la escenografía... No tenía motivo para decir que no. Lo que yo no esperaba, claro, es que hay cosas que están por encima de todo esto, por ejemplo, yo podía elegir el reparto, pero tenía que elegirlo dentro del cauce, dentro de lo que es posible, en el teatro comercial. Un reparto que pudiera traer público. Y no podía elegir un fulanito cualquiera, sino entre Julieta Serrano o Amparo Baró, a ver si me entiendes... Y fue una experiencia. La suficiente como para decir: no repito. Pero era un intento que tenía que hacer, para ver realmente cómo era aquello y lo vi.

F.C.—*¿Y cómo era?*

A.F.—Mira, yo sólo puedo mostrarte una cosa: los resultados. En Portugal, con una forma de trabajo a la que estaba habituado, porque era similar a la que podíamos tener en Goliardos, con una compañía semiprofesional, se obtuvo un espectáculo que en Belgrado, en un Festival dedicado a la nueva dirección escénica, donde había trabajos de Stein, de Brook, de Ronconi, de Víctor García..., te puedo decir que fue considerado como uno de los tres mejores del año, mientras que lo que se hizo aquí me parece una patochada. Es muy difícil hacerle entender a determinados actores otra forma de trabajo. Había cosas terribles, creadas *a priori* y que yo me encontraba. Por ejemplo, una de las actrices, que además creo que es una gran actriz, estaba obsesionada, no había manera de sacarle de la cabeza que en el escenario no debía competir con... otra de las figuras del reparto. Esta actriz, la segunda, se caracteriza por tener una voz muy debilita, y entonces la otra le echaba encima un chorro de voz para taparla. En fin, problemas técnicos, si quieres, pero que me amargaban el trabajo. Yo veía que cada uno de estos actores estaba aferrado a su propia imagen, que le daba un dinero en el mercado, un prestigio o lo que fuera, y no la soltaba, y el resultado es que cada uno iba por su lado, en solitario, y son once personajes, once soledades, y con once soledades no se hace un buen trabajo.

F.C.—*Entonces el problema básico eran los actores. Cómo ensamblar el conjunto. ¿No es ésa una de las responsabilidades, de las habilidades del director?*

A.F.—Claro. Pero seguramente yo no supe hacerlo.

F.C.—*Es que me suena un poco a excusa. No puedo creer que toda la culpa fuera de los actores, y me imagino, más bien, que el estar acostumbrado a otro sistema de producción y verte de pronto en un terreno desconocido, te llevaría a chocar con otros problemas, más relacionados con la producción...*

A.F.—Es que habría que hablar de tantos pequeños detalles... Yo recuerdo, por ejemplo que Ismael Merlo en los primeros ensayos iba muy bien, se le veía progresar, pero en medio se tuvo que ir a hacer una película. Y fue desastroso, trabajaba de ocho a tres en el rodaje y a las cuatro y media de la tarde se presentaba a ensayar absolutamente agotado, y claro eso no puede ser, esa progresión que había tenido hasta entonces se cortó, y el actor empezó a recurrir a sus tics, a lo que le era cómodo, y renunció a la busca de lo difícil... En el momento en que empieza a ocurrir esto, ya se van complicando las cosas. De pronto hay una especie de actitud en el profesional, un mostrar de una forma sutil que "esto no lo estoy haciendo. No es que me salga mal porque soy malo, sino que no lo estoy haciendo". Se va creando un espíritu de cachondeo, de bromas continuas sobre el escenario, incluso durante las representaciones. El día del Pilar, por ejemplo, uno de los actores, en plan gracioso, se pasó la función cantando jotas para hacer reír a los otros, y tuve que poner en tablilla: "Se recuerda a los señores actores que está prohibido cantar jotas durante la representación". Y se me enfadó mucho Collado porque decía que eso no se podía poner en tablilla. ¡Pero lo que no se puede es cantar jotas! Y yo no soy la madre de ese señor, no tengo por qué llevarle aparte y echarle la bronca. Estoy aquí como director escénico y él como actor. En fin, es un detalle, y como éste podría... te lo cuento para que te hagas una idea del sistema...

F.C.—*Y como consecuencia de esa experiencia desastrosa, te planteas el irte a América. ¿Qué esperabas encontrar allí?*

A.F.—Después de esta experiencia me dije: ¡nunca más! Y eso que tuve ofertas, tanto aquí como en Portugal, pero me dije: ¡no! Porque es otro lenguaje, otra historia, son tantos los condicionantes, los límites son tan cortos, que no te puedes mover. No hay tiempo para los procesos, y el teatro, para hacer algo creativo, necesita tiempo. No digo que no haya buenos actores o gente válida, que los hay, pero uno necesita meses para conocerlos. Yo ahora creo que sabría cómo trabajar con Julieta Serrano, o con Alicia Hermida, que son actrices válidas con las que ya he trabajado, pero de pronto te meten un tío nuevo y no sabes qué hacer. Porque en el independiente también tienes que partir de cero con los nuevos, pero la cosa es distinta. Si al cabo del mes ves que un señor no funciona, hay la suficiente jeta para decírselo y el tío se va. En el comercial, esto no se puede hacer, hay unos contratos, la gente está ahí por la pela, no por un resultado artístico, el día que firmas un contrato, ya es hasta que la muerte nos separe...

F.C.—*De modo que te fuiste a América...*

A.F.—Me fui a América y allí hice tres montajes: **La señorita Margarita, Ligazón** y **La Celestina**. Estaba harto del ambiente cerrado del teatro en España, yo soy un culo de mal asiento, y me vino bien ese cambio de aires. Que también es relativo, porque para mí el problema no es lo geográfico, sino lo biográfico, es decir, que yo me siento lo mismo en cualquier sitio, para mí, el lugar donde estoy es el grupo de gente con el que trabajo, los siete, ocho, diez que me rodean, y me da igual que eso suceda en España o en América o en otro lugar. Yo ahora no puedo decir: "Estoy en Madrid". No, yo estoy en el grupo y Madrid es una especie de... accidente. Hacemos una vida centrada en un noventa por ciento en el teatro. Empieza y termina en el teatro. Hasta las

234

amantes las tienes dentro del grupo. Y a mí me gusta que sea así. Y si, como entonces, no podía ser, y yo no iba a trabajar con Collado, o con cualquier otro, en circunstancias de este tipo, pues me apetecía mucho más conocer cómo es una papaya o cómo es un mango, que seguir aguantando aquí la pedorrera nacional.

F.C.—*Pero a pesar de los pesares, has acabado volviendo, y además volviendo al punto de partida, a las raíces del teatro independiente. Tras la creación del Teatro del Aire y el montaje de La Celestina, o remontaje, porque ya lo habías hecho en América, has vuelto a la fórmula primitiva de Los Goliardos, al grupo independiente de carácter itinerante... ¿Cómo explicas ese retorno al pasado?*

A.F.—No es al pasado, es al futuro. Hacemos ahora lo que entonces no se podía hacer.

F.C.—*¿Crees que ahora las condiciones para el teatro independiente son mejores que hace diez años?*

A.F.—Sí, siempre que quiera crecer. Siempre que no se reduzca a la cámara negra y al guiño de complicidad. Te he dicho desde el principio que para mí el teatro independiente no es sólo una actitud ideológica, que es secundario, sino una forma de subsistencia. Lo que no fue posible entonces, porque sólo la empresa privada podía hacerlo, y la empresa privada no quería, ahora se puede hacer. Y tanto es así que en este momento, con la primera función que hacemos, tenemos de nuestra propiedad un camión de cuatro toneladas, un equipo de 50 focos con regulación...

F.C.—*Todo eso ha sido posible porque conseguisteis una subvención de la Administración.*

A.F.—Si a mí se me hubiera ocurrido en aquella época pedir tres millones al ministerio, se me mueren de risa. La máxima subvención que nos dieron, con el **Juan de Buenalma**, en un año, fueron ciento treinta mil pesetas por hacer 65 actuaciones, y al tiempo, ese mismo año, nos cayeron noventa mil de multa...

F.C.—*Y ahora mismo, con el nuevo grupo y las nuevas condi-*

ciones previsibles, ¿te planteas hacer un nuevo repertorio?

A.F.—Depende. Por ejemplo, **La boda de los pequeños burgueses** no quiero volver a montarla. Considero que ha sido una cota y que está ahí. Sí, en cambio, quiero seguir haciendo **La Celestina**, y, por ejemplo, **La casa de Bernarda Alba**. Las formas del antiguo teatro independiente no me lo permitían. Pero ahora sí creo que podré hacerlo. No digo que vaya a ser fácil, pero creo que es posible. En este montaje de ahora, **La Celestina**, creo que nos hemos pasado, nos hemos metido en un esfuerzo un poco por encima de lo posible, y hemos tenido momentos... Lo hemos hecho con tres millones, mientras los nacionales se gastan veinticinco, y habrían hecho falta ocho. O sea, ni los veinte, ni los tres, lo ideal sería un término medio. Pero, desde luego, comparado con las ciento treinta mil pesetas de entonces, merece la pena intentarlo...

F.C.—*La estructura interna de tu equipo de ahora, ¿es semejante a la de los grupos de teatro independiente?*

A.F.—Sí, sí. Es una cooperativa legalizada, etc., etc... y aunque no conseguimos pagarnos regularmente el sueldo de miseria que nos hemos marcado, que eran treinta mil pelas...

F.C.—*¡Treinta mil pelas!*

A.F.—Treinta mil pelas. Al cabo de un año y medio hemos cobrado, cada uno, ciento cincuenta mil... Dirás que es una miseria, pero si te pones a compararlo con lo de entonces, no está tan mal, ¡porque es que entonces no había un duro!

F.C.—*Perdona Angel, pero ha habido tiempos mejores. Yo he trabajado en Tábano durante años y cobrábamos un sueldo modesto, pero regular, todos los meses... Y creo que lo mismo en Joglars, y en el GIT, y en otros grupos...*

A.F.—Pero eso fue en un momento posterior al que estamos hablando.

F.C.—*En cualquier caso, no veo mucha diferencia con el teatro pobre del que antes te quejabas, y del que querías huir.... Por otra parte, me imagino que eso será una amenaza constante*

para la continuidad del grupo, me refiero a la continuidad real de
un equipo, no a la continuidad ficticia de un nombre comercial
que ha quedado en manos de un señor, y que es la triste realidad
de la supervivencia de la mayoría de los grupos hoy... Es una
autoexplotación que sólo cuando uno es muy joven y muy ingenuo
se puede permitir. Porque estás diciendo que habéis recibido unos
millones de subvención, y los habéis gastado en un supermontaje,
y luego resulta que los actores no comen...

A.F.—Bueno, no exageres. Te he reconocido por delante que
este montaje nos ha sobrepasado, que hubiéramos debido hacer
otra cosa más adecuada... pero también hemos tenido una
desgracia excesiva, por ejemplo, llevamos casi dos años de trabajo
y todavía no hemos podido presentar el espectáculo en Madrid...
Creo que no estamos locos, y lo que pasa es que es necesario
siempre un primer momento de explotación, como tú dices, o de
inversión, porque esto es una empresa cooperativa, aunque no
queramos. Porque no teníamos nada, y a la larga sale más rentable tenerlo que alquilarlo. Y para tenerlo hay que pagarlo. Pero
estamos seguros de que vamos a mejorar paulatinamente, de que
hay un mercado potencial para el teatro que hacemos, o que
queremos hacer. Ahora ya tenemos una infraestructura bastante
potable y podemos mirar hacia delante con optimismo.

F.C.—*¿Y cuáles son ahora vuestros proyectos, en esa línea de*
mayor realismo, de acomodación a las condiciones objetivas?...

A.F.—Intentar, naturalmente con el apoyo del Estado, mantener el esquema de una compañía estable y montar textos de altura, de altura dramática, manteniendo la itinerancia como base de
nuestro trabajo, que es el trabajo de una pequeña empresa que
debe garantizar sueldos suficientes, no digo que maravillosos, pero
unas setenta mil pesetas al mes o una cosa así... Lo que necesitamos ahora, creo, no es una subvención eterna, sino una inyección
fundamental. Si eso nos permitiera trabajar durante los próximos
tres años, yo creo que a partir de esa fecha, no necesitaremos un
duro de nadie.

F.C.—*Hablemos un poco ahora de los resultados, como te*
gusta decir. De esa **Celestina** *que estáis llevando por España y*

que no conseguís meter en Madrid. Te he oído decir que tu objetivo principal, la búsqueda estética que has tratado de realizar es este montaje, y en otros anteriores, por lo menos en **Bernarda Alba**, *es lo que podríamos llamar "la corporeización de la metáfora". Para ti, cada texto encierra una metáfora y el montaje tiene que desentrañarla y corporeizarla.*

A.F.—Una metáfora o una serie de metáforas, de imágenes. Creo que el teatro hay que traducirlo. Ya no es posible, con la liquidación del analfabetismo y con la multiplicación de la empresa editorial, hacer textos para que, sencillamente, sean dichos en un escenario. Eso tenía razón de ser hace treinta años, en que un libro costaba mucho, era difícil de encontrar, había mucho analfabeto, y se podía ir al teatro a "oír". Creo que ahora que el teatro vale quinientas pesetas, y las ediciones de bolsillo valen doscientas, la cosa no tiene sentido, más .que nada por una razón infraestructural. El teatro, hoy, es un campo de creación, no de interpretación, porque se aleja cada vez más de la similitud con la música, donde hay una partitura y unos señores que interpretan. Se parte, evidentemente, de un texto literario, ¡o de una propuesta no literaria!, que tiene que acabar conformando un espectáculo. Y precisa signos neta y puramente escénicos y eso es lo que yo me empeño en buscar: los signos escénicos, que no es que desprecien la literatura, sino que la trascienden, la integran, la desarrollan, pero no se quedan en ella. Los actores no pueden ser señores que hablen, no pueden ser oradores que cambian de lugar escénico cuando se lo dice el director, que entran por aquí, salen por allá para no aburrir. No creo que la dirección escénica sea problema de guardia de tráfico, o sea de dirigir movimientos, que es lo que ha sido durante muchísimo tiempo, ni que la labor de un actor sea de la de un orador. Por eso los textos hay que traducirlos a signos escénicos. El teatro no tiene nada que ver con la literatura, es decir, tiene que ver, lo que tiene que ver con la pintura los pigmentos. El teatro literario es un pigmento.

F.C.—*Sin embargo, la metáfora que hay que corporeizar en escena está contenida en el texto del que se parte, lo que no sucede, me parece, en el pigmento...*

A.F.—Está contenida literariamente. Hay que ir a la cabeza del que lo escribe, porque el que escribe, y tú que eres escritor lo debías tener muy claro, tiene que reducir a signos literarios una idea, mucho más amplia, de comportamientos. O sea, que se ve reducida a la estrechez del término literario. Igual que de un mundo amplio de posibilidades tú lo tienes que constreñir al signo literario, yo tengo que hacer el movimiento inverso: partir del signo literario para volver a ese mundo de imágenes que te produjo ese texto.

F.C.—*Pero me temo que, en este "desconstreñimiento" hay, a veces, un exceso por parte del director. Por ejemplo, sin eufemismos, no sé si a Lorca, si viviera, tu montaje de* **La casa de Bernarda Alba** *le hubiera parecido excesivamente banal, precisamente a nivel de signos escénicos. Esa corporeización del mundo interior de su obra en esa especie de vagina de gomaespuma a la que tú de pronto llevas el drama... o en el caso de* **La Celestina** *la idea de que la Celestina es una araña que enreda con sus artes a los personajes, y que se plasma en escena en una actividad "real" de enredar a los actores, en un tejer constante de una red de cuerda, que puede ser, si tú quieres, los hilos del destino de los seres humamanos,....todo esto puede ser "poético", y seguro que a muchos se lo parece, pero corporeizada la idea sobre el escenario, puede resultar "banal", porque este tipo de imágenes agotan la información casi en el momento en que se producen, y luego son retóricas y pesan en el espectáculo más que la peor literatura...*

A.F.—Yo tampoco sé si a Lorca le puede parecer eso banal o qué. No podemos saber ni lo que piensa Lorca, ni lo que piensa Rojas. Pero es que además tampoco podemos saber si Lorca o Rojas son gente de teatro o gente de pluma. Es que seguimos con la terrible y eterna discusión. Para el creador el mundo es el mundo entero y no sólo el mundo literario. Hay que aceptar que el teatro es una actividad creativa y no solamente interpretativa.

F.C.—*Pero si yo eso lo acepto...*

A.F.—Eso crees tú, pero enseguida te sale la pluma... la pluma literaria, me refiero...

F.C.—*Pero...*

A.F.—Que no, que tenéis que convenceros de que el teatro no se dice, se hace. La acción sobrepasa la palabra. Tenemos que volver a la realidad, que el escritor ha reducido a signos literarios en un conjunto significante, y esa realidad el equipo de dirección debe, a su vez, abrirla. El texto escrito, quitando algunos autores, como O'Neill, que prácticamente te están dando toda su visión de la realidad, al ofrecerte tantas acotaciones como diálogos, tienes que ponerlo en acción, en hechos, actos. Me parece que hoy el autor literario sigue teniendo importancia, pero entiendo que se debería integrar totalmente en el proceso creativo teatral. Es como un especialista de la palabra, dentro de un equipo en el cual habrá un especialista de la plástica, otro de la música, otro de los actores... y de todos ellos sale el producto teatral. Es decir, un autor que no escribe un texto y espera que se lo hagan, sino que lo escribe al tiempo y con el resto del equipo.

F.C.—*Esa forma de trabajo creo que nunca ha estado del todo ausente en el teatro. Así han trabajado Molière, Shakespeare, Brecht...*

A.F.—Desde Esquilo para aquí, mucha gente. Desde dentro del teatro han trabajado casi todos los grandes creadores. Todos quizá...

F.C.—*Y el teatro independiente, ¿no ha recuperado ese tipo de trabajo? Porque yo creo que Tábano, Joglars, La Cuadra, etc., podrían incluirse en ese apartado.*

A.F.—Algunos. No todos. Pero ahí nos enfrentamos con otro problema que nos llevaría horas, y es la decadencia del gran creador literario, del artista dotado para el drama. Yo hago un repaso a los vivos y, francamente, no veo a otro que a Genet...

F.C.—*¿Miller?*

A.F.—No. Miller me parece un Buero más listo, más moderno y dentro de la sociedad de consumo. Sigue siendo muy literal y muy pegado al mundo de O'Neill, que le supera con creces... Es mucho más patatero...

240

F.C.—*Y los más jóvenes, los alemanes, ¿Handke por ejemplo?*

A.F.—Me parece que son reductores de unas formas y desarrollos conceptuales del teatro del absurdo, que es absolutamente una cosita como muy pequeñita, que en una época nos pudo deslumbrar, pero que ahora mismo... No sobrepasan las formas de las que son herederos. Esto se podría decir también de Genet, pero Genet pasa, y vaya si pasa, y está proponiendo otras cosas más serias, una interpretación de la realidad que le es propia. Todos los herederos del absurdo, desde Ruibal a Handke, hacen propuestas frías, absolutamente plastificadoras, como en conserva, algo muy ligado a unos medios de comunicación absolutamente deshumanizados.

F.C.—*Tradicionalmente has tenido problemas con los autores, que yo recuerde ahora, con García Lorca, con Brecht, con Triana... por cuestiones de derechos de autor. ¿Ha podido influir esto en tu planteamiento?*

A.F.—He tenido problemas no con los autores, sino con sus herederos. Yo soy respetuoso con Lorca, y con sus textos. Creo que hay más relación emocional entre Lorca y yo, que entre Lorca y su hermano, porque con su hermano Lorca habrá tenido una relación personal, biográfica, y conmigo ha tenido una relación artística, por decirlo de alguna manera. La actitud frívola, en este caso, no es la mía, sino la de quienes aprovecharon unos preceptos legales para escamotear mi montaje... Están empeñados en mantener determinada imagen hasta extremos ridículos. Yo estoy convencido de que si se negaron durante cuatro años a que yo montara otra vez en España, **La casa de Bernarda Alba**, fue porque en el hecho de que el personaje central lo interpretase un hombre, veían una alusión al mundo homosexual de Federico. Y ellos han estado años tratando de ocultar la homosexualidad de Federico, cuando tenían que haberlo aceptado. ¿No lo mató el franquismo por homosexual? Pues de esa manera, ocultándolo, estaban, sin quererlo, justificando los criterios del franquismo. No sé si me explico.

F.C.—*Clarísimamente.*

A.F.—O con la Weigel. Tiene narices que Brecht, que ha hecho siempre lo que le ha dado la gana con los textos, que ha cogido textos de autores vivos cuando le ha convenido y los ha saqueado, cortado, cambiado, añadido, lo que le ha dado la gana. Que le han procesado, ¡por plagio! y se ha cachondeado de los jueces, demostrando que era ridículo, que eso es ridículo en el teatro; pues ahora vienen sus herederos y no te dejan tocar una coma. Es la peor forma de ser infieles a Brecht, de traicionar su espíritu y su enseñanza... Y en el caso de Triana, que sí está vivo, la cosa era clara; se lo iba a hacer Tamayo, y él pensó que iba a ganar más pelas y punto. Y luego no se comió una rosca...

F.C.—*Me choca que tú estés trabajando con textos como los de Rojas o de Lorca, que son obras cargadas de sentido para la sociedad de su tiempo, nada "simbolistas", llenas de información de actualidad, esa materia que le da tanto asco a nuestros exquisitos, y sin embargo te muestres tan renuente a trabajar con obras de ahora que aborden de forma parecida los materiales de la realidad...*

A.F.—No estoy renuente. Lo que no acepto para nada es lo que te decía antes, que llegue un señor y te diga: "Lee mi obra y a ver...", que es lo habitual en estos momentos. No estoy cerrado a trabajar con un autor en el otro plan que hemos hablado, pero en estos momentos no conozco a ningún autor que esté interesado, por lo menos no hay ninguno que me lo haya venido a plantear. Incluso en una ocasión, porque teníamos una idea que nos interesaba, teníamos hasta el título del espectáculo **Caídos por Dios y por España**, sobre la historia de los tres muertos que hubo durante la guerra civil en Torralba, un pueblecido de Valencia; teníamos un esbozo de historia y se lo ofrecimos a algún autor por si le interesaba, pero no hubo manera. Desde luego, no tendría inconveniente en trabajar con alguno de los que me merecen un cierto respeto y que pudiera valer la pena, que son cuatro, no nos engañemos, no los cuarenta y cinco que andan por ahí diciendo que son autores porque han sacado unas cuartillas y un bolígrafo en su casa y se ha sentado en la mesa del comedor.

F.C.—*Por lo que veo, no tienes demasiada confianza en que la renovación teatral en España venga del lado de la dramaturgia. ¿Son entonces los directores los que tienen que asumir esa tarea?*

A.F.—Es muy complejo. Un director no hace una buena función como un pintor hace un buen cuadro. Tiene que contar con los elementos materiales del trabajo, que en el teatro van desde el dinero necesario para hacer un montaje hasta el equipo con el cual va a colaborar. Sabemos de sobra que hay cantidad de actores que no quieren salir de su pueblo, que sólo quieren hacer televisión porque les permite comer langostinos, etc., etc. El problema es, por una lado, hacer espectáculos vivos, que es lo que cada vez veo menos, no estrenar nuevos autores por estrenar, hacer espectáculos que tengan un poco de imaginación, que salgan de lo trillado; y por otro lado, una mayor preparación, que a largo plazo pasa por mejorar las escuelas, y que todos aprendamos un poco este oficio, porque nuestro nivel medio de creación es bastante flojo, y por una mejora de la infraestructura, recuperando locales, esto es fundamental para acabar con el empresario de paredes, y todo eso que hablamos siempre y en lo que, sin duda, juega un papel importante la Administración, que hasta ahora se ha cubierto de mierda en cuanto a fomento y protección del teatro, que no me extraña, porque por lo menos han sido sinceros, no les interesaba para nada y pasaban de él. Vamos a ver si ahora con los socialistas cambia algo la cosa, y yo creo que lo tienen fácil, muy fácil, porque peor no creo que lo puedan hacer, no creo que sea posible materialmente empeorarlo. Pero nunca se sabe, en la vida se lleva uno muchas sorpresas. Esperemos, pongamos una vela al santo patrón, que las cosas mejoren y la Administración se lo tome por una vez en serio.

BIOGRAFIAS

BIOGRAFÍAS

TEATRE LLIURE

1976 — **Cami de Nit 1854,** texto y dirección de Lluis Pascual. Música de Lluis Llach.

1977 — **Ascensio y Caiguda de la Ciutat de Mahagonhy,** de Bertolt Brecht, música de Kurt Weill, traducción de Feliu Formosa, coreografía de Agustí Ros. Dirección musical de Carles Santos. Dirección de Fabià Puigserver. Con la colaboración del Grup Instrumental Català. Este espectáculo fue grabado por RTVE para el espacio "Lletres Catalanes" (1977).

1977 — **La Cacatua Verda,** de Artur Schnitzler, traducción de Feliu Formosa. Dirección de Pere Planella.

1977 — **Leonci i Lena,** de George Büchner, traducción de Carme Serrallonga. Dirección de Lluis Pasqual. Este espectáculo fue grabado por RTVE para el espacio "Lletres Catalanes" (1979).

1977 — **Titus Andronic,** de William Shakespeare, traducción de Josep M.ª de Sagarra, música de Giuseppe Verdi. Dirección de Fabià Puigserver.

1978 — **Hedda Gabler,** de Henrik Ibsen, traducción de Feliu Formosa. Dirección de Pere Planella.

1978 — **La vida del Rei Eduard II D'Anglaterra,** de Christopher Marlowe, versión de Bertolt Brecht, traducción Carme Serrallonga. Dirección de Lluis Pasqual.

1978 — **La nit de les tribades,** de Per Olov Enquist, traducción de Guillem-Jordi Graells. Dirección de Fabià Puigserver.

1978 — **AMB Vidres a la Sang,** sobre poesías de Miquel Martí i Pol. Dirección de Lluis Pasqual.

1978 — **Abraham i Samuel,** de Víctor Haim, traducción de Guillem-Jordi Graells. Dirección de Pere Planella.

1979 — **La Bella Helena,** de Meilhac y Halévy, en versión de Peter Hacks, traducción de Kim Vilar y Guillem-Jordi Graells. Música de Jacques Offenbach. Espacio escénico y vestuario de Fabià Puigserver.

1979 — **Les Tres Germanes,** de Anton P. Chejov, traducción de Joan Oliver. Espacio escénico y vestuario de Fabià Puigserver. Dirección de Lluis Pasqual.

1979 — **Rosa i María.** Espectáculo de Lluis Pasqual i Rosa Sardá sobre textos y canciones de Bertolt Brecht, Miquel Martí i Pol, Terenci

247

Moix i D Villan, músicas de Albelda, J. M. Mainat, Jacques Brel y Kurt Weill. Segunda parte, monólogo **María,** de Ireneusz Iredynski. Dirección: Lluis Pasqual.

1980 — **Jordi Dandin,** de Molière. Traducción Alfons Maseras. Dirección Fabià Puigserver.

1980 — **El Balco,** de Jean Genet. Traducción Carme Serrallonga. Músicas: Berlioz, Chopin, Gounod, Wagner. Dirección: Lluis Pasqual.

1981 — **Operacio Ubu.** Espectáculo de Albert Boadella. Dirección Albert Boadella.

1982 — **Fulgor i Mort de Joaquín Murieta,** de Pablo Neruda. Traducción de Miquel Marti i Pol. Música Josep M. Mainat. Dirección Fabià Puigserver.

1982 — **Primera Historia D'Esther,** de Salvador Espriu. Música Josep M. Arrizabalaga. Dirección: Lluis Pasqual. Coproducción con el Centre Dramàtic de la Generalitat. Estrenada en el Teatre Municipal de Girona y presentada en el Teatre Romea, sede del Centre Dramàtic.

1982 — **El Misantrop,** de Molière. Traducción de Joan Oliver. Dirección: Fabià Puigserver. Espectáculo presentado en el Teatro Griego dentro de la Campaña Municipal Grec'82.

1982 — Del 16 al 21 de noviembre, muestra en Madrid, Sala Olimpia del Centro Dramático Nacional, de **El Misantrop** y **Primera Historia de Esther.**

1982 — Estreno de **Aviso para embarcaciones pequeñas,** de T. Williams, con dirección de Gandolfo.

1983 — Estreno de **Al vostre gust,** de Shakespeare, con dirección de Lluis Pasqual. (Noviembre).

1984 — **Los hijos del sol,** de M. Gorki. Dirección Carmen Portaceli. **La flauta mágica,** de Mozart. Dirección Fabià Puigserver.

Además: el 17 de octubre de 1978, se estrenó **L'Armari en el Mar,** de Joan Brossa, música de Josep M.ª Mestres Quadreny, coproducido con el Grup Instrumental Català. Dirección musical de Carles Santos. Dirección de Guillem-Jordi Graells y Fabià Puigserver, dentro del Festival Internacional de Música de Barcelona.

248

ELS COMEDIANTS

El grupo nace en el año 1971 a partir de los cursos de "Estudios Nous d'Expressio" y "Grup d'Estudis Teatrals d'Horta". Al poco tiempo de formarse aparece el primer espectáculo **Non, Plus Plis** (1973).

1972 — En noviembre de ese año presentan su primer espectáculo infantil **Catacroc**. Tras dos años de rodaje aparece la versión para adultos de esta misma obra. A pesar de ser un espectáculo pensado para realizarse en lugares cerrados las circunstancias le obligan a salir a la luz del día. Este hecho abre dos posibilidades. Una de ellas descubrir la calle que se materializa en un Pasacalles. La otra es buscar una forma de aproximarse más al espectador hasta convertirle en protagonista. Esta alternativa se hace factible en el Taller.

1975 — Aparición del Taller. Se trataba de construir conjuntamente con los niños el material que luego se utilizaría para representar una historia.

1976 — **Sol-Solet.**

1983 — **Demonios. Una noche en el infierno.** Estreno en Madrid con el CDN en el Parque del Retiro.
Apoteosico Sarao de Gala de Totil I Tocatdelala, en la Sala Olimpia.

1983 — Se les concede el Premio Nacional de Teatro por "la originalidad de sus producciones realizadas en varios tipos de espacios escénicos". Publicación de **Sol, Solet**. Ed. L'Eixample. Instituto de Teatro de la Diputación de Barcelona.

1984 — Estreno de **Alé.**

Giras

1977 — Septiembre: Participación en el "Festival Internacional de Bergamo" y gira posterior por el Norte de Italia.

1978 — Mayo: Gira de dos meses por toda Italia (Roma, Milán, Florencia, Prato, Pisa, Meremma, Vicenza, Venecia, etc.).
Junio: Festival de Culturas Marginales en Rennes (Bretaña) y París (Fiestas de la Juventud de Aulnay sous Bois).
Julio: Semanas de Cultura Catalana en Berlín.
Septiembre: Festival of Open Art en Wroclaw (Polonia).

1979 — Mayo: Gira por España (Andalucía, Galicia y País Vasco).
Julio: Encuentro Internacional de Teatro en Carcasona (Francia).
Organización y participación en el Festival de Teatro de Plaza en

Sant'Arcangelo (Italia).

Septiembre: Gira por Holanda e Italia.

1980 — Mayo: Participación en el Carnaval de Carcasona (Francia) y en el Carnaval de Venecia de la Bienal de Teatro (Italia).

Septiembre: Premio Ciudad de Barcelona de teatro del Ayuntamiento de Barcelona.

JOSE LUIS GOMEZ

1961 — Ingresa en el Instituto Dramático de Westfalia, Bochum. Formación como actor en Bochum y estudios de Teatro y Movimiento en París con Jacques Lecoq.

1964 — Actor en los Teatros de Gelsenkirchen. Crea el espectáculo de mimo,
1965   **Idilios del Sr. Meck.** Participa en los Festivales de Zurich, Praga, Basilea, Berlín y Frankfurt.

1966 — Actor en los Teatros de Nuremberg. Coreógrafo y Director de
1968   Movimiento en **Los Caballeros** de Aristófanes, **Vietrock** de Megan Terry, **Tras el diluvio** de John Bowen, etc.

1968 — Espacio televisivo sobre **Idilios del Sr. Meck** en la Südwestfunk
1969   de Baden-Baden. Actor y Director de Movimiento en la Kamerspiele de Munich.

1970 — Coreografía del estreno mundial del **Triunfo de la muerte** de Ionesco, en Düsseldorf. Películas, como actor, para T.V. en Colonia, Hamburgo y Stuttgart.

1971 — Corta estancia con Jerzy Grotowski en Polonia. Es nombrado profesor del Mozarteum de Salzburgo.

1972 — Invitado por el Instituto Alemán de Cultura y la Dirección General de Teatro al Festival Internacional de Teatro de Madrid con las obras: **Informe para una Academia,** de Franz Kafka y **El pupilo quiere ser tutor** de Peter Handke. Dirige **Lisistrata** de Aristófanes. Medalla de oro "Ciudad de Valladolid" al mejor actor del año.

1973 — Patrocinado por el Instituto Goethe de Munich y la Fundación ALEA de Madrid produce y dirige la obra **Gaspar** de Peter Handke. Gira por toda América Latina. Premio "El Espectador y la Crítica" al mejor actor del año. Premio Nacional al mejor trabajo extranjero en Chile.

1974 — Dirige la obra **Polly** de Peter Hacks en el Teatro Nacional de Kiel, Alemania Federal.

1975 — Realiza la puesta en escena de **Mackinpott** de Peter Weiss para el Teatro de Arena en Porto Alegre, Sao Paulo y Río de Janeiro. Estrena la **Irresistible ascensión de Arturo Ui** de Bertold Brecht, en versión de Camilo José Cela. Premio "El Espectador y la Crítica" a la mejor Dirección a Peter Fitzi y al mejor actor a José Luis Gómez.

1976 — Grand Prix de interpretación masculina en el Festival de Cine de Cannes, Francia.
Dirige y produce **La Historia del Soldado Woyzeck** de Georg Büchner para una gira por siete países latinoamericanos. Premio de Cronistas de Teatro de la Ciudad de México.

1977 — Premio San Jorge de la crítica de Barcelona al mejor actor por su trabajo cinematográfico en **Pascual Duarte,** dirigida por Ricardo Franco. Premio "Fotogramas de Plata" por el mismo motivo.

1978 — Protagonista de la película **Los ojos vendados** de Carlos Saura, que participa en el Festival Internacional de Cannes.
Becado por el Comité Conjunto Hispano-Norteamericano, permanece seis meses en Nueva York y Los Angeles estudiando actuación en el Lee Strasberg Theatre Institut.
Inaugura el Centro Dramático Nacional en noviembre dirigiendo la obra de José María Rodríguez Méndez, **Bodas que fueron famosas del pingajo y la fandanga.**

1979 — Asume la dirección del Centro Dramático Nacional junto con Nuria Espert y Ramón Tamayo.
Protagoniza la película de Jaime Chavarri, **Dedicatoria** presentada oficialmente en el Festival Internacional de Cannes.

1980 — Dirige para el Centro Dramático Nacional la obra de Manuel Azaña, **Velada en Benicarló** en cuya adaptación colabora con J.A. Gabriel y Galán. Premio Pablo Iglesias al mejor espectáculo del año.

1981 — Dimite de su cargo al frente del Centro Dramático Nacional y asume la Dirección del Teatro Español, del Ayuntamiento de Madrid. Dirige como comienzo de temporada **La vida es sueño,** de Calderón de la Barca. Premio "El Espectador y la Crítica" al mejor actor del año.

1982 — Gira de verano por todo el Estado español protagonizando **El mito de Edipo rey** en versión de Agustín García Calvo y bajo la dirección de Stavros Doufexis.

1983 — Estreno en el Teatro Español de Madrid de **Absalon,** de Calderón de la Barca, con Dramaturgia de José Sanchís Sinisterra. (6 de diciembre 1983).

1984 — Intérprete y autor de la versión de **Juicio al padre de F. Kafka,** dirección de Angel Fernández.

DAGOLL-DAGOM

1973 — En esta fecha se crea la compañía. Su primer espectáculo basado en textos poéticos de Alberti es **Yo era un tonto y lo que he visto me ha hecho dos tontos.**

1975 — **Norturn per acordio** sobre la vida y la obra de Salvat-Papasseit, con música de Ramón Muntanery colaboración de Lluis Llach.

1977 — Con el estreno de **No hablaré en clase** se produce el lanzamiento y profesionalización de la compañía. Texto de Joan Ollé y Josep Parramón. Dirección Joan Ollé.

1978 — **Antaviana** sobre textos de Pere Calders.

1981 — **La nit de Sant Juan** en colaboración con Jaume Sisa, inaugura la temporada del Centre Dramatic de la Generalitat del mes de marzo.

1983 — **Glups!!**, musical cuyos soportes plásticos y textuales se han obtenido del artista del comic Gerard Lauzier.

1984 — Siguen con **Glups!!** durante todo el año y por diversas ciudades.

JUAN MARGALLO

— Ha realizado estudios en la Escuela de Arte Dramático y en la Escuela Oficial de Cine, en el Teatro Estudio de Madrid (TEM) y Centro Dramático de Madrid. Cursillo de Creación colectiva con Enrique Buenaventura del TEC de Colombia.
— Ha trabajado como actor con directores como Narros, Tamayo, Layton, José Luis Alonso, etc.
— En el exterior: ha asistido al Teatro de las Naciones de París en representación de España con la Compañía Nacional del Teatro María Guerrero; con **Castañuela 70 y El Retablillo de Don Cristóbal** ha asistido al Festival de Nancy y al Festival de Lyon. Festivales de Manizales, Caracas y Puerto Rico. En 1977 gira por Méjico, Guatemala, El Salvador, Costa Rica, Colombia y Venezuela con **La sangre y la ceniza** de Alfonso Sastre.
— Ha hecho teatro infantil con las obras: **La gran feria mágica, Salvad a las ballenas, La fiesta de los dragones y La fantástica historia de Simbad,** todas ellas de Luis Matilla.
— Fundador y director de los grupos Tábano y El Búho. Desde 1978 es Director del Grupo Estable en El Gayo Vallecano.

Con Tábano:

1970 — **La escuela de los bufones,** de Guelderode.
1970 — **Castañuela 70.** Creación Colectiva.
1973 — **El retablillo de D. Cristóbal,** de F. García Lorca.
1974 — **Robinson Crusoe,** de Sabaris.

Con El Búho:

1976 — **Woyceck,** de Büchner.
1977 — **La sangre y la ceniza,** de Alfonso Sastre.

254

Con el Grupo Estable en el Gayo Vallecano:

1979 — Ahola no es de leil, de Alfonso Sastre.
1980 — **La rosa de papel,** de Valle Inclán.
1981 — Dirección de **Ejercicios para equilibristas** en el Teatro Bellas Artes.
1983 — **El retablillo de D. Cristóbal,** de F. García Lorca.
1983 — Estreno en Caracas (Venezuela) de **La feria mágica,** de Luis Matilla.
1984 — Estreno en Bogotá de **Ejercicios para equilibristas,** de Luis Matilla.
1984 — Dirección del espectáculo **Tartarín el Magnífico** de Daudet-Matilla
en el Parque del Retiro de Madrid.

1962 — Fundación de "Els Joglars" por Carlota Soldevilla, Albert Boadella y Antoni Font. El grupo empieza trabajando con el "mimo clásico". ("Mimodramas").

1964 — L'Art del mimo. Mimo clásico en sus diferentes estilos.

1965 — Deixebles del silenci. Mimo clásico. Teatro Candilejas.

1966 — Programa infantil. Pantomimas para Music-Hall. Mimetismes.

1968 — Estreno en el Teatro Romea de: El diario. Profesionalización. Ruptura con el mimo clásico y búsqueda de estilo propio.

1970 — El Joc. Estreno en el Teatro Capsa, el 7 de enero. Gira.

1972 — Cruel Ubris. Teatro Capsa de Barcelona. 10 de enero. El grupo es ya conocido a nivel internacional, y participa en numerosos festivales en Suiza, Italia, Alemania, etc.

1973 — Mary d'ous. Estrenado en Granollers, el 2 de diciembre.

1974 — Alias Serrallonga. Accidente de Gloria Rognoni. Teatro Romea de Barcelona.

1977 — La Torna. Estreno en Barbastro. Representaciones en gira por España. La Capitanía General de Barcelona comunica a Boadella la prohibición de la obra. Boadella ingresa en la cárcel Modelo de Barcelona. Se inicia la lucha del Teatro Independiente contra esta detención y proceso, y por la Libertad de Expresión. Cierres de Teatros en Madrid y Barcelona.

1978 — Fuga de Boadella. Varios miembros del Grupo en prisión. Boadella en el exilio.

1978 — Estreno de M-7 Catalonia. Estreno en Barcelona, y Madrid. Montado desde el exilio en Francia.
Estreno de La Odisea, con el Grupo Xalana.

1980 — Laetius (Espectáculo-Reportaje sobre un residuo de vida postnuclear). Estreno en el Centro Dramático Nacional, Teatro Bellas Artes, de Madrid.

1981 — Estreno de Operacio Ubú, en el Teatro Lliure, con dirección de Boadella. (30 de enero).

1982 — Estreno de Olympic Man Movemente. Temporada en Madrid y Barcelona. Participan en gran número de Festivales Internacionales.

1983 — Estreno de Teledeum, en Alicante (diciembre del 83).

1984 — Siguen las representaciones de Teledeum por todo el Estado español y por el extranjero.

MANUEL COLLADO

Nacido en Madrid, en 1944, de familia de profesionales del teatro. A los 23 años, después de otras actividades (actor, representante, gerente, ayudante de dirección, etc.) inicia su carrera como productor que abarca una largo número de títulos, entre otros: **Rosas rojas para mí** de O'Cassey-Sastre; **Manzanas para Eva** de Chejov-Arout-Ruiz Iriarte; **La casa de Bernarda Alba** de F. García Lorca; **El precio** de A. Miller; **Los secuestrados de Altona** de J. P. Sartre-Sastre; **Godspell** de Tebelak; **Todo en el jardín** de Albee; **Usted también podrá disfrutar de ella, El Okapi, Y de Cachemira Chales** de Ana Diosdado; **La dama boba** de Lope de Vega, etc. Colabora en varios grupos de teatro independiente, entre otros **Los goliardos** y el TEI.

1975. — Realiza su primer trabajo como director: **Equus** de Peter Shaffer, estrenada con José Luis López Vázquez. Montada también en Lisboa con Compañía portuguesa.

1978 — **Las galas del difunto** y **La hija del capitán,** de Ramón del Valle Inclán, estrenada en el teatro Nacional María Guerrero de Madrid. Posteriormente representa a España en el Festival de las Naciones de Caracas y realiza una gira por América, entre otros países por Venezuela, México, Cuba, Costa Rica, Rp. Dominicana.

1979 — **Historia de un caballo** adaptación de un cuento de León Tolstoi efectuada por Mark Rozovski y Yuri Riashentsev, vertida al castellano por Enrique Llovet. Se estrenó en Madrid en el Teatro Maravillas y participa en el Festival Cervantino de Guanajuato (México), representando a España. Después realiza una gira por España.

1980 — **Petra Regalada,** de Antonio Gala, estrenada en el Teatro Príncipe de Madrid.

1980 — **La vieja señorita del paraíso,** de Antonio Gala, estrenada en el Teatro Reina Victoria de Madrid.

1981 — **Caimán,** de Antonio Buero Vallejo, estrenada, en el Teatro Reina Victoria de Madrid.

1981 — **La gaviota,** de Anton Chejov, adaptación de Enrique Llovet, estrenada en el Teatro Bellas Artes de Madrid. Este espectáculo fue filmado por TVE y emitido a toda España.

— **Educando a Rita,** de Willy Rusell, adaptación de Enrique Llovet;

257

estrenado en el Teatro Bellas Artes de Madrid.

1982 — **El cementerio de los pájaros,** de Antonio Gala, estrenada en el Teatro Consulado de Bilbao y en el Teatro de la Comedia de Madrid.

1983 — **Petra Regalada** (producción argentina) estrenada el 30 de abril de 1983 en el Teatro Odeón de Buenos Aires, con Cipe Lincowsky.

1983 — **¡Esta noche gran velada! ¡Kid Peña contra Alarcón, por el título europeo!,** de Fermín Cabal, estrenada el 23 de septiembre de 1983 en el Teatro Martín de Madrid.

1983 — Dirige en Buenos Aires **Historia de un caballo.**

1984 — Dirige en Buenos Aires **Petra Regalada.**

1984 — Estreno en Madrid de **Buenos,** de C.P. Taylor.

J. L. ALONSO DE SANTOS

— Nace en Valladolid en 1942. Licenciado en Filosofía y Letras (Psicología) y Ciencias de la Información (Imagen). Estudios teatrales en el Teatro Estudio de Madrid.

— Trabaja con los grupos TEI, TABANO y finalmente con TEATRO LIBRE del que es director diez años.

— Ha sido profesor de interpretación de la desaparecida Escuela Oficial de Cinematografía y director del Aula de Teatro de la Universidad Complutense.

— Ha participado como actor y director en más de treinta montajes, desde **Proceso por la sombra de un burro**, de Dürrenmatt, en 1965..., hasta **El sueño de una noche de verano**, de Shakespeare; **Las galas del difunto**, de Valle Inclán; **El horroroso crimen de Peñaranda del Campo**, de Pío Baroja; **Golfus de Emerita Augusta** (1983) en el Teatro Romano de Mérida; etc.

— Es profesor de interpretación en la Real Escuela Superior de Arte Dramático de Madrid, desde 1979.

— Es redactor de la revista Teatral **Primer Acto**.

— Ha estrenado como Autor y Director las siguientes obras:

1975 — **Viva el Duque nuestro dueño.** (Pequeño Teatro Magallanes 1, Sala Cadarso).

1978 — **El horroroso crimen de Peñaranda del Campo,** versión de la obra de Pío Baroja. (Sala Cadarso).

1979 — **La verdadera y singular historia de la Princesa y el Dragón.** (Centro Cultural Villa de Madrid).

1980 — **Del laberinto al treinta.** (Sala Cadarso).

1980 — **Combate de D. Carnal y D.ª Cuaresma.**

1981 — **La estanquera de Vallecas.** (Sala Gayo Vallecano, Madrid. Teatro "Santa Cecilia", México).

1982 — **El álbum familiar.** (Estrenada bajo la dirección del autor, en el Centro Dramático Nacional) etc.

1983 — Co-autor y co-director de **Golfus de Emerita Augusta** en el Teatro Romano de Mérida.

1983 — Estreno en México D.F. de **La estanquera de Vallecas.**

1983 — Dirige **Morir del todo** de P.I. Taibo.

1984 — Estrena **Besos para la Bella Durmiente.**

Publicaciones:

Viva el Duque nuestro dueño. Ed. Vox. 1980.
El combate de D. Carnal y Doña Cuaresma. Ed. Aguilar, 1980.
La verdadera y singular historia de la Princesa y el Dragón.
Ed. Miñón, 1981.
La estanquera de Vallecas. Ed. La Avispa, 1982.
El álbum familiar. Ed. Primer Acto n.º 194. 1982.
El álbum familiar. Sociedad General de Autores, 1984.

FERMIN CABAL

León 1948. Vinculado al teatro independiente ha formado parte de Los Goliardos, Tábano, Monumental de Las Ventas y otros colectivos. Miembro fundador de Sala Cadarso y El Gayo Vallecano. Como escritor sus primeros trabajos son las creaciones colectivas **La ópera del bandido** y **Cambio de Tercio** ambas para Tábano.

Posteriormente ha estrenado:

1978 — **Tú estás loco Briones,** dirigida por el autor, estrenada en la sala Berceo de Logroño.
   El cisne
1979 — **Fuiste a ver a la abuela???,** dirección de Angel Ruggiero, estreno en la sala Cadarso de Madrid.
1980 — **El preceptor,** dirección de Paco Heras.
   Sopa de mijo para cenar, creación colectiva de "La Favorita", dirección de José A. Ortega.
1982 — **Vade Retro,** dirección de Angel Ruggiero, Centro Dramático Nacional, (Teatro María Guerrero de Madrid).
1983 — **¡Esta noche gran velada! ¡Kid Peña contra Alarcón!** por el título europeo, dirección Manuel Collado, Teatro Martín de Madrid.
1984 — Siguen las representaciones de **¡Esta noche gran velada!**

Publicaciones:

   ¡Tú estás loco Briones!, Fuiste a ver a la abuela???, y **Vade Retro.** Ed. Fundamentos, Colecc. Espiral, Madrid, 1982.
   ¡Esta noche gran velada! y **Caballito del diablo.** Ed. Fundamentos, Colecc. Espiral, Madrid, 1983.

JOSE CARLOS PLAZA

Alumno del Teatro Estudio de Madrid (TEM) desde que en 1960 fuera fundado por Miguel Narros, Maruja López y William Layton, del que es inseparable colaborador; ha encabezado después el grupo (TEI) y se cuenta entre los promotores del Teatro Estable Castellano (TEC). Desde 1971 a 1982 ha dirigido el Laboratorio TEI (después TEC), impartiendo como profesor las asignaturas de Interpretación y Dirección, en base al "método" de Stanislavski-Meisner, que introdujo en España Layton.

Ha trabajado como actor en todos los montajes dirigidos por Layton en el TEI, hasta la desaparición del Pequeño Teatro de Magallanes 1. Como director ha realizado los siguientes montajes:

1964 — **Proceso por la sombra de un burro.** Teatro Beatriz (TEM). Madrid.

1971 — Apertura del Pequeño Teatro de Magallanes (Madrid).
La muy legal esclavitud, de Martínez Ballesteros.
Haz lo que te de la gana, musical sobre **Noche de Reyes,** de Shakespeare. Ambos en colaboración con William Layton. TEI.

1972 — **Oh, papá, pobre papá, mamá te ha metido en un armario y a mí me da mucha pena,** de Kopit. Colaboración William Layton. TEI.

1973 — **Proceso por la sombra de un burro,** nueva versión. TEI. **Los justos,** de Camús. TEI.

1974 — **Terror y miserias del III Reich,** de B. Brecht. TEI.

1976 — **Cándido,** de Voltaire. TEI.

1977 — **Preludios para una fuga,** texto colectivo. TEI.

1978 — **La asamblea general,** de Lauro Olmo. Adjunto a la dirección en **Así que pasen cinco años** y **Tío Vania.** TEC.

1979 — **Don Carlos** (Schiller). TEC.

1980 — **Antes del desayuno,** de O'Neill y **La voz humana,** de Cocteau. TEC.

1982 — **Aquí no paga nadie,** de Darío Fo. TEC.

1982 — **Las bicicletas son para el verano,** F. Fernán Gómez. Teatro Español.

1983 — **El correo de Hessen,** de Büchner. Teatro Español.
Le ha sido concedido el Premio Nacional de Teatro de 1983, "por su aportación a la renovación de la escena española".

1984 — **Eloísa está debajo de un almendro,** de E. Jardiel Poncela. Centro Dramático Nacional.

1984 — **La casa de Bernarda de Alba,** de F. García Lorca. Teatro Español. Madrid.

LLUIS PASQUAL

Nacido en Reus (Tarragona), en 1951. Licenciado en Letras (Filología Catalana) y graduado en Arte Dramático. Intervino como actor y en otras tareas en las actividades de "La Tartana-Teatre Estudi" de Reus y posteriormente en el "Grup d'Estudis Teatrals d'Horta", en Barcelona. Es profesor de dicción e interpretación en el Instituto del Teatro de Barcelona y lo ha sido en la escuela "Estudis Nous de Teatre" y en "L'Escola de Teatre de l'Ofeó de Sants". En la actualidad es director del Centro Dramático Nacional.

Durante su estancia en Polonia, colaboró como ayudante de dirección de Adam Hanuszkiemiez, en el Teatro Nacional de Varsovia, en el montaje de **Platanov** de A.P. Chejov. Posteriormente dirigió para la Televisión Polaca los programas "Amb vidres a la sang" y "Paissatge amb figures", con los cantantes Lluis Llach, María del Mar Bonet y Rafael Subirachs.

Ha intervenido como actor en la película **Las rutas del Sur,** de Joseph Losey.

Desde el año 1976 es fundador, miembro y director de la "Societat Cooperativa TEATRE LLIURE".

MONTAJES REALIZADOS

1968 — **Les arrels,** de Arnold Wesker. La Tartana-Teatre Estudi. Reus.
     Antígona, de Salvador Espriu. La Tartana-Teatre Estudi. Reus.
1969 — **Un barrel de palla d'Italia,** de E. Labicho. Teatre Fortuny. Reus.
     Woyzeck, de Georg Büchner. La Tartana-Teatre Estudi. Reus. }
1971 — **Cançons perdudes,** de Alexandre Ballester. La Tartana-Teatre Estudi. Reus.
1972 — **Reus, París i Londres,** de Lluis Pasqual. Teatre Fortuny. Reus.
1974 — **Duploplia.** Departamento de Investigación del Instituto del Teatro. Barcelona.
1975 — **La setmana trágica,** de Lluis Pasqual. Escola de Teatre de l'Orfeó de Sants.
     Cami de nit, 1854, de Lluis Pasqual. Teatre Lliure. Barcelona.
1977 — **Leonci i Lena,** de Georg Büchner. Teatre Lliure. Barcelona.
1978 — **Una altra fedra, si us plau,** de Salvador Espriu. Compañía de Nuria Espert. Barcelona.

La vida del rei Eduard II d'Anglaterra, de Marlowe-Brecht. Teatre Lliure. Barcelona.

Amb vidres a la sang, sobre poemas de Miquel Martí Pol. Teatre Lliure. Barcelona.

1979 — **Les tres germanes,** de A.P. Chejov. Teatre Lliure. Barcelona.

Rosa i María. Espectáculo sobre poemas y canciones de distintos autores. Con Rosa María Sardá. Teatre Lliure. Barcelona.

1980 — **El balco,** de Jean Genet. Teatre Lliure. Barcelona.

1981 — **La hija del aire,** de Pedro Calderón de la Barca. Centro Dramático Nacional. Teatro María Guerrero. Madrid.

Medea, de Eurípides-Séneca. Adaptación Juan Germán Schroeder. Compañía de Nuria Espert. Teatre Grec. Barcelona.

1982 — **Sansón y Dalila,** de C. Saint-Saens. Opera. Teatro de la Zarzuela. Madrid.

Primera historia d'Esther, de Salvador Espríu. Teatre Lliure / Centre Dramatic de la Generalitat. Teatre Romea. Barcelona.

Duet for one, de Tom Kempinsky. Compañía Rosa María Sardá. Teatre Poliorama. Barcelona.

1983 — **Faestaff,** de G. Verdi. Opera. Teatro de la Zarzuela. Madrid.

As you like it, de W. Shakespeare. Teatre Lliure. Barcelona.

La vida del Rey Eduardo II de Inglaterra, en el Teatro M.ª Guerrero de Madrid (CDN) (diciembre 1983).

1984 — Estreno en París de **Luces de Bohemia,** de Valle-Inclán en el Theatre de l'Europe. Después en Madrid, Barcelona y otras ciudades españolas.

OTRAS ACTIVIDADES

1977 — "Stage" de Dirección en el Teatro Narodovy de Varsovia, con Adam Hanuszkiewicz.

Participa como representante de España en el "Congreso Internazionale de Bertolt Brecht", en Milán.

Participa en "L'Albero Degli Uomini", encuentro internacional de personalidades teatrales celebrado en Roma.

1979 — Seminario bajo la dirección de Jerzy Grotowsky.

"Stage" de Dirección en el Piccolo Teatro de Milano y en la Scala di Milano, bajo la dirección de Giorgio Strehler.

ANGEL FACIO

1965 — Fundación en Madrid de **Los Goliardos,** grupo que con su organización, fundamentación teórica, ficheros, giras, etc., será guía en el movimiento de Teatro Independiente español.
Estreno en el Ateneo de Madrid de: **Ceremonia por un negro asesinado.**

1967 — Estrenan **La noche de los asesinos,** de Triana. Representaciones en Festivales Internacionales.

1968 — **Strip-tease** y **En alta mar,** de Mrozeck. Estreno en el Teatro Beatriz de Madrid.

1969 — **Juan de Buenalma,** de Lope de Rueda. Giras por toda España.

1971 — **La boda de los pequeños burgueses,** de Bertold Brecht.

1972 — **La casa de Bernarda Alba,** de García Lorca. Estreno en Oporto con compañía local. Separación del grupo Los Goliardos.

1973 — Etapa profesional, del grupo Los Goliardos. **La boda de los pequeños burgueses,** de Durrenmatt, Teatro Goya, Madrid. **Historias de Juan de Buenalma** (1974).

1975 — Estreno en el Teatro Eslava de Madrid, con producción de Manuel Collado, de **La casa de Bernarda Alba.**

1976 — Etapa de Angel Facio en América. Montaje allí de **La Celestina.**

1979 — Estreno de **Las Bragas,** de Sternheim, con versión escénica y dirección de Angel Facio. Teatro Bellas Artes, del Centro Dramático Nacional.

1981 — Fundación del Teatro del Aire.
Estreno de **La Celestina,** de F. de Rojas.

1984 — Estreno en Madrid de **La Celestina** de Fernando Rojas. Teatro del Círculo de Bellas Artes.

265

COLECCION ARTE